装备系统工程

谢　伟　贾国辉　王会涛 等　编著
吴　帆　主审

科学出版社
北　京

内 容 简 介

本书通过系统工程相关理论方法，研究装备系统在论证、方案设计、工程研制、生产与部署、使用与保障、退役处理全寿命周期过程中涉及的一系列技术及管理问题。全书共 8 章，内容涉及系统工程相关概念和装备系统工程概述、系统工程过程、装备系统工程管理、装备效能与费用，以及以可靠性工程、维修性工程、测试性工程、保障性工程为代表的装备通用质量特性技术原理、设计分析及试验鉴定方法。

本书可作为高等院校相关专业的教材，也可供军事机构、科研院所、军工企业相关人员学习和参考。

图书在版编目(CIP)数据

装备系统工程/谢伟等编著. —北京：科学出版社，2022.11
ISBN 978-7-03-073903-2

Ⅰ. ①装… Ⅱ. ①谢… Ⅲ. ①武器装备-系统工程 Ⅳ. ①E145

中国版本图书馆 CIP 数据核字(2022)第 220090 号

责任编辑：潘斯斯 / 责任校对：胡小洁
责任印制：张 伟 / 封面设计：迷底书装

科 学 出 版 社 出版
北京东黄城根北街 16 号
邮政编码：100717
http://www.sciencep.com
北京凌奇印刷有限责任公司 印刷
科学出版社发行 各地新华书店经销
*
2022 年 11 月第 一 版 开本：787×1092 1/16
2022 年 11 月第一次印刷 印张：17 3/4
字数：400 000

定价：79.00 元
(如有印装质量问题，我社负责调换)

前　言

系统工程是一门实践性、应用性很强的学科，它既是一个技术过程，也是一个管理过程。自20世纪80年代以来，系统工程得到了迅速的发展和广泛的应用，在工程系统、社会经济、军事科学等领域发挥着巨大的作用。在军事装备领域，利用系统工程的基本理论和方法可解决武器装备方面的复杂问题。装备系统工程就是以武器装备系统为研究对象，从系统整体出发，以实现系统优化为目标，研究系统在论证、方案设计、工程研制、生产与部署、使用与保障、退役处理全寿命周期过程中的各项技术及管理方法。在这一过程中需要通过运用定义、分析、权衡、设计、试验、鉴定和评价等反复迭代的过程以优化整体系统的设计；同时要将可靠性、维修性、测试性、保障性等因素融合进整个装备建设工作中，以确保各项技术性能指标的试验以及费用、进度的协调一致，从而能够在实际使用过程中转化为现实的战斗力。

全书共8章，系统地介绍了装备系统工程的基本概念、一般理论和方法，其中第1章主要介绍与装备系统工程相关的基本概念及主要特点，第2章主要介绍系统工程过程及其发展，第3章对装备系统工程管理及主要方法进行了介绍，第4章主要介绍装备费用-效能分析概念及分析方法，第5～8章分别对装备可靠性、维修性、测试性以及保障性工程中涉及的基本理论、设计与分析方法和试验与评价方法进行了介绍。

本书作者均为长期从事装备建设、管理、保障领域的教学和科研工作者，谢伟对本书的总体结构做了统一筹划，编写了详细的大纲，同时承担了第1、2章的编写工作；贾国辉承担了第3章的编写工作；王会涛承担了第4章的编写工作；蔡理金、周杰、张晨承担了第5章的编写工作；吴帆、李官敏、王玮昕承担了第6章的编写工作；程建、朱元诚、徐小涛承担了第7章的编写工作；王丽娟、刘宏程、吴凯、孙承亮承担了第8章的编写工作。全书由谢伟、贾国辉、王会涛统稿、校对和定稿，吴帆教授担任本书的主审。

由于作者水平有限，书中难免存在不妥之处，敬请读者批评指正。

作　者

2022年7月

目　录

第 1 章　绪　　论

现代武器装备的论证、研制、使用和保障是一项复杂的系统工程，特别是在武器装备使用前的各个阶段，如何论证出满足作战需求的装备，如何有效地控制研制进度、费用和性能指标，如何采购到部队适用并能迅速发挥和持续保持作战效能的军事装备，都是急需解决的难点问题。而任何一项复杂装备系统的论证、研制、使用和保障已经不再是一项纯粹的技术项目，而是一项必须与多种学科、多种专业综合的工程项目。系统工程本身不能代替任何一种专业的工程技术知识和社会、经济科学知识，但它是在系统方法的指导下，对这些知识与技术进行科学的组织筹划和综合应用。

1.1　系统工程相关概念

系统工程是为了达到所有系统要素的优化平衡，控制整个系统研制工作的管理职能，把作战需求转化为一组系统参数的描述，并综合这些参数以优化整个系统效能的过程。美国国防部认为，系统工程方法对于实现综合性的均衡的系统解决方案至关重要。同样地，我国武器装备研制生产进入了新的历史时期，新一代的武器装备呈现出体系化要求更高，技术性能更强，集成互联和信息融合程度更高，研制周期更长，投资量更大，技术风险、费用风险和进度风险更高的趋势。因此，系统工程的理论与方法已经成为我国武器装备研制的重要支撑。

系统工程的研究对象是组织化的大规模复杂系统，而“系统”作为系统理论、系统工程和整个系统科学的基本研究对象，需要正确了解和深刻认识。

1.1.1　系统

1. 系统的定义

在本书所述的装备领域，系统指的是由装备、设备、设施、软件和人员组成的能够执行某项任务的有机综合体。

2. 系统的特性

系统主要有以下三个方面的共同特性。

(1) 整体性。系统的本质特性就是有机的整体性。一个大系统是由多个具有不同功能的分系统(单元)组成的，这些分系统共同作用产生满足任务需求的能力，保证实现系统的目标。一个武器装备系统，不仅包括主装备及其各个单元(硬件、软件)，而且包括保障主装备投入正常使用所必需的保障分系统(保障设备、设施、人员、培训、备件、计算机资源、资料等)，以及保证系统成功研制所必需的管理、试验和评价等。这就要求从整体上考虑系统的规律和功能，处理系统各个部分的各种关系，并协调好各个部分之间的接口。

(2) 层次性。系统的层次性主要表现在系统的层次关系上。每一个系统都有其由高级到低级，由复杂到简单的各种单元组成的层次关系。就武器装备系统而言，每一个大的系统之下，都有分系统，分系统之下有设备、部件、组件等单元。最高层次的系统在功能和结构上都处于支配地位，其下各分系统则处于从属地位。而组成分系统的设备处于更低一层的从属地位，以此类推，系统的层次性使系统的各个组成部分协调工作，发挥整个系统的效能。

(3) 相关性。系统内各分系统之间的联系是相互依存、相互制约的。这种依存和制约的关系是通过系统这个整体而建立起来的。每个分系统都有各自的目标，但这些目标都要服从系统的总目标。分系统目标最优，并不意味着系统的总目标最优。因此，必须根据系统的依存、制约关系进行全面权衡，只有这样，才能使系统实现较理想的目标。

对于大型、复杂系统的研制，需要对系统的规律和特征进行管理，这就必然要发展出一套完整的系统工程管理方法。

1.1.2 系统工程

系统工程是20世纪40年代发展起来的一门新兴交叉学科，它最早是由美国贝尔实验室提出的，随着曼哈顿工程和阿波罗计划的成功逐渐发展应用起来。

20世纪60年代，钱学森等中国的科技工作者将系统工程思想方法引入中国，成功缔造了“两弹一星”的辉煌篇章。1978年9月27日，钱学森等总结“两弹一星”的成功经验，发表了《组织管理的技术——系统工程》，标志着“系统工程中国学派”的建立。文中指出：系统工程是组织管理系统的规划、研究、设计、制造、试验和使用的科学方法，是一种对所有系统都具有普遍意义的科学方法。

系统工程主要能实现以下目标。

(1) 通盘考虑寿命周期的所有需求(即研制、生产、验证、部署、训练、使用、保障和退役处理)，将作战使用需求和要求转化为系统的综合设计方案。

(2) 实现所有功能接口和物理接口的兼容性、互用性和综合化，并保证系统的定义和设计反映了系统所有要素(包括硬件、软件、设施、人员、资料)的要求。

(3) 评价和管理技术风险。

因此，系统工程是一种优化过程，更是一种普适的科学方法，虽然本身不能代替任何一种专业的工程技术知识和社会、经济科学知识，但是它是在系统方法的指导下，对这些知识和技术进行科学的组织筹划与综合应用。

系统工程的重点在于应用，在不同领域还需要相应专业基础。系统工程与不同学科专业知识和工程实践结合，可细分为14个应用门类，涵盖国防及国民经济、生产等各个方面，形成工程系统工程到法制系统工程各个专业门类，如表1-1所示。

表 1-1　系统工程应用分类表

序号	系统工程专业	专业基础	序号	系统工程专业	专业基础
1	工程系统工程	工程设计	8	教育系统工程	教育学
2	科研系统工程	科学学	9	社会系统工程	社会学、未来学
3	企业系统工程	生产力经济学	10	计量系统工程	计量学
4	信息系统工程	信息学、情报学	11	标准系统工程	标准学
5	军事系统工程	军事科学	12	农业系统工程	农事学
6	经济系统工程	政治经济学	13	行政系统工程	行政学
7	环境系统工程	环境科学	14	法制系统工程	法学

我国最早应用系统工程的就是武器装备研制过程，本书也正是以装备系统工程作为研究对象，从武器装备整体目标出发，研究系统论证、设计、制造、试验和使用的优化方法。

1.1.3　系统工程方法论

系统工程方法论就是分析和解决系统开发、运作及管理，以及实践中的问题所应遵循的工作程序、逻辑步骤和基本方法，它是系统工程思考问题和处理问题的一般方法与总体框架。具有代表性的方法包括霍尔(A.D.Hall)在 1969 年提出的霍尔三维结构，以及 20 世纪 80 年代中前期由 P・切克兰德(P.Check. Land)教授提出的切克兰德方法论。

1. 霍尔三维结构

霍尔三维结构形象地概括了系统工程中的一般步骤和方法，将内容反映在可以直观展示系统工程各项工作内容的三维结构图中，从而为解决规模较大、结构复杂、涉及因素众多的系统问题提供了一个大体思路。

霍尔三维结构是由时间维(阶段)、逻辑维(步骤)和知识维组成的空间结构，三个维度的具体内涵如下。

1)时间维

霍尔三维结构中的时间维也称工作阶段，一般可分为 7 个阶段。

(1)规划阶段：拟订系统工程活动的方针、设想和规划。

(2)拟订方案阶段：提出具体计划方案。

(3)研制阶段：实现系统的研制方案，并做出生产计划。

(4)生产阶段：生产出系统的零部件及整个系统，并提出安装计划。

(5)安装试验阶段：安装整个系统，并通过试验运行制订出系统运行计划。

(6)运行阶段：系统按预定的目标进行工作，或按预定的用途服务。

(7)更新阶段：改造更新旧系统，以提高系统的效能。

2)逻辑维

霍尔三维结构中的逻辑维又称思维过程，是指实施系统工程的每一个工作阶段所要经过的 7 个步骤，也是运用系统工程方法进行思考、分析和处理系统问题时应遵循的一般程序。

(1) 明确问题，即弄清问题的实质。通过周密调查、全面收集有关资料和数据，了解有关问题的历史、现状和未来的发展趋势，为解决问题提供可靠的根据。

(2) 选择目标。在弄清问题之后，应该选择具体的评价系统功能的指标，或确定其目标函数，以便据此对所有可供选择的系统方案进行比较和评价。这一步骤也称评价系统设计。

(3) 形成方案。按照问题的性质和目标(功能)要求，形成一些可能的系统方案，以供选择。这一步骤也称系统综合。

(4) 建立模型，或称系统分析。它是指为了对各种可能的系统方案进行分析比较，往往通过建立一定模型，将这些方案与系统的评价目标联系起来的方法。

(5) 方案优化，或称系统选择，即在一定的限制条件下，寻求最优的系统方案。评价最优的标准有单目标和多目标。在一些可行方案中寻求最优方案的过程常常是一个多次反复的过程。

(6) 做出决策。有时优化的方案不止一个，或者除了定量目标，还要考虑一些定性目标，如一些与人及社会因素有关的不能用数量表示的目标。这些必须由决策者全面考虑，最后就一个或极少几个方案做出决定，予以试行。

(7) 付诸实施，即实施计划或实际研制。这就是根据最后选定的方案，将系统计划具体实施的过程。如果实施中比较顺利或者遇到的困难不大，可将方案略加修改和完善后即可把它确定下来，那么整个步骤即告一段落。如果问题较多，就要返回到前面几个步骤中的任一个，重新做起。

3) 知识维

霍尔三维结构中的知识维，是指完成上述各阶段、各步骤的工作所需的各种知识和各种专业技术，表征从事系统工程工作所需要的知识(如运筹学、控制论、管理科学等)，也是反映系统工程的专门应用领域(如企业系统工程、经济系统工程、社会系统工程、工程系统工程等)。

2. 切克兰德方法论

切克兰德认为，完全按照解决工程技术问题的思路来解决社会问题或“软科学”问题，会碰到很多问题，切克兰德方法论的主要内容和工作过程如图 1-1 所示。

1) 认识问题

收集与问题有关的信息，表达问题现状，寻找构成或影响因素及其关系，以便明确系统问题的结构、现存过程及其相互之间的不适应之处，确定有关的行为主体和利益主体。

2) 根底定义

根底定义是该方法中较具特色的阶段。其目的是弄清系统问题的关键要素，为系统的发展及其研究确立各种基本的看法，并尽可能选择出最合适的基本观点。

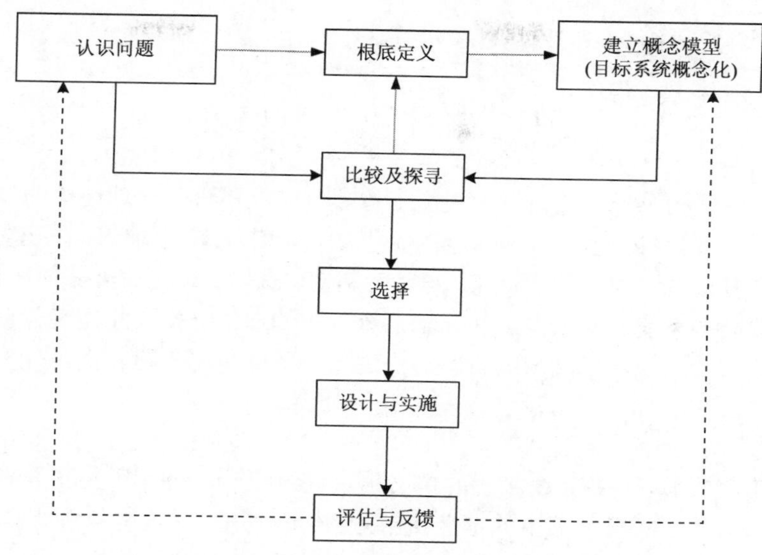

图1-1　切克兰德方法论的主要内容和工作过程

3）建立概念模型

概念模型是来自于根底定义、通过系统化语言对问题抽象描述的结果，其结构及要素必须符合根底定义的思想，并能实现其要求。

4）比较及探寻

将第一步所明确的现实问题（主要是归纳的结果）和第三步所建立的概念模型（主要是演绎的结果）进行对比，同时也需要对根底定义的结果进行适当修正。

5）选择

针对比较的结果，考虑有关人员的态度及其他社会、行为等因素，选择现实可行的改善方案。

6）设计与实施

通过详尽和有针对性的设计，形成具有可操作性的方案，并使得有关人员乐于接受和愿意为方案的实现竭尽全力。

7）评估与反馈

根据在实施过程中获得的新认识，修正问题描述、根底定义及概念模型等。

3. 两种方法论的比较

霍尔三维结构与切克兰德方法论均为系统工程方法论，均以问题为起点，具有相应的逻辑过程。在此基础上，两种方法论主要存在以下不同点。

(1)霍尔三维结构主要以工程系统为研究对象，而切克兰德方法论更适合于对社会经济和经营管理等“软”系统问题的研究。

(2)前者的核心内容是优化分析，而后者的核心内容是比较学习。

(3)前者更多地关注定量分析方法，而后者比较强调定性或定性与定量有机结合的基本方法。

因此，本书的装备系统工程是以霍尔三维结构为一般方法与总体框架。

1.2 装备系统工程概述

人类社会发展到今天，任何一项大型工程项目已经不再是一项纯粹的技术项目，而是一项必须与多种学科、多种专业综合的工程项目。系统工程的价值在于它是运用系统方法处理大型复杂系统的规划、研究、设计、制造、试验、使用、维修的一种科学方法。

现代武器装备系统的复杂性必然要求系统工程的理论支撑，才能确保获得可生产、可使用和可保障的系统，以减少风险、加快进度、降低费用负担、满足任务需求。

1.2.1 概念内涵

与系统工程类似，装备系统工程的定义也众说纷纭。这里采用 2005 年陈学楚编写的《装备系统工程(第 2 版)》一书中的定义：装备系统工程是以武器装备系统作为研究对象，从系统的整体目标出发，研究系统的论证、设计、试验、生产、使用、保障和退役处理，以实现系统优化的科学方法。这一定义突出两个关键点，一是明确了研究对象为武器装备系统，研究内容涵盖了武器装备从论证到退役处理的全寿命周期问题；二是明确了装备系统工程是一类科学方法，这类科学方法涉及装备全寿命周期各个方面和各个阶段。

装备系统工程就是组织管理装备系统的规划计划、研制开发以及使用保障的科学方法和技术的总称。装备系统工程的概念包含两层含义，一是指运用系统理论和系统工程的方法管理控制装备的宏观建设进程，使我军的军事信息装备体系能够满足国防军事需求，适应国家经济实力以及科技发展水平，整体功能完备、规模合理、结构优化、质量优良、整体效能最佳；二是指在具体军事信息装备系统的建设过程中，通过运用定义、分析、权衡综合、设计、试验和鉴定、评价的反复迭代过程，将作战需求转变为一组装备系统的性能参数和系统配置的描述，综合和调配有关的技术参数，确保军事信息装备的所有物理的(结构的)、功能的、软件(程序)的接口或界面是协调一致的、兼容的，以便优化整个系统的设计；将可靠性、维修性、安全性、生存性、人因工程和其他有关因素综合到整个工程的建设工作中，以确保费用、进度、保障性和技术性能指标的实现，并在实际使用过程中转化为现实的军队战斗力。

1.2.2 总体框架

按照霍尔三维结构，装备系统工程也可用时间维、逻辑维和知识维三个维度展开。

1. 时间维——装备全寿命周期过程

装备系统工程的时间维，是指装备的全寿命周期过程，就是装备从立项论证开始到退役处理的整个过程。不同类型装备因性质、功能、复杂程度不同，其组成阶段可能有所不同，但一般都包括论证阶段、方案阶段、工程研制阶段、生产与部署阶段、使用与保障阶段和退役处理阶段 6 个阶段，如图 1-2 所示。其中，前 4 个阶段通常称为研制与生产(前半生)，后两个阶段是使用与保障(后半生)。

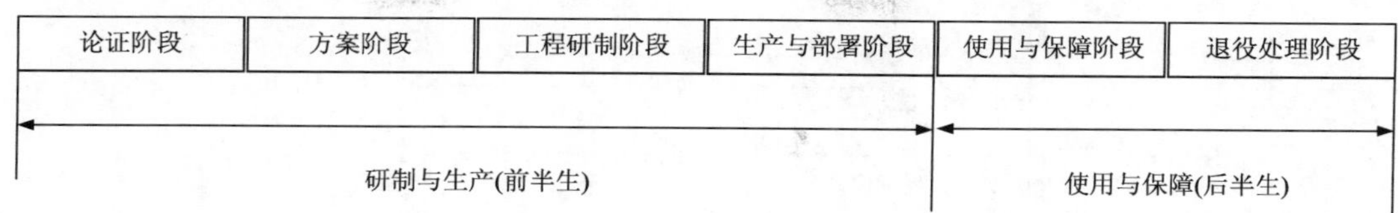

图 1-2　装备时间维全寿命周期过程

(1) 在整个过程中，用户需求是出发点，在研制与生产（前半生）阶段中的关键里程碑决策点都是根据用户需求确定的，而使用与保障本身就是用户主导的，因此全寿命周期过程是用户到用户的过程。

(2) 全寿命周期过程是以系统分析与设计为中心的，因为用户的需求要转化为真正的装备系统，最关键的还是研制与生产（前半生），特别是论证阶段与方案阶段，论证阶段和方案阶段的关键就是系统的分析与设计。

显然，寿命周期的早期阶段对系统的效能-费用和进度有着深远的影响，是系统成败的关键。因此，在论证阶段就需要考虑整个寿命周期所有阶段的需求。但由于这部分成本占比较小，管理者往往对其重要性认识不够，造成项目存在一定风险，这是需要特别注意的部分。

(3) 装备系统工程强调全系统的观点，除主装备外，还需要考虑制造装备的系统，以及使用与维修的综合保障要素。这里给出了装备寿命周期同步的制造和使用保障的全寿命周期，主装备的功能实现受制造过程的影响，而综合保障要素，如保障设备设施、维修规划、维修人员等是整个装备系统的组成要素，与主装备间存在有机联系，是一个不可分割的整体。在论证阶段、方案阶段以及工程研制阶段，都必须考虑主装备相关保障要素的关联和匹配，否则必将制约装备系统效能的发挥。

2. 逻辑维——技术过程与管理过程的统一

装备系统工程的逻辑维，实际上是技术过程与管理过程的统一，两者同步并行，缺一不可，如图 1-3 所示。其中，技术过程主要包括需求定义、系统分析、体系结构设计、实施、集成、验证、确认和转移等。管理过程主要包括装备系统的技术规划、需求管理、接口管理、技术风险管理、技术状态管理、技术数据管理、技术评估和决策分析等。

其技术过程可以用技术过程的 V 字模型来描述，如图 1-4 所示。V 字模型将技术过程分为两个阶段：第一阶段是分解与定义。从用户需求及使用方案出发，向下分解，分析系统要求，实现系统结构设计，分解到分系统和部件设计。这一过程中，每个步骤都可以进行回溯和追踪，保证用户需求的满足。而具体方案实施后，第二阶段是集成与验证。在此阶段中，反向向上进行，将开发出的分系统、系统进行集成、验证和试验，以检验第一阶段对应设计的效果和要求。系统验证完成后，需要针对用户需求再进行系统确认，才能考虑转移到下一个寿命阶段。整个技术过程的 V 字模型形成一个完整的闭环，其追溯和映射保证了用户需求的满足以及设计分析的效率。

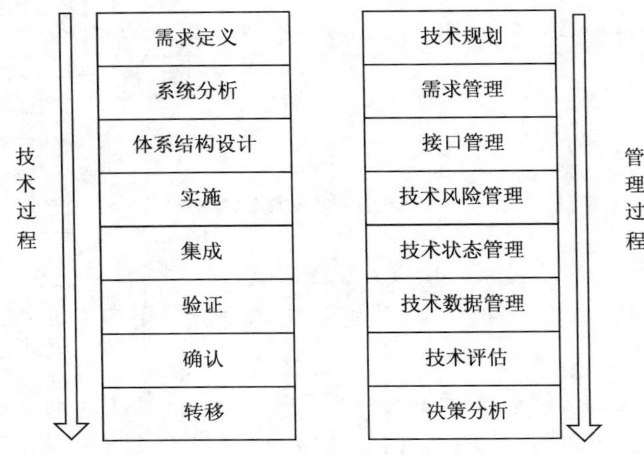

图 1-3　装备逻辑维技术与管理过程

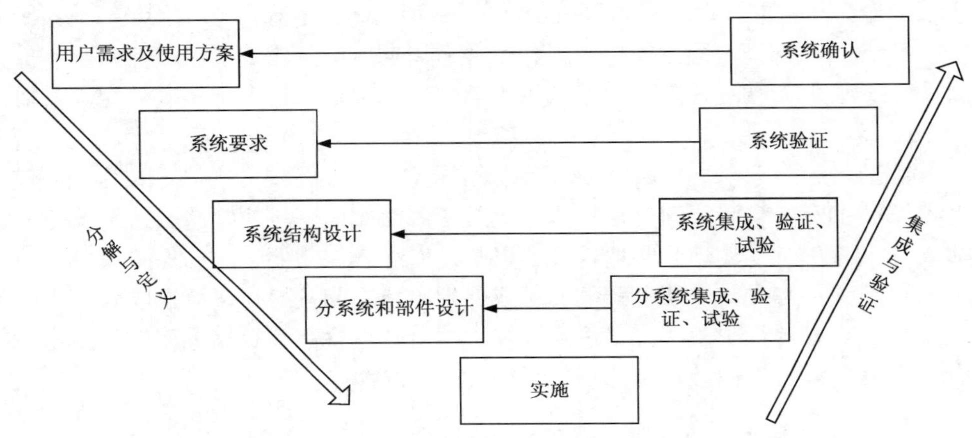

图 1-4　技术过程的 V 字模型

而系统工程的管理过程一般包括技术规划、需求管理、接口管理、技术风险管理、技术状态管理、技术数据管理、技术评估和决策分析 8 个内容。

(1) 技术规划是整体的管理规划，主要包括定义本阶段的技术工作和整个项目的构想，确定本阶段和项目技术工作的进度、组织和费用，准备可选的系统工程管理计划和其他可选的技术计划，发布经授权的本阶段技术工作指南，其核心工作是进度、组织和费用的管理，以及工作指南的发布。

(2) 需求管理是对用户需求的存储管理，主要包括获取、确认并存档可选的需求，引导出可能的期望并确定需求可追溯性，管理可能的期望和需求变更，其核心工作是对需求可追溯性以及需求变更的管理与评估。

(3) 接口管理非常关键，涉及部件分系统和系统的集成，主要包括准备可选的接口管理技术规范，评审可选的技术文档、辨识可能的接口，评价满足接口兼容性的可选产品，进行接口控制、管理可选接口的变更，其核心工作是技术规范、接口控制以及接口变更和评价。

(4)技术风险管理是对整个技术过程风险的评估和监管,主要包括辨识技术构想的技术风险，为技术构想进行技术风险评估，定期监控每个技术风险的状态，针对技术构想实施风险缓解和应急行动计划，其核心工作是制订相应的应急行动计划。

(5)技术状态管理是保证质量和效率的关键,主要包括辨识用于进行本阶段技术状态控制的控制基线和项目可选的控制基线，管理技术状态的状态和阶段产品的变更控制，对本阶段产品和项目的产品计划进行技术状态审核，其核心工作是系统技术状态的控制基线管理。

(6)技术数据管理的对象是技术过程产生的各类数据，其中包括数据的存储、维护与共享，主要包括收集和存储本阶段所需的技术数据与项目中计划的技术数据，维护所存储的本阶段技术数据，向经授权的团体提供本阶段技术数据。

(7)技术评估是对技术过程不同步骤的评价，是技术过程推进的依据，主要包括评估技术工作的生产能力，根据需求度量进展评估产品品质，进行本阶段横向和纵向技术进展评审。

(8)决策分析是实施具体技术方案的前提,主要包括为评价备选解决方案确立指南并定义准则，确定备选解决方案并选择评价方法和工具，评价备选方案并推荐选定的解决方案，报告结果(包括推荐意见、影响分析和纠错行动)，它一般由技术总师和总指挥共同实施。

3. 知识维——专业知识与系统分析方法的综合运用

装备系统工程的知识维就是专业知识与系统分析方法的综合运用，如表 1-2 所示。其中，专业知识涉及装备的具体特性，与装备设计的行业和所处的环境有关，包括环境科学、社会科学等各学科的专业知识；系统分析方法主要提供通用管理和系统分析技术，涉及计划协调技术、图解协调技术等专用的系统工程方法。

表 1-2　装备系统工程相关知识和技术

专业知识	系统分析方法
环境科学	计划协调技术
社会科学	图解协调技术
工程技术	风险评审技术
计算机科学	技术预测关联树法
管理科学	项目管理
…	…

随着系统工程的进一步发展，相关的知识还在继续扩展，特别是人工智能、大数据等技术的发展，其应用将改变原有装备系统工程的特征和内涵，这就需要我们在今后的实际工作中进一步探讨和研究。

1.2.3　主要特点

1. 全系统的观点

武器装备系统除了主装备(如飞机、坦克)，还有使用和维修的综合保障(或技术保障)要素，如维修规划、人员数量与技术等级、供应保障、保障设备、技术资料、训练与训练保障、计算机资源保障、保障设施，以及包装、装卸、储存和运输等要素。主装备与综合保障诸要素共同构成武器装备系统，它们之间具有有机的联系，是一个不可分割的整体，如果失去某一要素，该系统就不能完成其预定的功能。如果在论证、设计、研制时，只注意主装备，忽视综合保障诸要素，造成主装备与综合保障诸要素之间以及各综合保障要素之间的不匹配，必将制约武器装备系统效能的发挥。所以，在武器装备系统研制时，对主装备和综合保障诸要素要同步考虑，即在装备的最初设计阶段就考虑装备的综合保障诸要素，并随着研制工作的深入细化，反复分析，综合权衡，使主装备与综合保障诸要素之间，以及综合保障诸要素之间相互协调匹配，保证武器装备系统在交付使用之时就能形成作战能力。

2. 全寿命过程

全寿命过程(或寿命周期过程)是指装备从论证开始直到退役处理的整个过程。对于不同类型的武器装备，其全寿命过程的阶段因性质、功能、复杂程度等的不同而有所不同。但一般装备的寿命周期大致可分为论证、方案、工程研制、生产与部署、使用与保障、退役处理等阶段，如图 1-5 所示。

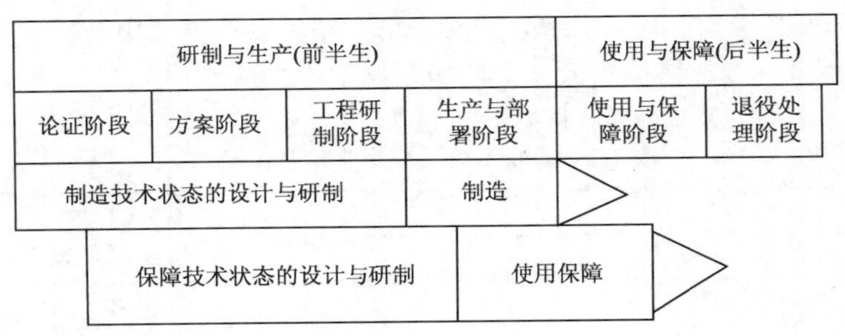

图 1-5　装备全寿命过程

论证阶段也称立项论证阶段，此阶段主要是提出战术技术要求和论证技术经济可行性，探索各种备选方案。方案阶段也称初步设计阶段，此阶段主要是对备选方案进行分析、评价和确认，以降低风险。工程研制阶段也称详细设计及研制阶段，包括详细工程设计、样机研制、保障诸要素研制、试验、评估、鉴定直到能生产的状态。生产与部署阶段包括制造、安装、调试、验收、培训人员、配备保障直至交付使用或部署。如果是选购装备，生产与部署阶段也可称为选型、购置、安装、调试阶段。以上是装备的前半生。装备的后半生由使用与保障阶段、退役处理阶段组成，如图 1-5 所示，图中还表示出制造和保障的全寿命过程，它们是在相应的阶段平行发展的。

装备全寿命过程的各阶段管理工作有着密切的关系。传统装备管理重视设计制造，轻视使用保障，忽视综合保障工作；把综合保障工作看成“事后”的工作，装备生产定型以后，甚至装备投入使用以后，才考虑各种综合保障问题。在装备不太复杂的情况下，忽视综合保障问题，还不会对装备的使用保障带来多大的影响。随着装备复杂程度的提高，若仍然忽视综合保障问题，则在装备交付使用之后，必定很快处于无用状态，不能发挥其应有的作用。

3. 从用户到用户的过程

任何一个产品，不管是武器装备还是民用装备，都是为了满足用户的某一需求而出现的。用户的需求是设计制造的出发点和落脚点，“用什么武器，就生产什么武器”，而不是“生产什么武器，就用什么武器”。产品只有投入使用才能体现其价值，衡量其优劣。只有用户才是产品使用适用性的终极裁判。这里的使用适用性，是指产品能满意地投入使用的程度。对于武器装备系统的优劣，也只有用户在使用保障中才能进行评价。这就是说，产品是从用户的需求开始，经过规划、研制、设计、制造，最后由用户评价使用保障，其全寿命过程是从用户到用户的过程。

4. 以系统分析和设计为中心

一个系统的成功研制往往要经历研究、设计、试制和试验的反复迭代过程。这一过程不是以产品加工为中心，而是以系统分析和设计为中心展开的。研制过程应以设计为主导。研究是为了给设计提供可用的成熟的技术成果，试制是为了实现设计意图，证明设计的可实现性，试验是检验设计是否符合要求，所以整个研制过程都是为了确定一个符合要求而又可行的设计。通过研究、设计、试制和试验的反复迭代过程，能够及早发现和揭露设计中的薄弱环节，把设计问题尽量解决在文件和图纸上。传统的方法是进行样机试验，但有些设计缺陷需要待样机制造出来以后通过试验才能发现，这样不仅造成损失，而且延误进度，有的缺陷已经很难纠正。所以，以系统分析和设计为中心，在投入生产以前，及早发现、纠正缺陷是一种经济有效的方法。

5. 寿命周期综合

寿命周期综合是指采用产品综合组通盘考虑寿命周期中研制的各种需求。

传统的设计和研制主要是采取单一专业学科(如空气动力学科)独自进行的方式，它可以使装备获得一定的性能，但无法做到产品的整体优化，不可能获得优良的作战效能。系统工程出现以后，把彼此并不相关的众多学科，相互不完全理解的各行专家以及千百个目标各异的研究、设计和制造单位联系到一起，可以做到多种学科、多种专业(如机械、电气、电子、财务、法律等)的综合研制，创造出作战效能高而费用低的装备。

20 世纪 80 年代后期和 90 年代初期，出现了并行工程、产品综合组、产品和过程综合研制等概念，它们均是运用系统工程的理论来促进多种学科专业的综合研制，实行寿命周期综合。

并行工程是对产品及其相关过程，包括制造过程和保障过程，实行同步的综合设计的一种系统方法。这种方法的意图是使开发人员一开始便考虑产品寿命周期(从构思到整个使用过程直至产品报废)内的所有因素，包括质量、费用、进度和用户要求。

产品综合组由来自相应职能机构的多种学科的代表组成，通过采用这种形式将所有主要的职能机构结合为一个整体，能在研制初期通盘考虑系统寿命周期过程(如设计、制造、使用、保障等过程)中的各种需求矛盾，协调平衡各过程中的有关问题。产品综合组是系统工程管理的一种成功的组织形式，一般分顶层、工作层和项目层三种产品综合组。

产品和过程综合研制是通过采用产品综合组来同时综合从产品构思到生产直至保障的全部必要活动，以优化系统的研制、使用、保障过程的一种管理技术。产品和过程综合研制认为，产品的研制不仅是零部件的综合，更是一种寿命周期过程的综合。这个过程是指“从摇篮到坟墓”的全寿命过程，包括研制、生产、验证、部署、训练、使用、保障和退役处理 8 个过程，也称系统工程的八大任务。通过八大任务之间的相互协调与配合，达到综合优化的目的。实行产品和过程综合研制的关键是要有不同专业人员组成的产品综合组。

传统产品开发模式是按设计、制造、试验、使用的过程序贯地进行，各过程之间相互分离，各职能部门各顾一摊，以自己局部要求为中心，尽其职责，完成本职工作后，将成果抛向下游，出现问题再抛向上游，缺乏沟通，造成大量的“工程更改指令”，这种“抛过墙式”的开发模式很难做到产品整体优化。复杂装备在创新过程中必然会遇到各式各样的新问题，依赖某一个人、某一门学科、某一项专业技术来解决这类跨学科、跨专业的问题，其作用是有限的，需要有多方面的密切配合和协同。并行工程或产品和过程综合研制打破传统产品开发模式，在研制的早期建立由不同专业学科人员组成的产品综合组，开展辩论，发挥集体智慧，找出问题所在，有些不合理的设计是可以避免的。例如，维修保障人员应尽早介入工程，他们容易发现过分昂贵或特别费时的维修项目，使大部分后期的问题尽早暴露在早期的设计阶段，从而使早期投入的额外费用可以在后期使用维修中得到成倍的回报。反之，不合理的设计问题到后期才暴露出来，木已成舟，若再更改，则在费用和时间上都将付出沉重的代价。

习 题

1. 阐述系统工程的内涵。
2. 阐述装备系统工程的内涵。
3. 装备系统工程在时间维和逻辑维中有哪些活动是相互重叠的，请简述它们的关系。
4. 结合实际谈谈系统工程在装备建设中的地位与作用。

第2章 系统工程过程

现代装备的论证、研制、生产、部署、使用、保障和退役处理是一项复杂的系统工程，需要在寿命周期的过程中，特别是早期阶段，按照一定的目标来系统分析、综合优化、全面权衡，以期获得作战性能优良且寿命周期费用低、可使用、可保障的装备。系统工程管理正是实现这一目标的有效途径，而系统工程过程是系统工程管理的核心。本章从系统工程过程概述、工作分解结构、装备寿命周期各阶段的主要工作、系统工程过程技术发展四方面展开介绍。

2.1 系统工程过程概述

系统工程过程是通过要求分析、功能分析和功能分配、设计综合与验证等环节，将作战需求或要求转化为系统的设计方案的过程。

2.1.1 系统工程过程组成

系统工程过程是将用户提出的使用需求或要求转化为系统性能参数和优化的系统技术状态描述的各项活动与决策逻辑序列。它是把用户的需求或要求转化为设计。系统工程过程包括系统工程过程输入、要求分析、功能分析和功能分配、要求循环、设计综合、设计循环、验证、系统分析与控制以及系统工程过程输出等步骤，如图 2-1 所示。

1. 系统工程过程输入

系统工程过程输入主要是用户的需求、目标、要求和项目的约束条件，也可能包括可用的技术基础、前面工作得出的输出要求、项目决策要求以及规范和标准提出的要求。

2. 要求分析

要求分析是对系统工程过程输入的要求进行分析，以确定功能要求和性能要求，即将用户的需求转化为一组要求，规定系统必须做什么和必须做到什么程度。

要求分析必须弄清并定义功能要求和设计约束条件。功能要求要定义数量、质量、范围、时限(何时及持续时间多长)和利用率(多长时间一次)。设计约束条件定义那些限制设计灵活性的因素，如环境条件或门限值、合同和用户或规章规定的标准。

3. 功能分析和功能分配

功能分析和功能分配是在要求分析得出功能、性能要求的基础上，将功能、性能进一步向下分解和分配，形成功能体系结构。它是系统功能要求和性能要求的一个自上而下的分解结构，不仅示出必须执行的功能，而且示出诸功能之间的逻辑顺序以及与这些

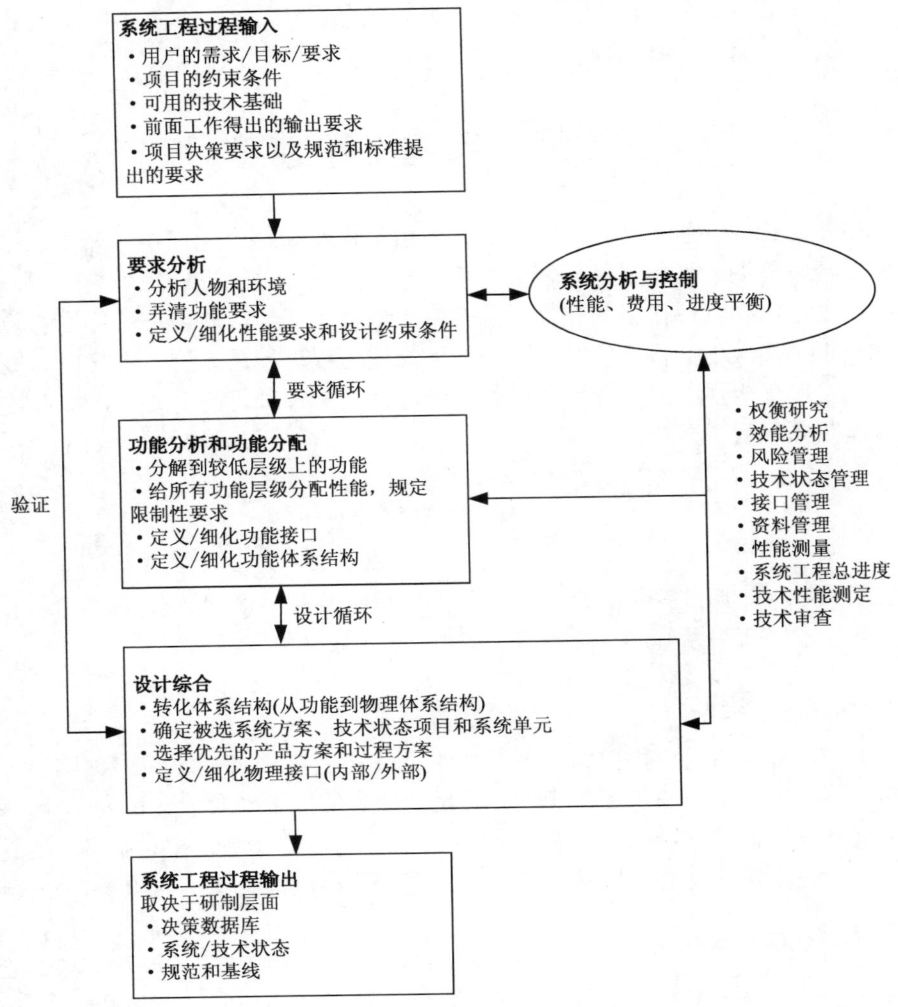

图 2-1　系统工程过程

功能相关的性能要求，它回答了系统各层次的功能“是什么”和“为什么这样做”的问题。功能分析和功能分配有助于更好地弄清有关较低级别功能之间的矛盾及其优先顺序。功能分析和功能分配给出了为优化实际解决方案所必不可少的信息。

4. 要求循环

通过功能分析和功能分配这项活动可以更好地理解要求，促进要求分析的再三斟酌，从而使已明确的每一项功能都能够追溯到一项要求作为其出处。这种根据功能分析和功能分配的结果返回去重新检查考虑要求分析的迭代过程称作要求循环。

5. 设计综合

设计综合是依据功能分析和功能分配的结果(即功能体系结构)，对硬件和软件进行组合与重构，形成一个能在规定的性能参数范围内执行功能要求的物理体系结构（一套产品、系统和软件单元），即获得满足规定要求的设计方案。简言之，设计综合是将功能体系结构转换成物理体系结构，设计出所必需的实体来完成所确定的功能，回答"如何做"的问题。这一物理体系结构是生成规范和基线的基本框架。

6. 设计循环

与要求循环相似，设计循环是为了证实经过综合的物理设计在所要求的执行级别上能否执行所要求的功能而返回去重新检查功能体系结构的过程。这种设计循环使得人们有可能再三斟酌系统将如何执行其任务的问题，有助于优化综合设计。

7. 验证

每次应用系统工程过程都要将解决方案同要求进行比较，系统工程过程的这一部分称作验证循环，简称验证。每个研制级别上的每一项要求必须是可验证的。系统工程过程中制定的基线文件必须为每项要求规定验证方法。可用作验证的方法有检查、演示、设计分析（包括建模与仿真）、测试和试验。其中，正式的试验及评价（包括研制试验及评价和使用试验及评价）是验证系统是否符合要求的重要方法。

8. 系统分析与控制

系统分析与控制是为评价与选择备选方案、评估进度进展情况以及形成决策文件而进行的技术管理活动。这些活动适用于系统工程过程的所有步骤，以实现性能、费用、进度的综合平衡。

系统分析与控制是装备系统采办中系统工程的支柱，是使工程项目得以健康、顺利开展，保持项目稳定，实现系统采办总目标的基本保证。

9. 系统工程过程输出

系统工程过程输出是定义系统要求和设计方案的各种文件。系统工程过程输出与研制的级别有关。输出包括系统或技术状态项目的体系结构以及与研制阶段相称的各种基线（包括相应的规范）。简言之，系统工程过程输出是描述或控制产品技术状态或过程的各种数据资料，而这些产品技术状态或过程又是研制该产品所必不可少的。

系统工程过程是一个自上而下的反复迭代、循环递进地解决问题的过程，依次应用于寿命周期的各个阶段，而且可以一次或重复多次，随着每一次的应用，系统描述变得更加具体。在论证阶段，系统工程过程的主要输入是用户的需求，输出的是备选方案，并初始建立功能基线；在方案阶段，系统工程过程的输入是上阶段的输出，其输出的是系统初步设计，建立分配基线；在工程研制阶段，系统工程过程的输出是详细设计，建立产品基线；在生产与部署阶段，系统工程过程的输出是改正缺陷，形成改进的详细图文；在使用与保障阶段，系统工程过程的输出是系统的改进或改型。

2.1.2　要求分析

1. 装备系统用户需求

用户需求是系统工程过程的第一步，系统工程过程的首次输入是用户的需求，由用户的需求产生对系统的要求。只有在用户需求确定之后，寿命周期的八大任务才能产生对系统的要求，进而为要求分析创造条件。

用户需求要经过任务需求的提出、可行性研究、系统使用要求和维修保障方案的反复权衡之后确定。

1) 任务需求的提出

任务需求来源于对现有的和预期任务能力的评估。任务需求可能旨在建立一种新的作战能力、改善现有能力或寻找降低费用或提高性能的机会。

一般根据我军战略方针、作战任务、外部威胁、作战对象分析、装备在未来战争中的地位和作用、现役装备在作战和保障能力上存在的问题、经济实力和科技水平等提出需求。例如：

(1) 根据作战对象威胁分析，可能导致某一任务范围内能力的不足而提出需求；

(2) 分析现有的装备在使用、维修中暴露的问题，如性能落后、出勤率低、保障费用高，难以在今后保持所需作战效能而提出需求；

(3) 按照使用寿命预测装备的服役年限，为装备的更新换代而提出需求；

(4) 发现科学技术上的重大突破，分析会对装备与未来战争产生深远影响而提出需求。

2) 可行性研究

可行性研究是由一系列技术与管理的调查研究所构成的。它实质上是早期需求提出的延伸与扩充，在系统的需求提出之后，跟随着的是评价在系统研制中可以应用的各种技术与方法，以满足所提出的需求。

例如，设计通信系统，是采用无线传输技术，还是采用有线传输技术；设计飞机时，复合材料占多大比例，采用哪种信号和图像处理技术，是否采用隐身技术；设计控制件是采用超小型集成电子器件，还是采用传统的方法。

可行性研究主要是决策采用何种设计方法进行有关技术的调查研究及其应用。有时，还要专门预研一种新的技术或方法，以满足某种应用的需要，这就要及时安排系统预研规划，以便预研与随后的初步设计有序进行，同步前进。

采用何种高新技术，是依靠各行各业的专家来决定的。这些专家通常只是某一专业学科方面的专家，而不是对整个系统而言的。对整个系统的可行性研究，还要有系统工程学科的专家参加，共同评价所提出的系统需求的正确性和技术上的可行性，并从性能(包括保障性)、进度、费用三个方面综合权衡，提出初步备选方案，进而将系统的使用要求和维修保障方案研制要求体现在系统(A 类)规范里。

3) 系统使用要求

当需求提出，并结合各种技术应用进行可行性分析之后，需要有使用、维修方面的一些具体的定性、定量的指标要求，以便开展系统的研制。

系统使用要求是反映用户使用系统以完成其使命的要求。使用概念包含的内容有以下方面。

(1) 任务剖面。明确系统的主要任务和次要任务，以及系统完成任务的方式，如接力机通信任务，在集团军、旅、营之间，可以有几种通信任务剖面等。

(2) 性能及有关参数。定义系统的基本使用性能及有关参数，如接力机的通信距离、工作频段和波段、工作方式、通信容量、调制方式、中继方式、发信机输出功率、频率稳定度、接收机噪声系数、抗干扰措施等。

(3) 使用要求。预期系统使用寿命(小时)、储存寿命(年或小时)、每天使用小时数、每天使用次数、每月使用强度，以及现场使用的特殊要求等。

(4) 使用部署。系统何地、何时、如何部署，即系统使用部署的地域、数量、时间安排以及运输和机动的要求。

(5) 效能费用要求。此要求包括系统的出勤率、使用可用度、可信度、效能、全寿命费用、效费比、平均维修间隔时间(MTBM)、平均故障间隔时间(MTBF)、平均维修停机时间以及人员的技术水平等。

(6) 使用环境。系统预期使用环境的描述，如温度、湿度、振动、噪声、热带或寒带、高原或平地、沙漠地带或沿海地域、飞机上、车上或舰艇上、系统在该环境持续的时间等。

以上这些使用要求，在研制过程中，随着研制的深入会不断发生变化，但是在研制的初期必须明确，即明确系统要完成的任务是什么，何时、何地、怎样使用，效能费用如何。其中，最关键的地方是承制方必须突出用户在现场是如何部署和使用的。如果使用要求定义得不具体，没有把用户的使用要求完善地综合到设计过程中，最终的结果将是既消耗大量资源，又不受用户的欢迎。

4) 维修保障方案

维修保障方案是对装备维修保障方法、步骤和实施进程的设想。

系统采办，一开始就应特别重视系统的保障问题，并贯穿在整个采办过程中。因为不管从控制研制进度和寿命周期费用或总拥有费用来看，还是从对作战能力和系统效能所产生的直接影响来看，将注意力集中在综合保障诸要素上，对系统的成功研制和部署是极其重要的。例如，装备设计布局不合理，维修手段笨重落后，工具设备不配套，技术资料、软件不齐全，器材备件供应不及时，所有这些都可能使装备长期处于停用、待修状态，以至于耗费了大量的人力、物力和财力，装备仍然不能发挥其作用。

为了解决上述问题，在装备立项论证初期提出系统使用要求时，也要提出维修保障方案，其内容一般有以下方面。

(1) 预期的维修级别：指装备维修的范围和深度及其维修时所处场所划分的维修等级，一般分为部队级维修和基地级维修两级。

(2) 维修保障职责：指对装备上的不同设备或寿命周期的不同阶段，用户与承制方应划分维修保障的职责，明确在何种维修级别上由谁去负责实施维修。

(3) 修理策略：指对某种产品预定修理的程度。它规定某种产品应设计成不可修复的、局部可修复的或全部可修复的。

维修保障方案内可列出一种或几种修理策略作为方案的组成部分，并将其对装备的设计和维修保障所产生的影响给予评价，以便选定一种修理策略，并依此进行设计。

例如，若在部队级维修时，对某电台上的一个元器件选定为不可修复的产品，那么当其发生故障后就更换一个好的元器件，而将该故障件报废。如果采用这种修理策略，部队级就应该有机内自检能力的设计要求，保证能诊断该元器件是否有故障，避免将好的元器件报废，并且要向部队级提供所需的备件。这时的维修只限于拆卸和更换，对人员技术水平要求较低。

又如，对于在部队级维修野战交换机上的电源设备，可分两种情况：一是定时维修，即到达预定的时限将其拆下送到后方修理；二是事后维修，这要有机内测试，将故障隔离到设备一级，送到后方修理。后方的基地级能否将电源设备的故障隔离到模块件或电路板，则取决于其测试设备、人员技术水平以及备件供应情况。这些问题在立项论证阶段要有通盘的考虑。

(4) 综合保障要素：指维修规划、人员数量与技术等级、供应保障、保障设备、技术资料、训练与训练保障、计算机资源保障、保障设施，以及包装、装卸、储存和运输等。作为维修方案的一部分，对这些要素的要求应有所考虑，即考虑维修保障是怎样进行的，有些什么维修任务，维修的时间和频率，维修人员的数量与水平，备件与器材的供应水平等，但是综合保障的最终要求，要通过以后的保障性分析才能逐步完成。

(5) 维修环境的描述：同使用环境类似，如温度、湿度、振动、噪声、高原、山地、沙漠、海洋等。有时维修环境对运输、储存影响很大，设计时需要预先采取防范措施。

总之，用户的需要是设计、制造装备的出发点与落脚点。军事部门是装备的使用者，最了解装备的需求。研制新型装备的目的、所需的作战能力、作战使用条件、维修保障要求，应按使用者的需求来确定。全面地分析用户的需求，科学地确定用户的需求，是“优生”装备的关键，它直接影响到日后装备能否完成其作战使命任务，发挥其作战效能。然而，多年来的实践表明，由于用户需求分析不充分，需求迟迟不确定，决策多变，又急于求成，研制者无所适从；也由于忽视用户的需求，特别是忽视在野战条件下用户使用、维修的需求，装备部署以后，不能形成应有的战斗能力，不受用户欢迎。所以，完整、准确地确定用户需求，是系统工程过程中至关重要的第一步。

2. 装备系统要求分析

要求分析指在用户需求的基础上，分析任务和环境，弄清功能要求，定义和细化性能要求以及设计的约束条件。

(1) 要求分析是系统工程过程中需要考虑的基本问题，因为系统工程过程的主要目的是把要求转化为设计。系统工程过程要使这些设计在约束条件下发展，最终还必须证实这些设计是否既满足用户需求和要求，又符合约束条件。

(2) 要求分析是对系统工程过程的输入进行分析，以确定功能要求和性能要求。通过要求分析，人们能够清晰地理解在功能上系统必须做什么，在性能上系统做到什么程度。由要求分析得出的结果是确立功能设计和物理设计时应遵循的依据。通过八大任务之间的相互协调和配合，能够使得要求分析平衡。良好的要求分析对成功地确定设计方案具有非常重要的作用。

2.1.3　功能分析和功能分配

功能分析和功能分配是将要求分析得出的功能、性能、接口和其他方面的要求转化为一份协调一致的系统功能说明，目的是弄清功能、性能和接口的设计要求。

要完成功能分析和功能分配，就要按逻辑顺序安排功能，将较高级别上的功能分解到较低级别上，然后向这些较低级别上的功能分配要求。为了依次确定较低级别上的功能要求和性能要求，需要重复功能分析和功能分配这一活动。

功能分析和功能分配过程的输出是功能体系结构。功能体系结构是系统功能要求和性能要求的一个自上而下的分解结构，不仅示出必须执行的功能，而且示出诸功能之间的逻辑顺序以及与这些功能相关的性能要求，即系统功能说明，但这种说明采用的是功能和性能参数而不是物理描述。

这种自上而下的过程是将系统级要求转化为功能和性能的详细设计准则的过程，包括以下方面。

(1) 用功能术语定义系统，然后将顶层功能分解成分功能，即依次明确系统在其下的各个级别上必须发挥哪些作用。

(2) 将较高级别上的性能要求转化为功能和性能的详细设计准则或转化为约束条件，即要明确功能必须执行得多好。

(3) 弄清并定义内部和外部的所有功能接口。

(4) 弄清为最大限度地减少控制接口而需要划分的功能组。

(5) 确定系统已有的或明确的部件的功能特性，并将其纳入功能分析和功能分配。

(6) 检查适用于具体项目的所有寿命周期任务(研制、生产、验证、部署、训练、使用、保障、退役处理的八大任务)。

(7) 进行权衡研究，确定满足要求的备选功能途径。

(8) 为解决功能问题，必要时再回到要求分析这一步骤。

常用的功能分析和功能分配的工具有功能流程图与时线分析。

2.1.4　设计综合

设计综合是以功能分析和功能分配的结果为依据制订方案或形成设计的过程，并将功能和性能要求转化成能在规定的性能参数范围内执行要求功能的物理体系结构(一套产品、系统、软件单元)。

设计综合始于功能分析和功能分配的输出，即功能体系结构。要将功能体系结构转换为物理体系结构，就要确定所必需的实际部件来执行功能分析和功能分配所确定的功能。由于一组规定的功能和性能要求可产生多种物理体系结构，所以设计综合要进行权衡研究，从这些备选物理体系结构中选择最佳物理体系结构。设计综合的目的是对硬件和软件进行组合与重构，获得满足规定要求的设计方案，并建立各子系统之间的基本关系。在初步设计和详细设计期间，要精心编制分系统说明和部件说明，定义系统所有部件之间的详细接口。

物理体系结构是一个传统术语，实际上它不仅包括硬件单元，还包括软件单元，是生成基线和规范的基础。物理体系结构是设计综合的主要输出，具有下列特性。

(1) 与功能分析密切相关，因此要求每一个硬件和软件至少要满足一项功能要求或其中一部分要求，但也可能某一部件满足多项功能要求。

(2) 物理体系结构是否合理需以权衡研究和效能分析来评定，物理体系结构是建立产品工作分解结构的依据。

(3) 需要制定跟踪关键性能参数进展情况的度量标准，建立数据库以记录有关信息。

在设计综合过程中，应注意采用模块化设计。模块化设计是将各种能执行单一独立功能或单一逻辑任务的部件结合成一体。这种结构具有单一的入口点和出口点，并能进行单独测试。按功能进行组合有利于实现模块化设计方案。

在设计综合过程中，可以采用各种分析方法和自动化工程方法，例如，采用计算机辅助设计可以生成描述产品设计的详细文件，包括示意方框图、详细图样、三维立体图，可以为虚拟建模与仿真提供输入等；采用计算机辅助工程可以提供系统要求和性能分析，不仅支持权衡研究，还支持与八大任务有关的分析以及费用分析等。

在设计综合过程中，利用建模与仿真技术可以在设计决策之前对“实际”产品进行观察和评价。通过建模与仿真技术可以优化硬件和软件参数，预测性能，得出操作顺序，给系统各单元分配最佳功能要求和性能要求。

2.1.5 验证

1. 验证概述

通过验证过程能够确认设计综合是否形成了满足系统要求的物理体系结构。验证过程简称验证。

验证的目的之一是根据规定的准则从系统的最低级别到整个系统对物理体系结构(包括软件和接口)进行验证，保证以可接受的风险水平达到费用、进度和性能要求。验证的另一个目的是获取数据，证明系统、分系统和较低级别的产品项目是否满足其规范的要求，确认将要用于系统设计方案的技术是否有效。

验证的方法有检查、演示、设计分析(包括建模与仿真)、测试和试验。通过制订试验及评价总计划，全面安排研制试验及评价、使用试验及评价是项目验证的重要方法。

验证的重点和性质随着设计从立项论证到详细设计再到实际产品的进展而变化。在早期设计阶段，验证的重点是验证系统、分系统和部件的方案是否符合要求；在后续阶段，随着产品定义工作不断向前进行，验证的重点转移到验证系统是否满足用户的要求。设计是自上而下(自系统级设计经分系统到部件级)的过程，验证则是自下而上(自部件级验证经组件、分系统到系统级)的过程。部件的制造和试验在分系统之前；分系统的制造和试验则在系统之前。

2. 试验及评价

试验及评价是指系统在其研究、研制、部署期间进行的各种物理试验、仿真试验和相应的分析。在寿命周期过程中，它不是一个独立的阶段，而是装备采办中的一类重要活动。

试验及评价不能简单地认为在研制完成之后才进行，或者等到制造出来之后，甚至交付用户使用之后才进行。如果是这样，将较晚发现研制中的问题，这样不仅更改工作量大，耗费人力、物力和时间成本，有时更改甚至是不现实的。所以，试验及评价应尽早开始，并贯穿于系统寿命周期全过程，特别是系统的采办过程。

试验及评价可分为研制试验及评价和使用试验及评价。

1）研制试验及评价

研制试验及评价（Developmental Test and Evaluation, DT&E）是工程研制中验证能否达到各种技术规范的要求而进行的试验及评价。

研制试验及评价包括系统、分系统和设备，以及硬件和软件的组合、产品改进等的试验及评价。研制试验及评价一般由研制部门或单位规划、组织和实施，军方进行监督。除利用实际产品外，试验还可能利用系统模型、仿真模型、试验台架、样机和全尺寸工程模型等，通常是在相应的使用试验及评价之前进行。显然，在整个采办过程要进行多次多种多样的试验及评价，重要的研制试验及评价由项目办公室组织或监督，承制方参加或实施，在受控环境下，由经过培训的有经验的操作人员进行操作，对代表当前研制、工程或生产状况水平的试验品按照规范进行试验。试验中要准确测定受试品的各种数据，特别是性能数据，并与规定要求比较以确定是否满足要求，通过分析发现设计或制造缺陷，确定研制和改进对策。

在论证阶段，考虑满足使用、保障要求的各种途径，通过试验及评价来帮助选择系统的备选方案，包括与先进技术有关的试验，以鉴别技术可行性，降低风险到可接受的程度。在方案阶段，进行功能硬件的制造与试验，确认较优的技术方法，验证或更改各种设计参数，检验系统设计的合理性。在工程研制阶段，验证系统设计能否达到规范的要求，包括性能、可靠性、维修性、保障性的门限值，以及所发现的各种问题的更改和消除，以保证能够正确做出批准设计或进行限量生产的决策。

在方案阶段，采用原型机（初样机）进行研制性试验。在工程研制阶段，不能仍然采用研制型原型机进行试验，而应在具有代表性的生产型样机上进行试验，以保证试验及评价的有效性。

2）使用试验及评价

使用试验及评价（Operational Test and Evaluation, OT&E）是由独立的试验机构负责进行的在真实使用条件下对系统、分系统、设备或其他项目的现场试验（包括实弹试验）及评价。其目的是确定系统在真实使用条件（包括典型的平时和战时环境，具有代表性的操作人员使用、维修和保障该系统）下的作战效能和作战适用性。

使用试验及评价由独立的试验机构（基地）或部队实施，承研方或承制方不介入试验。在按照作战使用场景确定的实际作战环境下，按作战使用要求由新近经过培训的部队人员进行操作使用，测量、估算作战（使用）效能和适应性，与使用要求进行比较，并通过分析做出评价。

使用试验及评价包括早期使用评估、初始使用试验及评价和后续使用试验及评价。早期使用评估是在研制早期，在我国研制程序中的定型前进行的评估。按照我国装备研制程序，初始使用试验相当于定型试验，包括试验基地和部队试验与试用所进行的各种试验，其结果经过分析作为装备定型的依据。后续使用试验及评价是指装备(大量)部署使用后进行的使用试验及评价，其目的是结合装备的实际使用环境和保障条件确定其作战使用的效能和适应性。后续使用试验及评价的重点是考核装备的战备完好性和保障能力，以便提出和确定对策，如改进和完善保障系统、对装备进行改进或改型、研制新装备等。

对于重要的装备，在使用试验及评价中通常还要进行实弹试验及评价(Live-Fire Test and Evaluation, LFT&E)。其任务是在接近作战任务的环境中考核装备的作战能力、生存性和易损性，并为装备战场损伤评估与修复提供依据。此外，装备可能还要进行一些特殊试验及评价，如核生化方面的试验及评价。

任何新研装备只有在使用试验及评价之后才能决定是否投产。因此，应采用有代表性的生产型样机作为受试件进行使用试验，如果未完成使用试验，其结果只能是使用评估而不是评价。如果急于求成，在这之前先决定投产，或者用研制型原型机代替生产型样机进行试验及评价后就决定投产，将造成不良的后果。

以上两种试验及评价的区别见表 2-1。但是，两种试验并不是两个截然不同的前后阶段，它们在某些时候也可以结合或并行进行。例如，在论证和方案阶段，研制试验可能是测量某一性能参数，而使用试验则可能是完成某一拆装动作。

表 2-1　研制试验及评价与使用试验及评价的区别

研制试验及评价	使用试验及评价
由项目办公室控制	由独立的试验机构或部队控制
单件试验	多件试验
受控的环境	实际的/战术的环境与使用预案
承制方介入	严格限制承制方介入
经过培训的有经验的操作者	使用部队新近接受装备训练的人员
精确地度量性能目标值和门限值	量度作战效能和适应性
针对规范试验	针对要求试验
使用研制受试品	使用能代表生产状态的受试品

2.2　工作分解结构

工作分解结构(Work Breakdown Structure，WBS)是依据系统和产品的可分解原理组织系统研制活动的一种管理方法。前面介绍的系统工程过程，它产生出系统的功能体系结构和物理体系结构，将这些体系结构与其相关的保障服务有机地组成一体便会呈现一种宝塔形的层次结构，这就是工作分解结构。

由于工作分解结构是从功能体系结构和物理体系结构(除主装备外，还包括与其相关的服务和资料等）直接衍生而来的，因此可认为工作分解结构是系统工程过程的输出。由于系统工程过程的各个方面都必不可少地要利用工作分解结构，所以它是系统工程管理的重要工具和方法。

2.2.1　工作分解结构的定义

工作分解结构是对装备项目在研制和生产过程中所应完成的工作自上而下逐级分解所形成的一个层次体系。该层次体系以要研制和生产的产品为中心，由产品（硬件和软件）项目、服务项目和资料项目组成。它完全限定了武器装备项目的工作，并表示出各项工作之间以及它们与最终产品之间的关系。

人们要完成某项工程项目，特别是研制大型装备系统，需要对其任务进行分析，分析的方法之一就是任务分解。按系统的结构组成，以系统为顶层单元，由上向下，由粗到细将任务层层分解，形成一个宝塔形的结构——工作分解结构。这一结构全面包含了系统的所有工作单元，完全确定了工程项目的工作内容以及各项工作的关系。工程项目的任务可分为产品任务和保障任务两类。产品任务的分解形成各级产品，从系统、分系统直至零件，它们构成工作分解结构的主产品单元。因此，可以说工作分解结构是由产品、服务、资料构成的层次分明的工作任务分解图。

2.2.2　工作分解结构的制定

一般利用功能体系结构和物理体系结构来制定工作分解结构，因此应审查这些体系结构，确保所有必需的产品和服务都能得到确定。

工作分解结构可分为项目 WBS 和合同 WBS。项目 WBS 是代表整个系统的工作分解结构，顶层一般分为 3 个级别，如图 2-2 所示。以通信系统为例，它的 1 级为系统级，如通信系统或指控系统等；2 级除主装备（如数字交换机、数字接力机、电子侦察卫星等）外，还有系统工程项目管理、系统试验及评价、训练、专用保障设备、资料、现场准备（如场地建设等）、工业设施、通用保障设备、初始备件和修理件共 10 个单元；3 级如主装备的动力装置、操作系统、控制系统等。

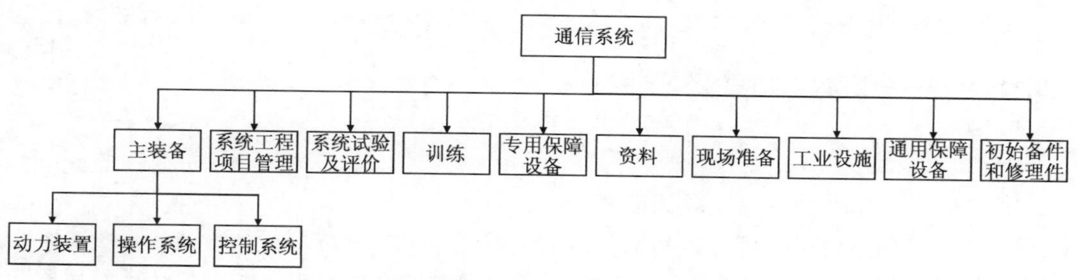

图 2-2　项目 WBS

合同 WBS 是项目 WBS 中需专门通过合同来委托任务的那一部分，如图 2-3 所示。通常情况下，订购方负责制定顶层项目 WBS 的前三级，同时制定初步的合同 WBS，为签订合同做准备，合同签订后再由承制方进一步制定。

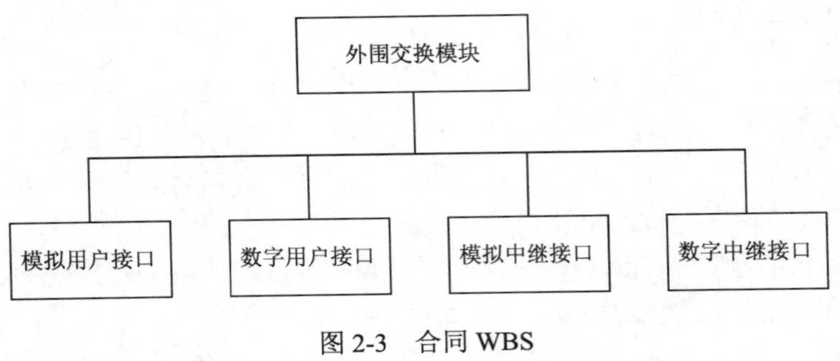

图 2-3　合同 WBS

2.2.3　工作分解结构的作用

工作分解结构体现了系统的整体性、层次性和相关性，为组织系统研制和生产活动建立结构框架，以具体的图表方式表达出来，使人们对这个系统研制/生产所需做的全部工作一目了然。

工作分解结构是安排项目各项活动的基础。这些活动包括项目定义、技术规划、技术性能度量、事件进度的确定、技术状态管理、风险管理、规范编制、费用估算、资源分配、工作说明编制、状况报告和问题分析等。

2.3　装备寿命周期各阶段的主要工作

装备的全系统管理和全寿命管理是装备保障要素从论证到退役的整个寿命周期各阶段的实践活动。装备的全系统管理实质上是系统工程的基本理论在装备管理中的应用，其从横向上通观装备的全局，把装备全部的内在因素和外在因素作为一个整体系统来进行研究和处理。装备的全寿命管理则是从纵向对装备寿命周期的各个阶段实行统筹管理。

2.3.1　装备寿命周期各阶段的划分

1. 论证阶段

论证阶段的主要目标是立项论证。

这个阶段的主要工作可分为两部分：①根据任务需求分析可行性研究、系统使用要求及维修保障方案来决策装备型号立项；②确定总体的系统要求，探索和选择各种备选方案，要有若干个备选方案，评价各备选方案的可行性，分析各备选方案的关键技术的成熟性；为降低技术风险，应积极倡导技术开发，开展预研，强调创新和竞争。本阶段的工作对系统的研制成败关系甚大，应在明确装备系统作战使用需求的基础上，确立使用计划、初始综合保障计划以及关键分系统和重要设备(如发送系统、接收系统和电源设备等)，初步分析系统的性能、费用、进度和风险，选择出效费比高的优化方案，形成功能基线和系统(A 类)规范。根据经论证的战术技术指标和初步总体技术方案，编制《武器系统研制总要求》和《论证工作报告》。

2. 方案阶段

方案阶段的主要目标是通过系统工程过程进行初步设计，降低技术风险。

本阶段的主要工作是方案选择和对已经选定的方案进行功能分析与分配，确定分系统和设备的定性、定量要求，重新评价和权衡性能、费用、进度要求，分析影响总拥有费用的主要因素，并在可靠性、维修性、保障性以及综合保障诸要素之间权衡，进行系统初步设计的研制型原型机(模型样机或初样机)的研制性试验，形成分配基线和研制(B 类)规范以及《研制任务书》。

产品项目应具有一个以上方案、多种设计方法，并对各备选方案的优缺点进行更细致的评估，同时进行建模与仿真和样机验证以及初始使用估计，作为降低技术、制造和保障风险的必要手段。

3. 工程研制阶段

工程研制阶段的主要目标是将最有希望的设计方法转化为一种稳定的、可生产的、可保障的和经济有效的设计；确认制造或生产过程；通过试验模拟验证系统能力。

本阶段的主要工作是进行详细工程设计、完成生产所需的成套图纸，提供使用试验所需的综合保障(如备件、试验设备、技术手册、人员培训等)，修改初样机，形成生产型样机(正样机)，对分系统和设备进行试验及评价，确定系统的作战效能和作战适用性，形成产品基线和产品(C 类)、工艺(D 类)、材料(E 类)规范。

当试验结束、设计修改和改进被引入产品时，开始初始小批量生产，以支持工程研制后期开始的初始使用试验及评价。

设计过程中采取的主要工具有各种 CAX 和 DFX。CAX(Computer Aided X)是计算机辅助设计(Computer Aided Design，CAD)、计算机辅助工艺规划(Computer Aided Process Planning，CAPP)、计算机辅助制造(Computer Aided Manufacturing，CAM)、计算机辅助工程(Computer Aided Engineering，CAE)等计算机辅助应用系统的统称。

DFX(Design for X)是面向产品寿命周期中某一环节的设计，如面向装配的设计(Design for Assembly，DFA)、面向质量的设计(Design for Quality，DFQ)、面向测试的设计(Design for Test，DFT)、面向成本的设计(Design for Cost，DFC)、面向服务的设计(Design for Service，DFS)和面向环境的设计(Design for Environment，DFE)等。DFX 的提出是为了在设计过程中尽早考虑到后续阶段如装配加工、测试、环境等方面对产品性能的影响，从而提早对设计加以必要的约束，提高设计的一次性成功率。

4. 生产与部署阶段

生产与部署阶段的主要目标是达到满足任务需求的作战能力，并通过使用试验及评价判定系统的效能和作战适用性。

本阶段的主要工作是监督主装备、软件及综合保障装备的生产，进行产品检验和验收；组织使用说明书、操作规程、维修指南等技术资料的编写与出版；组织操作使用和维修人员的培训；保证主装备和保障装备的配套与同步生产，组织好部队的接装和运输，保证技术资料与装备一起交付部队。

在研制试验及评价和使用试验及评价中所发现的问题应得到解决，并通过使用试验及评价、实弹试验及评价来验证其改进的有效性，确认后才能投入全额生产。图 2-4 和图 2-5 对各个阶段的主要活动以及主要活动的里程碑情况进行了示范性说明。

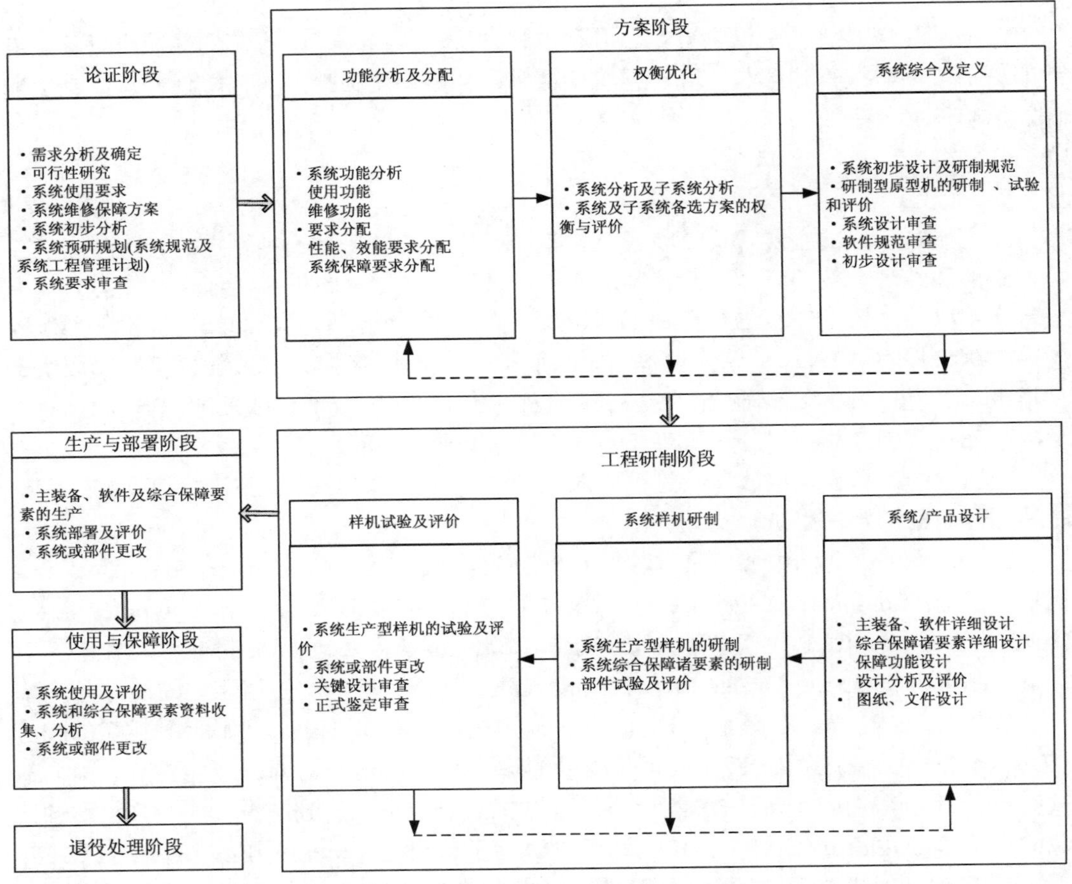

图 2-4　系统寿命周期各阶段的主要活动(举例)

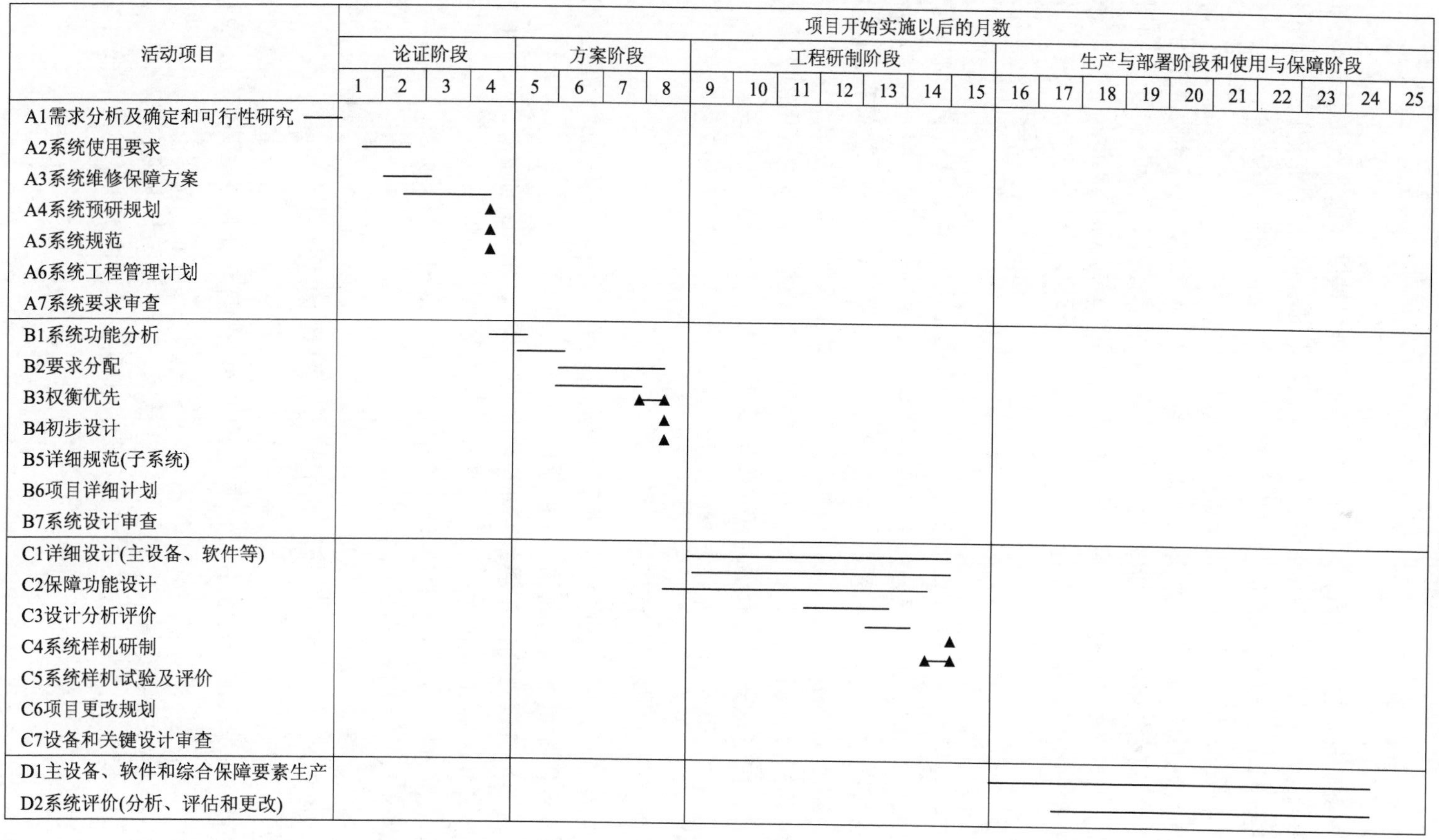

活动项目	项目开始实施以后的月数																								
	论证阶段				方案阶段				工程研制阶段							生产与部署阶段和使用与保障阶段									
	1	2	3	4	5	6	7	8	9	10	11	12	13	14	15	16	17	18	19	20	21	22	23	24	25
A1需求分析及确定和可行性研究																									
A2系统使用要求																									
A3系统维修保障方案																									
A4系统预研规划																									
A5系统规范																									
A6系统工程管理计划																									
A7系统要求审查																									
B1系统功能分析																									
B2要求分配																									
B3权衡优先																									
B4初步设计																									
B5详细规范(子系统)																									
B6项目详细计划																									
B7系统设计审查																									
C1详细设计(主设备、软件等)																									
C2保障功能设计																									
C3设计分析评价																									
C4系统样机研制																									
C5系统样机试验及评价																									
C6项目更改规划																									
C7设备和关键设计审查																									
D1主设备、软件和综合保障要素生产																									
D2系统评价(分析、评估和更改)																									

图 2-5　主要活动的里程碑图

5. 使用与保障阶段

使用与保障阶段的主要目标是以合理的总拥有费用持续保障系统的作战使用。

本阶段的主要工作是装备的使用、维修和保障。根据使用、维修中出现的问题，对装备系统进行科学、准确的评价，按照性能、可靠性、维修性、保障性、测试性、兼容性、互用性和安全性等的不足，提出更改意见。

新研装备投入使用，绝不意味着研制过程就此终结。因此，应根据使用中进一步发现的问题、技术的发展和战略态势的变化，提出新的作战需求，为开始更新的研制计划提供依据。一种武器装备交付使用，从某种意义上说，乃是其改进改型、更新换代的开始，实际上是一个循环往复的过程。

6. 退役处理阶段

装备按其自然寿命、技术寿命和经济寿命的不同特征，都有其特有的寿命期，到了寿命的终结时，或装备遭到损毁失去执行任务能力时，应按有关保密、安全和环境保护的法律、法规要求进行退役处理。退役处理阶段的主要工作是对主装备和保障装备进行认真的分类清理，对有些仪器、仪表和零(备)件，能在其他装备上再使用的尽量再使用；有些零(备)件通过再制造技术能够恢复尺寸、形状和性能；对不能利用的资源和材料，在不失密的原则下送到指定地点进行回收再循环；通过再使用、再制造、再循环，提高资源的利用效率，减少废弃物对生态环境的影响，落实可持续发展战略。

2.3.2 装备寿命周期各阶段的主要活动

在装备寿命周期的不同阶段，进行的主要活动也各不相同，侧重点也不一样。系统寿命周期各阶段的主要活动如图 2-4 所示。

通过图 2-4 可以看到，在装备寿命周期的不同阶段，进行的主要活动各不相同，侧重点也不一样。系统工程过程中一些主要活动的里程碑可通过图 2-5 得到，其中，A1～A7 为论证阶段的活动，B1～B7、Cl～C7、D1～D2 分别为方案阶段、工程研制阶段、生产与部署阶段和使用与保障阶段的活动。

2.4 系统工程过程技术发展

传统的装备系统工程过程中，必须先完成设计并制造出实体零部件，才能对设计方案的质量和可制造性进行评估，耗时长，效费比低。

系统工程经过多年发展，出现了许多新技术、新方法和新理论。这些新技术、新方法、新理论使得系统工程过程不一定局限于前面所讲的顺序流程，大大降低了系统工程过程的风险性，缩短了系统工程过程的时间。

2.4.1 基于模型的定义技术

基于模型的定义(Model Based Definition，MBD)指从概念设计阶段开始，持续整个发展和以后的生产周期各阶段的活动，以支持系统的需求、设计、分析、验证和确认活动模型的形式化运用。其改变了传统以工程图纸为主，以三维实体模型为辅的方法，使三维实体模型成为生产制造过程中的唯一依据。

1. 能够解决的问题

(1) 信息的完整性和一致性以及信息之间的关系难以评估和确定，因为它们散布于各种不同的数量巨大的文档中。

(2) 难以描述各种活动。活动是动态的、交互的，仅用文字描述只适用于相对简单、参与方不多的活动，但无法胜任复杂活动。

(3) 更改的难度很大。由于文档的数量巨大，要确保所有需要更改的内容都得到更改，将是一个很大的工程。

2. 实施目标

(1) 增强对模型的理解力。

(2) 提高不同领域人员之间的交互能力。

(3) 减少模型的不一致性和错误。

(4) 提高模型的质量，细化对软硬件的需求描述，增强需求的可追溯性，保持研发文档的一致性。

(5) 提高需求变化的分析评估能力，以及跨专业模型的协同和交互能力。

(6) 降低风险，优化费用估算，提高早期需求的验证和设计校核水平。

3. 实施效果

MBD 技术不仅可描述几何信息，而且可定义三维产品制造信息和非几何的管理信息(产品结构、项目管理、基础管理等)，使用人员仅需一个模型即可获取全部信息，使设计部门与制造厂之间的信息交换可不完全依赖信息系统的集成而保持有效的连接，有效地解决了设计与制造一体化的问题。此外，MBD 技术还可以融入知识工程、过程模拟和产品标准规范等，不仅使抽象、分散的知识更加形象和集中，还使得设计、制造的过程演变为知识积累和技术创新的过程。

2.4.2　数字样机技术

数字样机是对装备整机或具有独立功能的子系统的数字化描述，这种描述不仅会反映产品对象的几何属性，还会至少在某一领域反映产品对象的功能和性能。

基于数字样机技术，可在虚拟环境里实现对装备信息的精确定义、模拟和仿真分析，改善产品性能，提升产品可靠性。该技术目前已经在长征系列火箭项目中得到应用，实现了设计数字化、模装数字化、试验预试化。

装备的数字样机形成于产品的设计阶段，不仅可用于验证阶段，还可用于产品的全生命周期，包括工程设计、制造、装配、检验、销售、使用、售后、回收等环节；在功能上可实现产品干涉检查、运动分析、性能模拟、加工制造模拟、培训宣传和维修规划等。

2.4.3　数字孪生技术

数字孪生(Digital Twin)技术是指充分利用物理模型、传感器更新、运行历史等数据，集成多学科、多物理量、多尺度、多概率的仿真过程，在虚拟空间中完成映射，从而反映相对应的实体装备的全寿命周期过程。数字孪生技术最早由美国国防部提出，用于航空航天飞行器的健康维护与保障，在数字空间建立真实飞机的模型，并通过传感器实现与飞机真实状态完全同步，这样飞机每次飞行后，可根据结构现有情况和过往载荷，及时分析、评估飞机是否需要维修，能否承受下次的任务载荷等。目前数字孪生技术已经应用在各行业装备系统工程过程中。

1. 在装备可靠性设计中的应用

在数字孪生系统中运用了高精度的数字模型，模型中定义了材料的微观结构属性、加工缺陷等参数，这些参数以物理世界中的数据为基础进行定义，因此这种高精度的数字模型就可用来预测装备未来的性能和状态。

2. 在装备健康状态监控、任务预测方面的应用

数字孪生系统能够持续监测装备的运行功率、振动频率等，因此可用来诊断装备的健康和性能退化状态。数字孪生系统采用基于物理数据的数字模型来预测装备的健康状态、任务成功率等。数字孪生运用了实际、实时的数据，增加了预测的精度，减少了预测的不确定性。

3. 在装备性能虚拟仿真中的应用

数字孪生系统的支撑是一套超高逼真度的工具及其系统和结构的物理模型。这些物理模型包括一个或多个重要的和相互依存的工具系统的模型，包括天线、电源、射频、中频等系统。这些模型都是高精度的数字化模型，包含各类可能出现的物理现象、输入和输出数据参数等，能够高精度地对装备性能进行虚拟仿真。

习　　题

1. 描述系统工程过程的主要内容。
2. 工作分解结构的定义是什么?
3. 工作分解结构有何作用?
4. 装备寿命周期阶段的主要工作有哪些?
5. 结合实际谈谈装备系统工程过程中的重大项目。
6. 试验及评价主要包括哪几类?
7. 寿命周期各阶段的主要活动有哪些?

第 3 章　装备系统工程管理

装备系统工程管理是系统工程的基本原理在装备管理中的应用，是在总结我军几十年来装备管理经验的基础上形成的。20 世纪 80 年代中期，我军将装备系统工程管理提到议事日程，但由于认识上的不足和装备管理体制等原因，这种科学的管理没有得到很好的贯彻和实施。随着装备管理的日益深化和科学技术的发展以及管理体制的变革，装备系统工程管理的理论已经成为广大装备管理工作者和各级管理部门普遍关注的问题。

3.1　系统工程管理概述

在装备系统工程建设和应用中，如何实施科学、有效的管理，是系统建设成败和系统应用效益好坏的关键，因此也是装备系统建设与应用过程中值得引起高度重视并加以认真研究的重要课题。对于一个大型装备系统工程建设，系统性能指标、费用和进度是决定系统质量的三个基本要素，是系统工程管理的重要内容。

3.1.1　系统工程管理的相关概念

1. 系统工程管理的定义

系统工程是对科学和工程成果的应用，需要做到以下几点。

(1) 通过利用反复迭代的定义、综合、分析、试验和鉴定等过程，将作战需求转换成对系统性能参数和系统技术状态的描述。

(2) 综合相关的技术参数并保证所有物理的、功能的和计划的接口间具有相容性，以便优化整个系统的界面和设计方案。

(3) 将可靠性、维修性、安全性、生存性、人的因素以及其他有关因素综合到整个工程的成果中，以实现费用、进度和系统性能方面的目标。

从上述定义可以看出，采用系统工程的方法管理装备系统工程建设既是一个技术过程，也是一个管理过程。在装备系统建设的全寿命周期内，技术开发和工程管理两个方面的作用都必须予以实现。在装备系统研制阶段，管理工作主要由研制方组织实施；在装备系统的前期论证及后期使用阶段，管理工作主要由用户方组织实施。研制方与用户方的管理内容虽然不尽相同，但实践证明，两者必须进行良好的衔接，才能使建成的装备系统在保证系统既定功能和性能的前提下可靠、正常地运行。

2. 系统工程管理的组成要素

(1) 人员：这是系统工程管理的最重要的要素。人员管理主要包括各个层次人员的选拔、人员的合理使用和培养等。

(2) 装备：各种自动化设备和物资、器材等是装备系统工程的物质基础。装备管理主要包括设备的选型、采购、配发、使用、维护等。

(3) 经费：它也是装备系统工程的经济基础。经费管理主要包括经济性论证、做好预算、成本核算、工程决算以及经费审计等。

(4) 时间：任何一项工作都有时间进度要求，科学安排时间进度、保证工程建设按时保质完成，是系统工程管理的重要内容之一。时间管理主要是制订整个工程的实施计划，并在每一阶段完成时均要设一个里程碑。

(5) 质量：这是衡量管理水平的根本标志和依据。质量管理主要包括建立质量指标体系、进行质量控制、实行全面质量管理等。

(6) 空间：主要是合理分配工程在空间的运动形式，以及设备与人的结合方式。空间管理主要包括确定工程建设和应用中的单位组成及其编制，做到使这些单位形成一个既有分工又有协作的有机整体。

(7) 项目：一个大而复杂的装备系统往往是由众多的分系统组成的，为了保证工程的进度和质量，必须进行项目分解，实行项目经理负责制。

3. 系统工程管理的层次关系

(1) 高级管理层：它是管理的决策者。其主要任务是制定长远发展规划、确定近期建设任务、制定各项技术政策和各种标准规范等。

(2) 中级管理层：它既是决策者又是执行者。其主要任务是根据上级管理部门下达的任务和长远发展规划，制定本系统或各职能部门的建设规划和总体目标，协调本系统内各部门之间的关系，负责装备系统的建设、使用、维护等管理。

(3) 基层管理层：也称执行层。其主要任务是按照上级管理部门下达的任务，组织工程的实施和对已建系统的值勤、维护等。

3.1.2 系统工程管理的主要内容

对于一个大型复杂的系统，其管理任务主要包括：系统任务的提出，系统研制、生产，系统使用、维护及改进、更新等。因此，整个系统管理过程包括以下内容。

(1) 规划、计划等方面的宏观管理。

(2) 工程项目管理。

(3) 系统研制进度管理。

(4) 工程质量管理。

(5) 标准化管理。

(6) 系统可靠性管理。

(7) 设备和物资管理。

(8) 人才管理。

(9) 经费管理。

(10) 系统使用、维护管理。

(11) 文档资料管理等。

上述各项管理内容贯穿整个系统工程建设的寿命周期，虽然在系统建设的不同阶段各有不同的侧重，但总的目标是一致的，这就是要通过计划、组织、协调、控制等职能，合理、充分地应用各种资源，设计出最佳的组合方案，达到高效和科学管理的目的。

本章针对上述几种管理技术主要介绍系统工程的技术状态管理、项目管理、质量管理等。

3.2　技术状态管理

技术状态管理是对产品技术状态进行文件化及其更改、控制的管理方法。它是系统工程管理的有机组成部分，主要用于系统的定义和控制。

技术状态管理起源于 20 世纪 50 年代美国的导弹研制，从 70 年代到 80 年代初，其伴随几项大型装备的研制逐步发展完善。在复杂装备的研制过程中，由于科学技术的发展，产品性能和结构日益复杂化，使用保障日益复杂化，研制费用高，研制周期长，在长达数年或十余年的研制周期中，人事常有变动，不利于研制的连贯性；参加研制的单位多，协作要求高，有大量的技术资料需要及时交换和处理，有大量的试验件需要相互提供试验和评价，研制中不可避免地不断更改设计方案，从而涉及的某些数据和设计资料也要随之更改，而且需要和总体设计方案协调一致。在这纵横交错、反复迭代、不断变化的情况下，如果某个环节或项目协调不充分、更改不及时、控制不严密、前后不连贯、步调不一致，轻则会影响批次产品性能、质量不同，增加成本，延误进度，重则导致整个工程研制失败。技术状态管理是对装备研制控制的一种手段，但它同样适用于对装备的研制控制，它要对设计、费用、进度、性能、保障性和风险等方面的权衡决策的完整性及连续性进行记录和控制，使承制方向用户方交付的产品的技术状态能够符合合同和技术规范的要求。采用这种管理，既可以避免订购方插手承制方内部事务，利于发挥承制方的积极性，又可以防止性能、费用、进度的失控，使承制方能以最优的性能、最佳的效费比、最短的研制周期，生产出满足预期的使用保障要求的装备，并提供成套技术资料。

3.2.1　技术状态与技术状态管理

技术状态是指文件中规定的并在产品上最终实现的硬件、软件的功能特性或(和)物理特性。技术状态这一名词的英文为 Configuration，目前该词的译文尚不统一，如译为“构形”“形态”“结构”等，在软件方面译为“配置”，本书依照国家军用标准 GJB 3206B—2022《技术状态管理》，定为“技术状态”。功能特性指产品的性能指标、设计约束条件和使用保障要求，其中包括使用范围、速率、功率、频率以及可靠性、维修性、保障性和安全性等要求。物理特性指产品的形体特性，如成分、尺寸、表面粗糙度、形状、配合、公差、重量等。

显然，构成产品技术状态的两个基本条件，一是产品功能特性和物理特性必须在成套技术资料中明确规定；二是最终在产品上实现，两者缺一不可。技术状态是一个累进的概念，在产品寿命周期内具有连续性。

技术状态管理，就是运用技术、行政的手段以保证对产品的技术状态进行标识、控制、纪实和审核的活动。简言之，技术状态管理就是对设计文件以及依据它生产出来的产品进行系统的文件化管理。

技术状态管理的主要目标是全面反映出产品当前的技术状态及其满足物理的和功能的要求的状况并形成文件。技术状态管理的另一个目标是确保参与项目工作的所有人员在项目寿命周期内的任何时候都能够使用正确的和准确的文件。

技术状态管理具有系统性、完善性、连续性、严密性、全面性和标准化等特点。它反映了装备研制、生产、使用的客观规律，使系统的研制工作能有序地进行。它使设计可追溯至要求，更改受到控制并形成文件，接口得到定义并便于理解，产品与其支持文件保持一致。它说明将要生产什么，正在生产什么，已经生产了什么，对已经生产的什么产品进行了改型。

技术状态项目是指能够满足最终使用要求，并由使用方指定进行技术状态管理的项目。它可以是硬件、软件或其集合体，大到通信、指控及其保障系统，小到一个芯片、一个仪表。凡是订购方指定单独采购的项目都是技术状态项目，它在复杂程度、尺寸和形式上是千差万别的。按研制的重要程度和风险程度来确定技术状态项目，如在安全性、任务成功方面具有关键性的项目，采用了新设计、新工艺、新方法的项目，使用、维修方面需要考虑的项目，与其他项目有重要接口的项目等。

3.2.2　规范

规范是指反映基本技术要求的文件，订购方根据它可以确定是否已满足要求。规范分系统(A 类)、研制(B 类)、产品(C 类)、工艺(D 类)、材料(E 类)五种，如图 3-1 所示。

系统规范从总体上规定了系统的总体技术和任务要求，将要求分配给各功能领域，同时规定设计的约束条件以及两个以上功能领域之间的接口关系。它是立项论证阶段在系统层进行系统工程过程的产物，是进行各分系统的系统工程过程的依据。系统规范也称“A 类规范”。

研制规范是规定系统级以下技术状态项目的设计、功能、接口和设计约束条件等的技术状态文件。它是初步设计阶段在技术状态项目层进行系统工程过程的产物，是技术状态项目设计的依据。研制规范也称“B 类规范”或“设计用规范”。

产品规范是针对每个技术状态项目的预定用途而对其性能、接口和互换性、零组件和必要的试验与检验等做出规定的技术状态文件。它是详细设计及研制阶段对各技术状态项目进行系统工程过程的产物，是技术状态项目制造的依据。产品规范也称“C 类规范”或“生产用规范”。

工艺规范是用于对产品或材料实施某种作业的文件。它规定了制造时进行的工艺方法，如热处理、焊接、密封、缩微和标记等。工艺规范适用于生产，但也可能为控制工艺过程而制定。工艺规范也称“D 类规范”。

材料规范是适用于产品制造中使用的原材料(如化学化合物等)、混合物(如清洁剂、油漆等)或半成品(如电缆、铜管等)的文件。材料规范也称“E 类规范”。

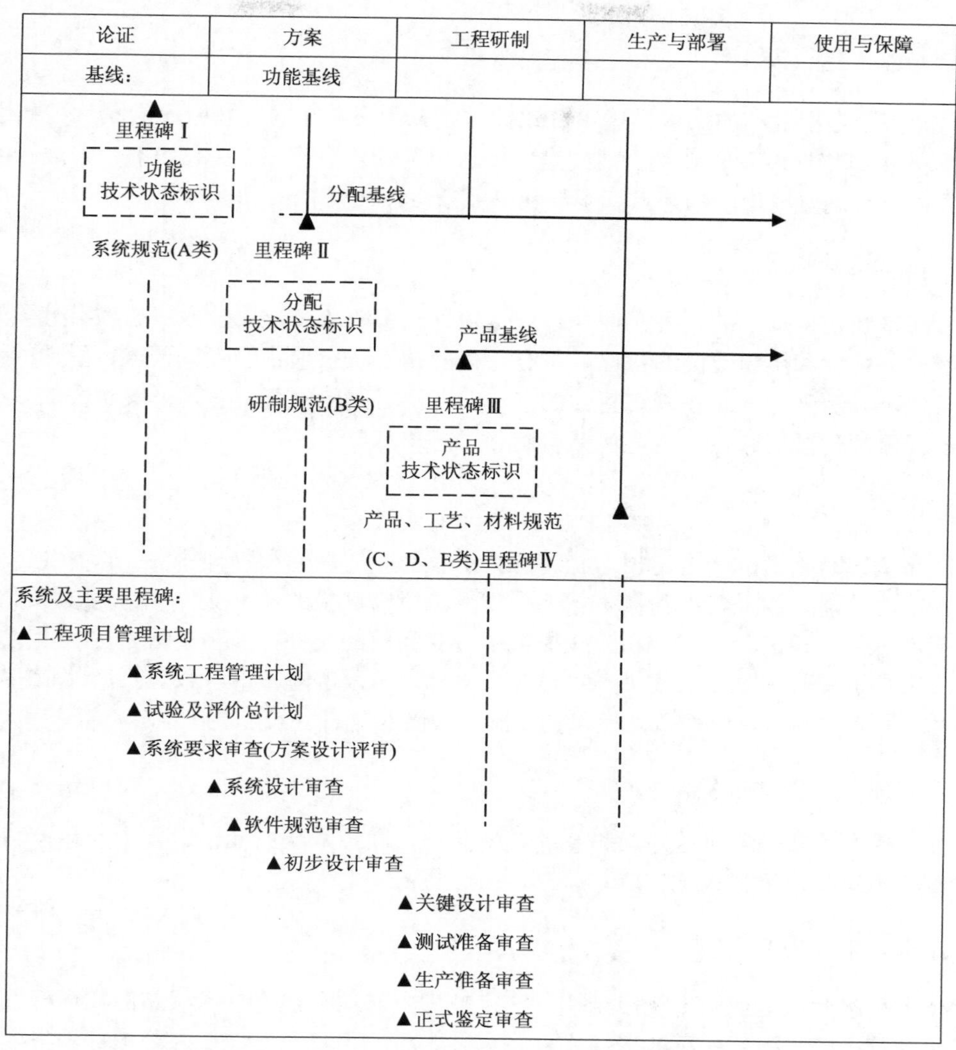

图 3-1　系统工程的基线和里程碑

3.2.3　技术状态基线

技术状态基线是用户方在技术状态项目寿命周期内的某个特定时刻(适当阶段分界处)正式批准的产品的技术状态。

技术状态基线作为一个批准的基准点，实际上是通常所说的冻结技术状态，用以控制产品的性能、结构设计及随后的更改。它既是前一阶段研制工作的阶段性书面技术成果，也是后一阶段研制工作的起点和依据，是后继活动的参照基准。基线管理就是以它为基准点，对产品技术状态的更改进行控制。一般有三种技术状态基线，即功能基线、分配基线和产品基线，如图 3-1 所示。

1. 功能基线

功能基线是指批准的用以描述系统或技术状态项目功能、共用性(不同军兵种共用某个系统)、接口特性以及验证是否达到这些要求所需的检查程序与方法文件。它是论证阶段的成果，也是方案阶段的起点，主要包括系统(A 类)规范。

2. 分配基线

分配基线是指批准的一种文件，它规定项目从系统或高一层技术状态项目分配来的在功能、共用性和接口方面的特性，带有接口的技术状态项目的接口要求、附加的设计约束条件，以及为验证这些规定特性的完成情况所必需的检查。它是方案阶段的成果，也是工程研制阶段的起点，主要包括研制(B 类)规范。

3. 产品基线

产品基线是指批准的规定技术状态项目所有必备的功能和物理特性、选择生产验收试验指定的功能、物理特性和技术状态项目保障所需试验的一种文件。它为技术状态项目的采购、生产、试验、评价和验收提供了一套完整的文件，而不用再做进一步的研制工作。它是工程研制阶段的成果，也是生产与部署阶段的起点，一般包括产品(C 类)、工艺(D 类)和材料(E 类)规范，还包括实际的设备和软件。

3.2.4 技术状态管理过程

技术状态管理过程包括四项相互关联的活动，即技术状态标识、技术状态控制、技术状态纪实和技术状态审核。

1. 技术状态标识

技术状态标识是指确定产品结构，选定技术状态项目，将技术状态的物理特性和功能特性以及接口和随后的更改形成文件，为技术状态项目及相应文件分配标识符或编码的活动，并建立技术状态基线。它是进行技术状态管理的基础。

技术状态标识是随着产品的设计、试验、制造的进展而“累进”形成的。标识从论证阶段开始，贯穿于整个产品的寿命周期。在论证阶段，经过对产品系统要求的研究、分析和可行性的论证，在效能、费用、进度之间的权衡，形成以系统(A 类)规范为主要内容，描述产品系统功能的“功能技术状态标识”，经过批准后，即成为功能基线(图3-1)。在方案阶段，这些标识得到进一步的发展，将系统的功能要求分解为分系统或技术状态项目的功能要求，进一步细化论证阶段的规范，完成系统规范，提出研制(B 类)规范，形成“分配技术状态标识”，经批准后即成为分配基线。在工程研制阶段，经过详细工程设计、生产型样机试制、试验与评价，形成完整的系统规范、研制规范、产品规范、工艺规范、材料规范，以及工程图纸、使用和维护手册等成套技术文件，这就是产品技术状态标识，经批准后即成为产品基线。

2. 技术状态控制

技术状态控制是指在技术状态文件正式确立后，为控制技术状态项目的更改而进行的活动。这些活动包括将更改形成文件并判断其正确性、评价更改的后果、批准或不批准更改、实施并验证更改、处理偏离和超差。换句话说，技术状态控制是使系统的更改得到实施和控制。技术状态控制是实施技术状态管理的核心，它是对产品或其组成部分由于工程更改对功能特性、物理特性以及相关接口所产生的影响进行系统的评价、协调、审批和实施所有已批准的更改，从而使得整个寿命周期内的技术状态的任一更改得到系统的控制。

工程更改分为Ⅰ类和Ⅱ类，对产品功能、性能、可靠性、维修性、生存性、质量、平衡、接口特性、电磁特性等的影响超过规定限制或对合同的费用、进度有影响者，均属Ⅰ类工程更改；其他情况为Ⅱ类工程更改。Ⅰ类工程更改应由使用方审批，Ⅱ类工程更改由承制方按其内部规定审批。

3. 技术状态纪实

技术状态纪实是指对所建立的技术状态文件、建议的更改状况和已批准更改的实施状况所做的正式记录和报告。它应始于技术状态资料初次形成之时。它是对技术状态基线进行追溯的依据。技术状态记录供承制单位内部使用，技术状态报告是向使用单位提供信息，以及表明交付的产品是按照已批准的技术状态标识文件制造的，所有的工程更改都是经过审查、批准的，并在产品中得到贯彻。

4. 技术状态审核

技术状态审核是指为确定技术状态项目符合其技术状态文件而进行的检查。为确保产品符合合同或规定的要求以及产品的技术状态文件能够准确地反映产品，在技术状态基线被认可前，应开展技术状态审核。

通常有两类技术状态审核，即功能技术状态审核和物理技术状态审核。

1) 功能技术状态审核

功能技术状态审核指为验证技术状态项目是否已经达到技术状态文件所规定的性能和功能特性所进行的正式检查。

2) 物理技术状态审核

物理技术状态审核指为验证技术状态项目的生产技术状态是否符合其产品技术状态文件所进行的正式检查。

综上所述，通过技术状态管理，可以对产品寿命周期各阶段技术状态的情况形成一个完整而连续的概念，可以随时了解某个技术状态项目当时所处的状况和问题，可以使项目研究工作协调有序进行，减少风险，少走弯路。实行这种管理，有利于在规定费用和进度的前提下，提供使用户满意的装备。

3.2.5 技术状态管理与合同管理

当合同要求对产品实施技术状态管理时，应按技术状态文件的要求进行管理与控制。

技术状态管理与基线管理密不可分，其核心是确立(标识)和控制技术状态文件，也就是确立和控制功能基线、分配基线和产品基线。技术状态管理实质上是基线管理。订立合同时所确立的基线，是订购方与承制方共同认定的技术状态文件，包括系统规范、研制规范、产品规范等。这些文件已由双方认定，又已纳入研制合同，就不得随意更改，任何一方要求更改时，都必须进行技术状态控制，履行必要的更改手续。这种控制是对双方而言的，既要求研制方按技术规范规定进行研制，又要求订购方不得随意增加或更改技术要求，只有这样，才能保证研制合同的严肃性。

所以，当合同要求实施技术状态管理时，技术状态管理或基线管理是明确订购方与承制方技术责任和权利的基础。技术状态文件是双方共同认定并共同遵守的技术依据，双方都必须按技术状态文件的要求进行研制、管理和控制。承制方必须按技术状态文件的要求进行研制(该文件未规定的技术要求由承制方自行决定和控制)，订购方必须按照技术状态文件的要求进行检查和验收，任何在技术状态文件之内的要求都必须进行严格的控制。要确定订购方介入研制过程的深度，首先要依据技术状态文件确定的要求来划定订购方要过问的范围；技术状态文件未规定的技术问题，完全由承制方自行处理。因此，技术状态管理或基线管理是规范合同管理，以及明确订购方、承制方技术责任和权利的基础。

3.3 项 目 管 理

在国民经济和国防建设中，有很大一部分项目属于有规定期限的一次性项目，如工程建设、新装备的研制、软件开发、科学研究、技术培训、处理突发事件等。这些项目的管理，单凭人们一般的办事经验是不行的，项目管理正是适应这种需要而诞生的，它是一种特别适合于大型、复杂的一次性任务的管理方法，已在实践中总结出了一套系统的理论、原则、方法，发展成为一门独立的学科，并成为一种新的职业。

系统工程建设的基本任务是将各种不同要素有机地综合成一个系统，达到系统工程研制的目的。在系统工程研制过程中，对研制项目实施有效的管理和控制，可使可能发生的问题减至最低限度，并使最终研制的产品满足预期的功能和性能要求。项目管理就是在系统工程研制过程中，通过任务分解、计划管理和进度控制等手段，合理地分配和落实研制任务，有效地控制各项管理计划的实施，保证项目顺利进行。

3.3.1 项目与项目管理

1. 项目管理的由来和发展

从万里长城和金字塔的建成看项目管理，已有数千年的历史，但把项目管理作为一种专业化的管理科学来研究，以及把项目管理作为一种专门化的职业来看待，只有 40

多年的历史。欧洲国际项目管理协会(International Project Management Association，IPMA)成立于1965年,美国项目管理学会(Project Management Institute,PMI)成立于1969年。这两个组织在促进项目管理专业化发展方面做了大量工作，其中具有里程碑性质的事件就是美国PMI于20世纪70年代末和80年代初提出的项目管理知识体系(Project Management Body of Knowledge，PMBOK)和专业证书制度(International Project Management Professional，IPMP或Project Management Professional，PMP)。今天项目管理不但已发展成一门独立的学科，是管理科学的重要分支，而且在一些发达国家和地区还成为一种职业。项目管理人员，特别是项目主任，可以像教师、医生、会计师、律师等一样，经过资质认证，取得IPMP或PMP证书后，以自己的项目管理知识、技能和经验立足于社会，服务于社会，有更多的机会被社会聘任和重用，美国*Fortune*杂志预言，项目管理将是21世纪的首选职业，这一预言不是没有道理的。

1991年，我国成立中国项目管理研究委员会，1996年加入国际项目管理协会，中国项目管理研究委员会作为国际项目管理协会在中国的授权机构，于2001年7月开始在中国推行国际项目管理专业资质的认证工作(EMP)。项目管理作为一门学科已列入国家教育委员会的学科目录，许多高等院校相继开设课程，培养项目管理的硕士、博士研究生，许多企业已采用项目管理软件，从根本上改善了中层以上管理人员的工作效率。目前国内各种专业组织，如培训教育机构、咨询服务机构和研究与开发机构等，如雨后春笋，正在迅速发展之中。

2. 项目基本属性

项目是在特定条件下具有确定性目标的、一次性的工作任务。在本书中，项目主要是指装备的研制、技术改造、保障等任务。一般来说，项目具有如下基本属性。

1)任务的一次性

这是项目与其他重复性的操作、运行工作的最大区别。它有明确的起点和终点，常常没有完全可以照搬的先例，将来也不会再有完全相同的重复。项目大多带有某种创新和创业的性质。

2)目标的确定性

项目必有确定的终点，其终点的含义不仅指时间目标，也包括成果性目标、约束性目标，以及其他需要满足的条件。当然，目标也允许修改。不过，一旦项目目标发生实质性的变动，它就不再是原来的项目了，而将产生一个新的项目。

3)组织的临时性和开放性

项目开始时要组建项目班子，项目执行过程中班子的人数、成员和职能在不断地变化，甚至某些项目班子的成员是借调而来。项目结束时项目班子要解散，人员要转移。参与项目的组织往往有几个、几十个，甚至几百个，它们通过合同、协议以及其他的社会联系组合在一起。项目组织没有严格的边界，或者说边界是弹性的、模糊的和开放性的，这一点和一般的企、事业单位组织很不一样。

4)成果的不可挽回性

项目不像其他事情可以试做，做坏了可以重来；也不像批量产品，合格率为99.99%

是很好了，项目必须确保成功，这是因为在项目的特定条件下，个人和组织的资源有限，一旦失败就永远失去了重新实施原项目的机会。

以上属性决定了项目具有较大的不确定性，它的过程是渐进的，潜伏着各种风险。项目要求有精心的设计、精心的制作和精心的控制，以实现预期的目标。

3. 项目管理内涵

1) 项目管理的定义

项目管理是通过项目主任(项目经理)和项目组织的努力，运用系统理论和方法对项目及其资源进行计划、组织、协调、控制，旨在实现项目的确定性目标的管理方法。

资源的概念内容十分丰富，可以理解为一切具有现实和潜在价值的东西，包括自然资源和人造资源、内部资源和外部资源、有形资源和无形资源，如人力和人才(Man)、材料(Material)、机械(Machine)、资金(Money)、信息(Message)、科学技术方法(Method of Science and Technology)、市场(Market)等，有人把它们归纳为若干个 M，以便叙述和记忆。其实还有其他一些东西，如专利、商标、信誉以及某种社会联系等，也是有用的资源。特别要看到，我们正走在知识经济的时代，知识作为无形资源的价值表现得更加突出。资源轻型化、软化的现象值得我们重视，我们不仅要管好用好硬资源，也要学会管好用好软资源。项目管理本身作为管理方法和手段，也是一种资源。

在项目管理诞生之前，人们用其他方法管理了无数的项目，就是在今天，也有无数的项目并没有采用项目管理方法进行管理。项目管理不是一次任意的管理项目的实践过程，而是在长期实践和研究的基础上总结成的系统理论与方法。应用项目管理，必须按项目管理方法的基本要求去做；不按项目管理模式管理项目，不能否认是管理了项目，但不能承认是采用了项目管理。

2) 项目管理的特点

项目管理具有以下基本特点。

(1) 项目管理是一项复杂的工作。项目一般由多个部分组成，工作跨越多个组织，需要运用多种学科的知识来解决问题。项目工作通常没有或很少有以往的经验可以借鉴，执行中有许多未知因素，每个因素又常常带有不确定性，还需要将具有不同经历、来自不同组织的人员有机地组织在一个临时性的组织内，在技术性能、成本、进度等较为严格的约束条件下实现项目目标等。这些因素都决定了项目管理是一项很复杂的工作，其复杂性甚至远远高于一般的生产管理。

(2) 项目管理具有创造性。项目具有一次性的特点，因此既要承担风险又必须发挥创造性，这也是与一般重复性管理的主要区别。项目的创造性依赖于科学技术的发展和支持，而近代科学技术的发展有两个明显的特点：一是继承积累性，体现在人类可以沿用前人的经验，继承前人的知识、经验和成果，在此基础上向前发展；二是综合性，即要解决复杂的问题，必须依靠和综合多种学科的成果，将多种技术结合起来，才能实现科学技术的飞跃或更快的发展。

创造总是带有探索性的，会有较高的失败率。有时，为了加快进度和提高成功的概率，需要有多个试验方案并进。例如，在新产品、新技术开发项目中，为了提高新产品、新技术的质量和水平，希望新构思越多越好，然后进行严格的审查、筛选和淘汰，以确保最终产品和技术的优良性能或质量。而筛选淘汰下来的方案也并不是完全没用的，它们可以成为企业内部的技术储备，这种储备越多，企业越能应付外界条件的变化，越具有应变能力。

(3)项目管理需要集权领导和建立专门的项目组织。项目的复杂性随其范围不同变化很大。项目越大越复杂，其所包括或涉及的学科、技术种类也越多。项目进行过程中可能出现的各种问题多半是贯穿于各组织部门的，它们要求这些不同的部门做出迅速且相互关联、相互依存的反应。但传统的职能组织不能尽快与横向协调的需求相配合，因此需要建立围绕专一任务进行决策的机制和相应的专门组织。这样的组织不受现存组织的任何约束，由各种不同专业、来自不同部门的专业人员构成。

(4)项目负责人(或称项目主任)在项目管理中起着非常重要的作用。项目管理的主要原理之一是把一个时间有限和预算有限的事业委托给一个人，即项目负责人，他有权独立进行计划、资源分配、协调和控制。项目负责人的位置是由特殊需要形成的，因为他行使着大部分传统职能组织以外的职能。项目负责人必须能够了解、利用和管理项目的技术逻辑方面的复杂性，必须能够综合各种不同专业观点来考虑问题。但只具备这些技术知识和专业知识仍是不够的，成功的管理还取决于预测和控制人的行为的能力。因此，项目负责人还必须通过人的因素来熟练地运用技术因素，以实现其项目目标。也就是说，项目负责人必须使他的组织成员成为一支真正的队伍，一个工作配合默契、具有积极性和责任心的高效率群体。

3.3.2　项目管理的主要阶段和内容

多数项目从开始到完成经历了相似的阶段，我们称这些阶段为项目的寿命周期。项目的寿命周期包括从项目的立项开始，经历项目的定义、组织和管理人员的确定、资源分配、工作计划、组织实施和投入运行，直到结束的全过程。项目诞生后，经历项目寿命周期的几个阶段，同时项目管理工作也为满足项目各阶段的要求逐步展开，以实现项目的有效管理，实现项目技术性能、费用、进度三方面的目标。项目的每个阶段及其相应的工作内容如下。

1. 项目初始阶段

项目初始阶段，又称投资前期或可行性论证阶段，这一阶段主要包括如下几项工作。

(1)完成项目的评价与选择，包括项目初选、拟定、论证和评价。

(2)完成项目分解结构。

(3)组织机构和项目管理的确定。

(4)制订各种管理计划。

(5)项目的初步计划，包括方案拟定、费用估算、项目周期和关键时间的确定。

这一阶段的关键工作是进行项目的可行性研究和资金筹措。要完成一个项目的可行性研究，需要组织一个包括经济学家、工程技术人员、工业管理和财会专家在内的队伍，还要取得有关各方面的协助，历时数月或数年才能完成，耗资占总投资的 0.5%～3%。

在投资前耗费一些时间和资金来做可行性研究是值得的，因为做好可行性研究可以为项目创造良好的先天条件。即使研究的结果是否掉这个项目，也可以减少盲目上马带来的更大损失。

2. 项目实施阶段

项目实施阶段，又称投资时期或设计、研制、建设阶段，其主要包括如下工作。

(1) 投资和成本费用预算。

(2) 进度安排。

(3) 资源与资金分配。

(4) 项目任务分解及分工。

(5) 风险分析与管理。

(6) 项目的控制与跟踪。

这一阶段的关键工作是控制项目周期和投资费用。缩短项目周期可及早发挥投资效果，提高项目的经济效益。对大中型项目，往往采用分期、分段实施，以期更好地发挥投资效果。防止突破投资金额是这个阶段的重要课题，项目实施中若突破投资金额，则可能是由投资前期工作做得不当或者投资时期管理不善而造成的。

3. 项目运行阶段

项目运行阶段，又称生产时期或生产收获阶段，其主要包括如下工作。

(1) 安排用于生产过程的资源。

(2) 生产技术的掌握和管理。

(3) 使用用户或顾客所需要的系统成果。

(4) 根据市场技术进步情况考虑企业的技术改造。

(5) 评价该系统的技术水平、社会效益和经济效益。

这一阶段的关键工作是充分发挥系统的效力，力求获得最大的经济效益。经济效益的高低虽受这一时期管理水平的影响，但投资前期的可行性研究工作的质量和投资时期的工作质量是这个项目的先天条件，也必然会反映到项目的经济效益上来。

4. 项目结束阶段

项目结束阶段，又称放弃阶段或项目终期评价阶段，其主要工作如下。

(1) 项目终期评价和审计。

(2) 研究转移任务计划。

(3) 放弃或将资源转向其他系统。

(4) 研究来自该项目系统的教训及对未来研究和开发的建议。

这一阶段的关键工作是对项目执行过程的评价，以期为新项目和新系统的论证阶段提供信息与经验。这个最后阶段对于企业正在进行的其他项目也有影响。

项目进行的以上各个阶段并不是截然分开的，而是互相联系、交错进行的。有些工作如设计、评价和决策，往往不是一次完成，而是由粗到细多次反复完成的。

5. 项目管理知识体系

项目管理作为一门学科，有其知识体系。项目管理知识体系是指项目管理学科的主体，是项目管理在各种特殊应用领域中都会涉及的共同需要的知识，其中包括在项目管理中需要的一般管理学知识。

在西方各国众多的项目管理知识体系中，目前在项目管理领域形成广泛影响的主要有美国 PMI 在 1995 年修订的项目管理知识体系。图 3-2 为美国 PMI 的项目管理知识体系框架结构，它包括九个知识领域，即项目范围管理、项目时间管理、项目费用管理、项目质量管理、项目人力资源管理、项目沟通管理、项目风险管理、项目采购管理和项目综合管理。其中，每一领域又由若干具体部分组成。由 PMI 标准化委员会编写的《项目管理知识体系指南》(于 1996 年出版)一书具体介绍了上述内容。中国项目管理研究委员会结合中国实际编写的《中国项目管理知识体系与国际项目管理专业资质认证标准》(于 2003 年出版)一书具体介绍了中国项目管理的知识体系。

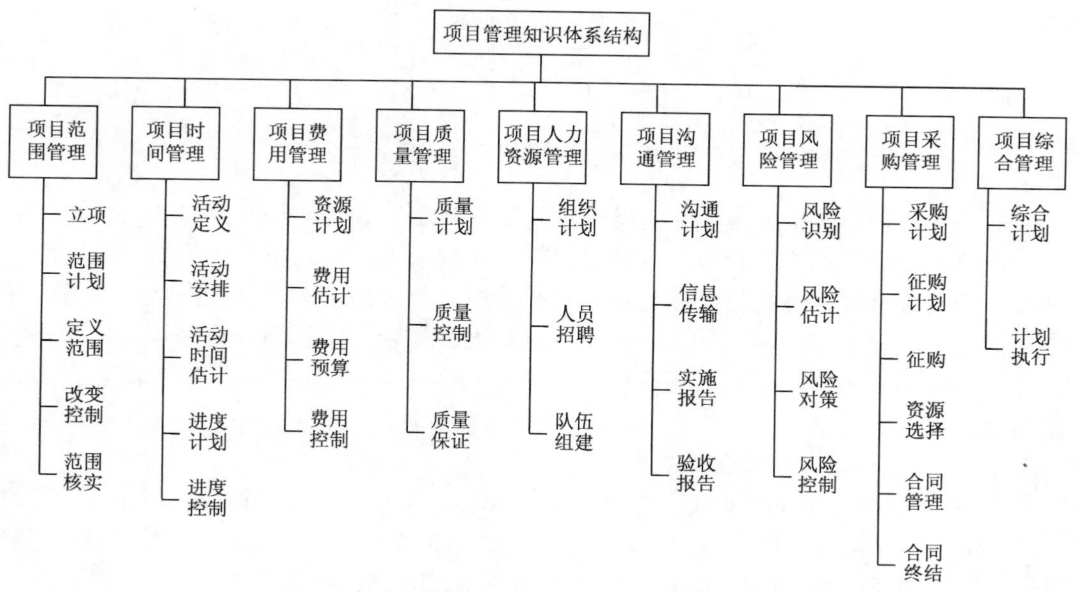

图 3-2　美国 PMI 的项目管理知识体系框架结构

3.3.3　项目管理的组织

项目管理的组织，是指为进行项目管理、完成项目计划、实现组织职能而进行的项目组织机构的建立、组织运行与组织调整等组织活动。要使项目的组织活动有效地进行，就需要建立合理的组织结构。项目组织结构一般有职能式、项目式和矩阵式三种组织形式。

1. 职能式组织结构

职能式组织结构是一种通用的组织形式，它是一个金字塔形的结构，高层管理者(总经理)位于金字塔的顶部，中层和基层管理者(职能经理)则沿着塔顶向下排列，如图 3-3 所示。其中，每一个职员都有一个明确的直接上司，职员按职能划分形成若干部门，如生产、营销、工程、财务等部门。工程部门又进一步划分成土建、机械、电气等部门。

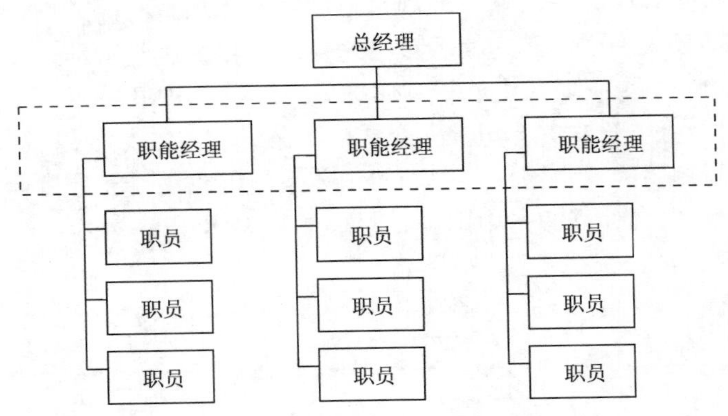

图 3-3　职能式组织结构

职能式组织中的项目事宜是由某个职能部门负责人(职能经理)协调解决的，这个部门应该是对项目的实施最有帮助或是最有可能使项目成功的部门。例如，市场需要开发一个财务会计软件，这个项目可以安排在财务部门的下面，直接由财务部门负责人领导。在职能式组织中，如果设置项目领导人，他除了能控制项目预算资金以外，并不直接控制人力、设备、设施等资源，需要这些资源时他必须与职能部门负责人商量协调。

1) 职能式组织结构的优点

(1) 在人员的使用上具有较大的灵活性。只要选择了一个合适的职能部门作为项目的上级，那么这个部门就能为项目提供它所需要的专业技术人员。这些人可以临时地调配给项目，待所要做的工作完成后，又可以回来做他们原来的日常工作。

(2) 技术专家可以同时被不同的项目所使用。职能部门的技术专家一般具有较广的专业基础，可以在不同的项目之间穿梭工作。

(3) 同一部门的专业人员在一起易于交流，有利于创造性地解决项目的技术问题。

(4) 职能部门可以为本部门的专业人员的发展和晋升提供正常途径。

2) 职能式组织结构的缺点

(1) 职能部门有它自己的日常工作，项目及客户的利益往往得不到优先考虑。

(2) 由于责任不明确，往往是职能经理只负责项目的一部分，另外一些人则负责项目的其他部分，有时出现没有一个人承担项目的全部责任。

(3) 调配给项目的人员的积极性往往不是很高。项目被看作不是他们的主要工作，有些人甚至将项目任务当成额外的负担。

(4) 技术复杂的项目通常需要多个职能部门的共同合作，但它们往往更注重本领域，而忽略了整个项目的目标，并且跨部门之间的交流沟通也是比较困难的。

2. 项目式组织结构

项目式组织结构是为实现项目目标的一种独立的组织形式。它是一部分人从公司的组织中分离出来，既有责权明确的项目经理，又有自己的职员(技术人员和管理人员)，作为一个独立的单元共同完成项目任务的组织形式，如图 3-4 所示。这种组织结构是因事设人。根据项目的任务设置机构，设岗用人，事过境迁，及时调整，甚至撤销，项目的组织是在不断地更替和变化的。

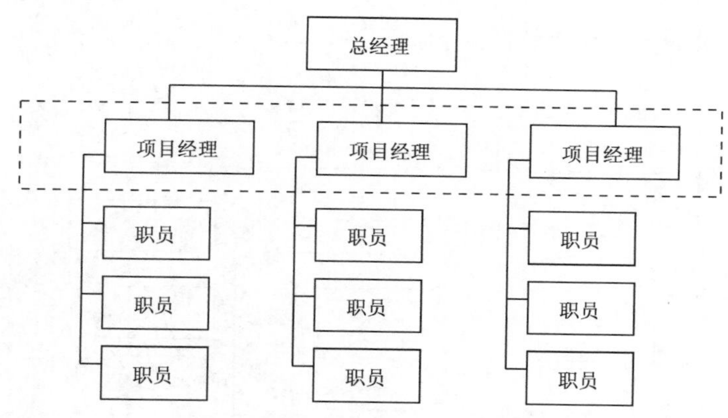

图 3-4　项目式组织结构

1) 项目式组织结构的优点

(1) 项目经理对项目全权负责，项目经理可以全身心投入项目中去，项目经理是项目的真正领导人。

(2) 项目从职能部门中分离出来，使得沟通途径变得简洁。项目经理可以避开职能部门直接与公司的高层管理者进行沟通，提高了沟通的速度，避免了沟通中的错误。

(3) 项目的目标是单一的，项目成员能够明确理解并集中精力于这个单一目标，利于团队精神的发挥。

(4) 权力的集中使决策的速度得以加快，整个项目组织能够对客户的需求和高层管理者的意图做出更快的响应。在进度、成本和质量等方面的控制也较为灵活。

(5) 命令的协调一致。每个成员只有一个上司，避免了多重领导、无所适从的局面。

2) 项目式组织结构的缺点

(1) 一个公司有多个项目时，每个项目都有自己一套独立的班子，这会造成人员、设施、技术及设备的重复配置。

(2) 项目中的人员在某些专业领域具有较深的造诣，但在其他一些与项目无关的领域则可能会落后。职能部门虽然可看成各种技术的储备基地，但对不属于本部门的项目成员是不直接开放的。

(3) 在项目式组织结构中，项目成员与公司的其他部门之间有着较清楚的界限。这种界限不利于项目与外界的沟通，同时也容易引起一些不良的矛盾和竞争。

(4) 对项目成员来说，缺乏一种事业的连续性和保障。项目一旦结束，项目成员就会失去他们的“家”。

3. 矩阵式组织结构

矩阵式组织结构是职能式组织结构和项目式组织结构的混合组织形式。可以把传统的职能机构的活动看作纵向的，而把项目的活动看作横向的，项目的管理过程就是横向切割、贯穿这些机构，把这些部门的能动性调动起来，以完成项目目标的过程。矩阵式组织结构是叠加在纵向职能机构的横向系统，如图 3-5 所示。当项目终止时，横向系统就会随之消失，而职能机构仍然保持着。

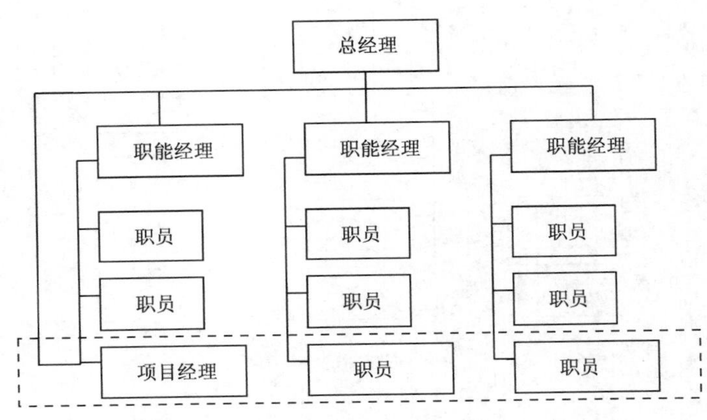

图 3-5　矩阵式组织结构

矩阵式组织结构发展的推动力主要来自高科技领域的公司，这些公司中的项目通常需要多个部门专家的合作，而又希望各个项目能够共享这些专家。此外，项目的技术要求也需要有一种新的组织方式能够克服先前项目管理中的不足。在以前，一个企业要进行一项高科技的项目，往往是从研究开发部门开始，它们将研究出来的方案传递给工程部门，工程部门有时会根据工程要求将整个方案重做一遍，然后传递给生产部门，生产部门为了保证新产品在现有的设备条件下能生产出来，可能又要做一些修改。所有这些工作都需要大量的时间，而最终的结果可能与最初的要求相距甚远。

为了克服上述项目管理中的弊端，公司必须有一个机构或组织来负责整个项目的集成，能将研究、工程、生产等过程紧密结合起来，并与客户保持密切的联系。如果将项目作为某个职能部门的一部分显得太勉强，而将项目作为一个独立的单元又太昂贵，因为项目的资源会重复配置。矩阵式组织生物正是摆脱这种困境的一条途径，项目经理可以从相应的职能部门临时抽调所需的资源。

1) 矩阵式组织结构的优点

(1) 项目是工作的焦点。有专门的人即项目经理负责管理整个项目，负责在规定的时间、经费范围内完成项目的要求。矩阵式组织结构具有项目式组织结构的长处。

(2) 由于项目组织是覆盖在职能部门上的，它可以临时从职能部门抽调所需的人才，因此项目可以分享各个部门的技术人才储备。当有多个项目时，这些人才对所有项目都是可用的，从而可以减少像项目式组织中出现的人员冗余。

(3) 项目成员对项目结束后的忧虑减少了，虽然他们与项目具有很强的联系，但他们对职能部门也有一种“家”的亲密感觉。

(4) 对客户要求的响应与项目式组织同样快捷灵活，而且对公司组织内部的要求也能做出较快的响应。

(5) 项目式组织结构和职能式组织结构是两个极端的情况，而矩阵式组织结构在这两者之间具有较广的选择范围。职能部门可以为项目提供人员，也可以只为项目提供服务，从而使得项目的组织具有很大的灵活性。所以，矩阵式组织结构可以被许多不同类型的项目采用。

2) 矩阵式组织结构的缺点

(1) 在职能式组织结构中，职能部门是项目的决策者；在项目式组织结构中，项目经理是项目的权力中心；而在矩阵式组织结构中，权力是均衡的。由于没有明确的负责人，项目的一些工作就会受到影响。当项目成功时，大家会争抢功劳；当项目失败时，又会争相逃避责任。

(2) 在矩阵式组织结构的项目中，项目经理主管项目的行政事务，职能经理主管项目的技术问题，这种做法说起来简单，但项目经理在执行过程中要将项目和职能部门的责任及权利分清楚却不是件容易的事。项目经理必须就各种问题、各资源分配、技术支持及进度等，与职能经理进行协调。项目经理的这种协调能力对一个项目的成功是非常重要的，如果项目经理在这方面没有很强的能力，那么项目的成功将受到怀疑。

(3) 矩阵式组织结构违反了命令单一性的原则，项目成员至少有两个上司，即项目经理和职能经理。当他们的命令有分歧时，会令人感到左右为难，无所适从。

4. 项目组织结构的选择

项目组织结构的选择，几乎没有可以普遍接受的步骤和明确的方法，往往凭经验和直觉，需要视具体情况而定。

前面分别介绍了项目的三种主要组织形式，即职能式、项目式和矩阵式。其实这三种组织形式可以表示为一个变化系列，职能式和项目式各在两端，矩阵式处于两者之间，弱矩阵式组织结构接近于职能式组织结构，而强矩阵式组织结构接近于项目式组织结构。表 3-1 列出了项目组织结构对项目的影响，可以参照表中不同组织形式对项目特征的影响选择适当的组织结构。

表 3-1　项目组织结构对项目的影响

<table>
<tr><td rowspan="3">项目特征</td><td colspan="5">组织形式</td></tr>
<tr><td rowspan="2">职能式</td><td colspan="3">矩阵式</td><td rowspan="2">项目式</td></tr>
<tr><td>弱矩阵</td><td>平衡矩阵</td><td>强矩阵</td></tr>
<tr><td>项目经理权限</td><td>很少或没有</td><td>有限</td><td>从小到中等</td><td>从中等到大</td><td>很高，甚至全权</td></tr>
<tr><td>组织中在项目上全时工作的人员百分比</td><td>几乎没有</td><td>0%～25%</td><td>15%～60%</td><td>50%～95%</td><td>85%～100%</td></tr>
<tr><td>项目经理投入项目的时间</td><td>部分</td><td>部分</td><td>全时</td><td>全时</td><td>全时</td></tr>
<tr><td>项目经理任务的常用头衔</td><td>项目协调员/项目领导人</td><td>项目协调员/项目领导人</td><td>项目经理</td><td>项目经理</td><td>项目经理</td></tr>
<tr><td>项目管理行政人员投入项目的时间</td><td>少量</td><td>少量</td><td>半时</td><td>全时</td><td>全时</td></tr>
</table>

3.4　质 量 管 理

3.4.1　质量管理的主要内容

1. 质量管理的概念

产品质量代表了一个国家的科学技术、生产水平、管理水平和文化水平。产品质量的提高，意味着经济效益的提高。当今世界的经济发展正经历由数量型增长向质量型增长的转变，市场竞争也由价格竞争为主转向质量竞争为主。装备作为一种特殊产品，它的质量更是一个国家科学技术和经济实力的集中体现。其质量直接关系到部队战斗力的生成和部队的持续作战能力，尤其在现代条件特别是高技术条件下的战争中，装备质量不仅关系到战争的胜负，还关系到广大指战员和人民群众的生命安全，甚至关系到国家的存亡。因此，质量问题成为国家和企业都十分关心的重大问题。

产品质量的好坏是指产品满足用户需求的程度。用户需求可理解为人民物质、文化生活的需求，以及国家经济建设、部队建设和社会其他方面的需求。因此，必须首先认识到用户的需求，然后才能使产品满足用户的需求，使产品有更好的适用性。由此可得出质量的基本定义：质量就是适用性。把用户的需求以参加产品生产过程的各方都懂得的语言表现出来，这就是“质量特性”，即与产品适用性有关的产品都具有的特殊性质。例如，强度、硬度、尺寸精度、表面粗糙度等，这些质量特性体现在产品图纸、技术文件、各种加工工序的规格明细表中。

作为特殊产品的装备质量，是指装备具有的一组固有特性满足明确的、隐含的或必须履行的需求或期望的程度。这一组固有的特性，包括装备的作战性能、可生产性、可靠性、维修性、保障性、安全性、经济性、时间性、环境适应性等特性。

而质量管理指的是什么呢？质量管理是指在质量方面指挥和控制组织的协调活动，通常包括制定质量方针和质量目标以及质量策划、质量控制、质量保证和质量改进。具体到装备而言，装备质量管理是为保证装备质量，在影响装备特性的论证、设计、研制、生产、使用、保障等环节上，对形成、发挥、保持、恢复装备质量等所有过程和因素进行计划、组织、指挥、协调和控制的活动。

质量管理是随着生产力的发展和科学技术的进步而产生和发展的。从 20 世纪初出现质量管理到现在，质量管理经历了质量检验、统计质量控制和全面质量管理三个阶段。

质量检验，就是把检验从直接生产工艺过程中独立出来，对生产的产品用各种各样的检验设备和仪表，进行全数检查和筛选，看它是否达到规定的技术要求，将检查出来的不合格产品挑出来，只让合格品通过。它的基本方式是整个生产过程实行层层把关，防止不合格产品流入下道工序或出厂。

用管理图表从生产过程中取得数据资料进行统计、分析不合格产品产生的原因，并采取措施，使生产过程保持在不出废品的稳定状态，这样的质量管理称为统计质量管理(Statistical Quality Control，SQC)。统计质量管理利用控制图对大量生成的工序进行动态控制，有效地防止了不合格产品的产生。统计质量管理重视产品质量优劣的原因研究，提倡以预防为主的方针。但是由于当时过分强调数理统计的作用，忽视了组织管理和生产者的能动作用，在介绍数理统计方法时又不适当地搬用高深数学理论和复杂的统计计算方法，致使人们认为质量管理“神秘莫测”“望而生畏”，限制了其普及和推广。

20 世纪 50 年代以来，生产力迅速发展，科技日新月异，出现了许多推动质量管理发展的新因素。工业产品更新换代频繁，人们对产品质量的要求不再满足于物美价廉，经久耐用，特别是对安全性、可靠性的要求空前提高；产品质量的形成过程和影响因素更加复杂，要求运用系统的观点分析研究质量问题；管理理论有了新的发展，突出“重视人的因素”，要“依靠”员工搞好质量管理，市场竞争加剧，企业必须对其产品负责并做出对质量的保证。在新的社会历史背景和经济发展形势的客观要求下，60 年代初，美国通用电气公司的工程师费根堡(A.V.Feigenbaum)和质量管理专家朱兰(J.M.Juran)提出了全面质量管理这一新的质量管理理论。全面质量管理理论符合当今世界经济技术发展的需要，因此很快普及到全世界。全面质量管理于 60 年代初被提出以来，经过许多国家在实践中运用、总结、提高，其内容和方法日趋完善，并形成了完整的科学体系。通常称全面质量管理阶段是质量管理的完善期和巩固期。

2. 质量管理的基本内容

装备系统建设的质量好坏，直接关系到战争的胜负和国家的安危，在整个研制开发过程中始终存在有效的质量控制问题。这种控制大体有以下几方面。

(1) 功能控制：从系统的功能入手，强调装备系统的目标是提高部队的整体作战能力。因此，一方面要把作战指挥效能作为衡量系统功能的标准；另一方面要强调系统的整体功能，按照系统的观点自顶向下地完成研制工作，确保系统整体功能的最优化实现。

(2) 性能控制：系统性能指标是系统为完成一定功能所必须具备的、呈现给用户的外部特性，性能指标应是可测的。为此，需要建立装备系统的性能指标体系，并确定每个指标的测试方法，在系统建设的每一阶段都进行指标认证管理。

(3) 预算控制：系统开发人员要从用户出发，从成本和效益两方面考虑，在满足功能和性能指标的前提下，尽可能降低系统建设的成本。既要根据意愿和能力进行预算控制，又要留有充分余地，尽可能考虑到可能发生的变化情况等。

(4) 进度控制：要按系统工程方法，严格划分工作阶段，每个阶段都有明确的规定任务和阶段成果。对每个阶段成果都要求进行标准化，以备下阶段使用。

(5) 质量控制：在系统开发的每一阶段和各个环节严格进行质量控制，及时发现并改进工作中出现的错误和偏差，采取多种手段对各阶段成果进行检验并得到用户的签字认可，以确保系统建设的进程和质量。据统计，80%的错误在系统开发早期被发现，只需用 20%的维护费用即可改正；而余下 20%的错误，在运行时被发现，改正它的费用却要占维护费用的 80%。因此，在开发工程中严格进行质量控制具有非常重要的意义。

3. 装备质量管理的地位和任务

装备的质量是设计、制造出来的，也是管理出来的。管理是一门科学，管理出生产力、出战斗力。在体现科学技术是第一生产力时，人们往往仅指技术，而忽视管理所发挥的生产力的作用。部队战斗力是一个由许多因素组成的体系，除指战员、作战装备、保障装备等实体之外，还有非实体因素，其中主要是战术的运用和管理。事实表明，只有实施有效的管理，装备才能发挥出最大的作战效能。

装备质量管理是装备管理的主要内容，是军队质量建设的重要组成部分。其基本任务是推行全面质量管理，实行质量责任制，科学地提出装备质量要求，实施装备研制、生产的质量监督与控制，保持和恢复装备的完好状态并充分发挥其作战效能。

在新的历史时期，强化管理已成为越来越多人的共识。因此，加强管理、提高装备质量是当前部队建设中的一项重要任务。“以质量取胜”是部队质量建军的重要基点之一，部队追求的目标，首先是提高战斗力。在现代高技术条件下，对于战斗力的提高，装备质量是一个主要因素。所以，装备质量关系到指战员的生命安全、战争胜负，甚至关系到国家的存亡。因此，装备质量不仅是经济问题，而且是军事和政治问题。装备质量代表着部队的战斗力，是走向战争胜利的“通行证”。部队对待装备质量管理，必须首先建立起质量意识和危机意识，然后才有决心与魄力来推动装备的质量管理工作。

3.4.2 装备全寿命周期内的质量管理

装备质量在形成和发展过程中，与装备论证、研制、生产、使用与维修、退役和报废等各阶段紧密联系，既有明确分工，又要紧密配合，全面地组织各阶段的活动，以保证提高装备质量。

1. 论证阶段的质量管理

论证阶段通常包括指标论证和方案论证及确定。该阶段是装备的酝酿和萌生期，其指标和方案能否满足部队作战的需求，是论证质量的关键所在。所以，论证质量管理的目标应该是确保装备论证结果的明确、完整、正确、可行的战术技术要求和合理的寿命周期费用，并且进度能满足部队作战和训练任务的要求。

装备论证的质量要求，应当根据任务需求，采用系统工程的方法，对性能、进度和费用进行权衡，并综合考虑装备使用、维修和保障需要，提出明确、完整、合理的装备质量特性的定量、定性要求及验证方法。

装备论证单位，应当以完整、准确的资料为基础，重要的资料、信息应当经过专门确认；还应当根据任务需求和使用方案，提出多种备选的设计和保障方案，进行综合权衡和对比分析，确定优选方案。

装备论证中，应当利用先进、科学的方法，对潜在的技术、费用和进度等风险进行分析、预测，消除、降低或控制可能产生的风险，积极采用先进技术，保证装备的先进性，但要控制新技术、新设备的使用比例，降低研制风险，对拟采用的关键技术，应当进行必要的仿真、试验与评价。

装备主管部门，应当组织作战、训练、订货、技术保障、科研和生产等部门的专家，对装备研制立项的综合论证和装备研制总要求的综合论证进行质量评审。

2. 装备研制阶段的质量管理

装备研制阶段是指装备正式投产前的全部开发研制过程，包括调查研究、制订方案、产品设计、工艺设计、试制、试验、鉴定以及标准化工作等内容。

设计试制过程是装备质量最早的孕育过程，搞好开发、研究、试验、设计、试制，是提高装备质量的前提。设计质量“先天”地决定着装备的质量，在整个质量产生、形成过程中居于首位。如果设计过程的质量管理薄弱，使设计不周铸成错误，这种“先天不足”，必然带来“后患无穷”，不仅严重影响装备质量，还会影响投产后的一系列工作，造成恶性循环。因此，研制阶段的质量管理，是装备质量管理中带动其他各个环节的重要一环。

研制阶段的装备质量管理的目标是监督与控制研制质量，促使承制方研制出符合研制合同的装备。该阶段质量管理的任务主要体现在以下两个方面。

(1) 根据对作战、训练等使用要求的实际调查和科学研究成果等信息，保证和促进设计质量。

(2) 在实现质量目标、满足使用要求的前提下，还要考虑现有生产技术条件和发展可能，讲究加工的工艺性，要求设计质量易于得到加工过程的保证。

为了保证研制质量，该阶段的质量管理工作一般应着重做好以下工作。

(1) 根据市场调查与科技发展信息资料，制定质量目标。

(2) 保证先行开发研究工作的质量。

(3) 根据方案论证，验证试验资料，鉴定方案论证质量。

(4) 审查设计质量，其中包括性能审查、一般审查、计算审查、可检验性审查、可维修性审查、互换性审查、设计更改审查等。

(5) 审查工艺设计质量。

(6) 检查试制、鉴定质量。

(7) 监督试验质量。

(8) 保证最后定型质量。

(9) 保证设计图样、工艺等技术文件的质量等。

在保证设计质量的前提下，还应尽量节约设计质量费用，提高经济效益。为此，要从产品质量水平的变化同发生的费用、成本的变化等方面进行经济分析，选择质量与质量保证费用的“最佳点”。

3. 装备生产阶段的质量管理

装备正式投产后，能不能保证达到设计质量标准，很大程度上取决于承制方的技术能力以及生产过程的质量管理。该阶段质量管理的目标是监督与控制生产质量，促使承制方生产出符合合同和设计要求、质量稳定的装备。该阶段质量管理的重点是要抓好以下几项工作。

1) 加强工艺管理

应按规定标准编制、校对、审核、会签批准工艺文件，并控制其更改。严格工艺纪律，全面掌握生产制造过程的质量保证能力，使生产制造过程处于稳定的控制状态，并不断进行技术革新，改进工艺。为保证加工质量，还必须认真搞好文明生产、均衡生产、合理配置工作器具，保证工艺过程有一个良好的工作环境。

2) 组织好技术检验工作

为保证装备质量，必须根据技术标准，对原材料、在制品、半成品、产成品以至工艺过程质量进行检验，严格把关。保证做到不合格的原材料不投产，不合格的在制品不转序，不合格的半成品不使用，不合格的零部件不装配，不合格的装备不出厂。质量检验的目的不仅要挑出废品，还要收集和积累大量反映质量状况的数据资料，为改进质量、加强质量管理提供信息和情报。

3) 掌握好质量动态

为充分发挥生产制造过程中质量管理的预防作用，必须系统地掌握工厂、车间、班组在一定时期内的质量现状及发展动态，做好对质量状况的综合统计与分析。为此，要建立和健全质量的原始记录，如合格品的转序、入库；不合格产品的返修、报废，都要有记录、有凭证，并由质量检验人员签字。根据原始记录进行汇总统计，会同有关部门做出质量变动原因分析。

4) 加强不合格产品管理

加强不合格产品管理，重点要抓好以下工作。

(1) 按不合格产品的不同情况分别妥善处理，并建立健全原始记录。

(2) 定期召开不合格产品分析会，找出原因，吸取教训，采取措施。

(3) 建立包括废品在内的不合格产品技术档案，并做好不合格产品的统计分析工作，以便发现和掌握规律，为有计划地采取防范措施提供依据。

(4) 实行工序质量控制，其主要手段是建立管理点和运用控制图。

在装备生产阶段的质量管理过程中，军事代表应发挥重要作用。在装备订货合同中，应明确装备的质量特性和生产过程质量保证要求、质量监督要求、检验和验收要求，以及不符合要求的产品拒收或依法索赔的方法等，军事代表应对承制方的质量管理体系实施重点监督与控制，对装备生产质量保证大纲进行审查和确认，监督生产过程中的质量记录，确保装备质量的可追溯性，监督检验制度和不合格产品处理制度执行情况以及采取的预防和纠正措施，按照规定对交付的装备及其配套的保障资源进行验收，并监督承制方按合同要求提供技术培训和售后技术服务。

装备订购部门还应会同技术保障部门向承制方提出在生产线关闭后的供应保障方案及其质量保证要求，并组织实施。

4. 装备使用与维修阶段的质量管理

装备的使用过程是装备效能发挥的过程，也是考验装备实际质量的过程。装备维修过程是指为保持、恢复和提高装备规定功能，延长其使用寿命、发挥其最大功能而采取的一切工程技术措施的过程。该阶段装备管理的目标是充分发挥、保持、恢复和改善装备质量，保证装备使用与维修保障系统有效运行，满足部队作战、值勤和训练的需要。做好装备使用与维修阶段的质量管理，主要应抓好以下工作。

1) 做好新型装备接装过程的质量管理

主管装备工作各职能部门要按照职能分工做好新型装备接装过程的质量管理，进行全面检查和必要的运行，对接收的新型装备在接装过程中暴露出来的问题，应当及时反馈承制方并监督其尽快解决。

2) 注重引进装备的保障系统建设

装备主管机关在装备引进的同时，应当引进保障设备、技术资料、消耗器材和备件等保障资源，同时应组织制订引进设备的保障资源建设方案，并组织实施，尽快形成持续保障能力。

3) 加强人员培养

各级装备机关要按照训练方案，分级严格训练各类使用、维修和管理人员，经考核合格后才能获得使用、维修和管理装备的资格，对装备关键岗位，应当持证上岗。

4) 严格装备使用过程质量控制

部队应当严格按照装备的技术说明书、使用规程、手册等要求正确使用装备，定期进行维护，及时发现和排除故障，保证装备技术性能符合规定要求。对使用中由于个人差错造成的装备故障或损坏，应当查清责任，分析原因，制定预防措施。

在装备使用过程中，驻承制方的军事代表应督促承制方积极做好装备售后技术服务工作，并进行使用效果和使用要求的调查，了解装备存在的缺陷和问题，及时处理装备使用过程中的质量问题。

5) 搞好装备维修过程的质量管理

维修质量管理就是通过维护和修理，使维修的装备保持、恢复到新装备规定的质量指标的全部过程。装备的维修质量是由维修工作质量决定和保证的，因此，必须像重视制造过程中的质量管理一样重视维修过程中的质量管理。为此，应做到以下方面。

(1) 维修机构应当严格按装备维修手册和维修规程要求正确维修装备，严格执行维修质量检验和验收制度，配备必需的维修质量检验设备，对影响装备质量的关键环节，应严格进行质量控制。

(2) 基地级修理机构还应当制定并严格执行装备修理技术工艺文件和质量手册、质量保证大纲及程序文件，应当对装备的技术状态、检验工作、计量工作、工装设备、器材采购、不合格产品、特种工艺、产品标识和人员素质等实施严格控制，在重视程度上与制造过程中的质量管理保持一致。

(3) 各级维修机构要健全维修质量记录制度，定期进行维修质量分析，发现问题，及时采取纠正和预防措施。

6) 注意装备储存过程的质量管理

部队和有关国防仓库应当按照规定对储存装备和维修器材进行定期技术检查、维护和修理，监控储存环境，定期评估装备的储存质量。

部队还应当制定修理器材和消耗品的入库、保管、发放、运输质量管理制度，确保维修器材的质量。

7) 重视装备质量问题的处理

部队应当按照有关规定及时上报装备在使用维修中发生的质量问题，并按规定向承制单位和承修单位反馈。对于质量事故，装备主管部门应当及时查明原因，监督承制单位和承修单位采取纠正措施，如因质量事故造成重大经济损失或人身伤亡的，要按合同规定向承制单位和承修单位索赔或追究刑事责任。

8) 加强装备评估和改进

装备主管部门应当统一规划和建立装备的使用、维修信息系统，制定质量信息管理制度和质量评定指标，指导、督促部队和基地级修理单位及时、完整、准确地记录装备使用、维修和储存过程中产生的质量方面的信息，组织对装备的使用、维修和储存质量进行定期评估，分析影响装备质量的因素，有针对性地组织装备技术革新和后续生产过程的改造。

5. 装备退役和报废阶段的质量管理

装备主管部门应当对拟退役的装备组织质量评估，制订装备退役实施方案，对装备在退役处理中可能对环境、人员产生的影响，应当组织试验与评价，对各种危险品的处理应当实施严格的过程控制，做好退役装备的各种资料、文件和质量信息的归档工作。对退役或报废装备中一些标准件或通用的仪器、仪表以及零(部)件，经性能检测符合使用要求的，可以作为训练或在役装备的备件使用，有些零(部)件通过再制造技术能够恢复原有技术性能可再使用的，也可以将其再制造进行使用。

3.4.3 装备质量管理的常用方法

1. 排列图法

1) 排列图原理

意大利经济学家帕雷托(Vilfredo Pareto)在统计意大利的财产分布状况时，发现少数人占有社会上大部分财富，而绝大多数人处于贫困状态，即“关键的少数与次要的多数”这一相当普遍的社会现象，由此提出排列图原理。美国质量管理学家朱兰把这个原理应用到质量管理中，认为少量问题造成的不合格产品占总不合格产品的大部分。因此，排列图也就成为寻找影响质量的主要原因所使用的图，它是质量管理活动中寻找关键问题的一种有力工具。

2) 排列图的绘制

(1) 确定分析的对象。

分析的对象一般指某种产品(或零件)的废品件数、吨数、损失金额、消耗工时及不合格项数等。

(2) 确定问题分类的项目(因素)。

可按废品项目、缺陷项目、零件项目、不同操作者进行分类。

(3) 收集与整理数据。

列表汇总每个项目(因素)发生的数量，即频数元，项目按发生的数量多少，由多到少排列。“其他”项无论发生的数量多少，皆放在最后一项。

(4) 计算频数 f_i、频率 P_i 和累计频率 F 。

首先统计频数 f_i，其总和为 f，按式(3-1)、式(3-2)分别计算频率和累计频率：

$$P_i = \frac{f_i}{\sum f_i} = \frac{f_i}{f} \tag{3-1}$$

$$F = P_1 + P_2 + \cdots + P_f \tag{3-2}$$

(5) 绘制排列图。

排列图由两个纵坐标、一个横坐标、几个顺序排列的矩形和一条累计频率折线组成。图中，横坐标表示影响产品质量的因素或项目，一般以矩形的高度表示各因素(项目)出现的频数(各矩形宽度相等)，并从左至右按频数由大到小的顺序排列，左边的纵坐标表示项目出现的频数，右边的纵坐标表示出现的频率；在各矩形的右边延长线上标记点子，各点的纵坐标值表示对应项目的累计频率：以原点为起点，依次连接上述各点，所得折线即累计频率折线。

(6) 根据排列图确定影响产品质量的主要因素。

①主要因素：累计频率 F_i 在 0%～70%的若干因素。它们是影响产品质量的关键原因，又称 A 类因素，其个数为 1～2 个，一般不超过 3 个。

②有影响因素：累计频率 F_i 在 70%～90%的若干因素。它们对产品的质量有一定的影响，又称 B 类因素。

③次要因素：累计频率 F_i 在 90%～100%的若干因素，其对产品质量仅有轻微影响，又称 C 类因素。

在进行排列图分析时，要注意以下几点。

a. 主要因素若可以进一步分层，则需根据分层类别重新收集数据，再绘制排列图，以便对影响因素进行深入分析，找出主要因素中的子因素，特别是其核心因素，从而采取措施，予以解决。

b. 主要因素一般为 1～2 个，最多不超过 3 个，否则要对因素重新分类；若因素较多，则可将最次要的若干因素合并为“其他”项。

c. 左边的纵坐标用件数、金额、时间等表示都行，原则是以更好地找到主要因素为准。

3) 排列图的用途

排列图是一种用途极广的统计工具，它具有简单明了、直观、主次因素一目了然的优点，同时还能定量地进行分析比较。排列图可以分析造成产品质量波动有哪些因素，并能把影响产品质量的“关键的少数与次要的多数”直观地表现出来，使人们明确应该从哪儿着手来改进产品质量。实践证明，集中精力将主要因素的影响减少比消灭次要因素收效显著，而且容易得多。所以，应当选取排列图前 1～2 项主要因素作为质量改进的目标。

排列图不仅可以用于产品质量改善，其他工作如分析安全事故、设备故障产生的主要原因，节约能源、减少消耗、降低成本等都可用排列图来改进工作，提高工作质量。

2. 因果图法

因果图又称鱼骨图，它是一种用来寻找影响质量问题的所有因素的有效工具。

影响质量问题的一些表面性的大原因一般由一系列中原因构成，并且可以进一步逐级分层地找出构成中原因的小原因及更小原因等。如此分析下去，直到找出能直接采取有效措施的原因，这就是在质量分析时要追究的根本原因，最后根据根本原因采取对策。

因果图由质量问题和影响因素两部分组成。如图 3-6 所示，图中主干箭头所指的为质量问题，主干上的大枝表示大原因，中枝、小枝表示原因的依次展开。

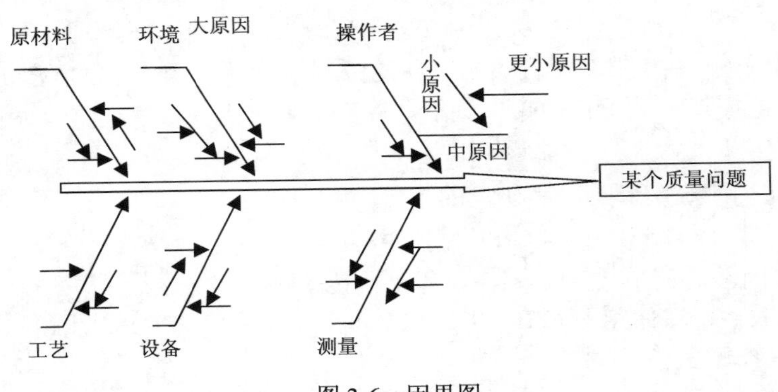

图 3-6　因果图

编制因果图的主要步骤如下。

(1) 由左向右画一个宽的箭头，箭头指向即待分析的质量问题。

(2) 分析造成质量问题的各种可能原因，按 5M1E(操作者、原材料、设备、工艺、测量和环境) 对原因进行分类，每一类形成一个分支箭头，箭头指向主干箭头。

(3) 在各种主要原因的基础上再分析其产生的第二层、第三层原因，用分支箭头表示。

绘制因果图是一项专业性很强的工作，一般应采用召开质量分析会的方式，尽可能让各方面有关人员都参加，充分发扬民主，把各种意见都记录下来。主要原因可用绘制排列图、投票或其他方法来确定。

因果图能帮助人们以开放性的思维解决问题。在将可能的原因及其相互关系进行分类时，因果图就显得极为有用。因果图的重要作用在于明确因果关系的传递路径。

3. 相关图法

在质量管理中，常常遇到一些变量(质量因素)共处于一个统一体中，它们相互联系，相互制约，在一定条件下又相互转化。这些变量之间的关系，有些属于确定关系，也就是说可以用函数关系来表达；而另一些变量之间虽然存在密切的关系，但不能由一个(或几个)变量的数值精确地求出另一个变量的数值，这种关系称为非确定性关系。

相关图法就是将两个非确定性关系变量的数据对应列出，画在坐标图上，来观察它们之间近似关系的图表，因此相关图又称散布图，对相关图进行分析，称为相关分析。

1) 相关图的作用

(1) 确定各种因素对产品质量有无影响及影响程度的大小。

(2) 如果两个变量之间的相关程度很大，则对其中一个变量的直接观察可以代替对另一个变量的观察。或者直接控制某一变量的数值来间接控制另一变量的变化，也就是从一个变量的取值，就能确定另一个变量取值的大致范围。

(3) 对相关图的分析，能帮助人们肯定或否定关于两变量之间可能关系的假设。

2) 绘图步骤

(1) 收集数据。所要研究的两个变量如果一个为原因(因素)，另一个为结果(质量指标)，则一般取原因变量为自变量 x，结果变量为因变量 y。

(2) 绘制相关图。在直角坐标系中，把上述对应的点一一描出。这些点虽然是散乱的，但大体上散布在某条直线的周围。

3) 相关图的观察与分析

两变量之间的相关图大致可以分为以下 6 种情形。

(1) 强正相关。x 增大，y 随之线性增大，x 与 y 之间可用直线 $y=ax+b$ (a 为正数) 表示。此时，只要控制了 x，y 也就随之确定了。

(2) 弱正相关。点靠近一条直线，且 x 增大，y 基本随之线性增大。此时，除了因素 x，可能还有其他因素影响 y。

(3) 不相关。两者没有明显的相关性。

(4) 强负相关。x 增大，y 随之线性减小，x 与 y 之间可用直线 $y=ax+b$ ($a<0$) 表示。此时，由 x 可以控制 y 的变化。

(5) 弱负相关。x 增大，y 基本随之线性减小。此时，除 x 外，可能还有其他因素影响 y。

(6) 非线性关系。x、y 有关系，但不是线性的，而是非线性的。

4) 相关系数

相关图只能定性地、近似地判断两个变量之间是否存在线性相关关系。为了能从定量方面精确地度量两个变量之间的线性相关程度，需要计算它们的"相关系数"。

相关系数的计算公式如下。

变量 x 与 y 之间的线性相关程度可用相关系数 r 来度量，其计算公式为

$$r = \frac{L_{xy}}{\sqrt{L_{xx}L_{yy}}} \tag{3-3}$$

式中，L_{xx}为x的偏差平方和；L_{yy}为y的偏差平方和；L_{xy}为x与y的偏差积之和，即

$$L_{xx} = \sum (x_i - \overline{x})^2 \tag{3-4}$$

$$L_{yy} = \sum (y_i - \overline{y})^2 \tag{3-5}$$

$$L_{xy} = \sum (x_i - \overline{x})(y_i - \overline{y}) \tag{3-6}$$

x的偏差平方和可以反映数据x_1，x_2，…，x_n的散布程度；y的偏差平方和可以反映数据y_1，y_2，…，y_n的散布大小；两者永远大于 0，但偏差积之和可正可负。由式(3-3)可知，相关系数与偏差积之和符号一致。

4. 对策表法

对策表法是在利用排列图和因果图找出了质量问题的主要原因后，紧接着要找出解决问题的具体方法。将做出的对策用表格形式明确列出，同时列出各种存在的问题、应达到的质量标准、解决问题的具体措施、责任者和期限等，这就是对策表。

5. 分层法

分层法又称分类法，它是加工整理数据、分析影响质量原因的一种方法。它把收集的不同数据，按不同目的加以分类，把性质相同，在同一生产条件下的质量数据归类在一起加工整理，使数据反映的事实更明显、更突出，便于找出问题，对产品质量进行更有针对性的分析和管理。

分层法通常根据以下原则进行分类。

(1) 按操作人员分，如按不同性别、年龄、工龄、技术等级等进行分类。

(2) 按设备或工作场地分，如按不同类型的设备，同一设备的不同型号，设备的新、旧程度，不同的工、夹、模具，不同的车间、工段等进行分类。

(3) 按原材料分，如按不同的供应单位、不同的进料时间、不同的成分等进行分类。

(4) 按操作方法分，如按不同的切削用量、不同的压力、温度等进行分类。

(5) 按生产时间分，如按不同的班次、不同的日期等进行分类。

(6) 按测量手段分，如按不同的检测人员、不同的仪器、量具和方法等进行分类。

(7) 按其他分类标志分，如按环境条件、气候及不同的工件部位、工序原因等进行分类。

总之，分类的目的是把不同性质的问题分清楚，便于分清问题找出原因。但是运用分层法往往按一个标志分类不能完全解决问题，这就要求按几个相关标志分别进行分类，进行综合分层分析，有时还要应用质量管理中的其他方法联合使用才能使质量问题原因明朗化，如分层排列图。分层排列图是在绘制一个排列图的基础上，对排列在前面的主要因素再进行分组而形成的排列图表系统，它可以依照同一绘制原理，绘出第二层排列图，第三层排列图……进行层层深入分析，以便更加直观地分析影响质量的主要因素。

排列图的设计，应首先建立在合理分层的基础上，分别找出各层的主要矛盾及相互关系。例如，从一个企业找出影响产品质量的主要车间，而这个车间内部又可分别找出关键工序；又如，按产品分层，可以找出主要产品的主要部件、关键零件或关键工序。

6. 直方图法

以横坐标作为质量特征测量值的分组值，纵坐标表示数值，各组的频数用直方框的高度表示，这种图形称为直方图。直方图可以直观地刻画出数据分布的中心位置及其分布的幅度大小，所以在质量控制中得到广泛应用。

全面质量管理的方法还有控制图法、系统图法、正交试验法、网络分析技术以及各种预测、决策方法，这里不再一一介绍。

习　题

1. 阐述系统工程管理的含义。
2. 描述系统工程管理和一般过程。
3. 系统工程管理的主要方法有哪些？
4. 描述系统工程管理各阶段的主要活动。

第 4 章　装备效能与费用

发展和研制任何一种装备系统要考虑如何能使消耗的资源尽可能少，而取得的效能尽可能高。装备效能与费用是装备系统的分析与设计、开发与研制、生产与采购、使用与维修、保障与管理等决策的重要目标或制约条件。对于军用装备或复杂产品，在系统寿命周期费用的制约下求得最大的系统效能已受到更多的关注，装备效能与费用已成为评价装备系统是否适用的主要准则，在装备系统的发展研制与装备使用过程中具有决定性的意义。

4.1　装 备 效 能

4.1.1　效能及其度量

1. 效能的定义

国家军用标准 GJB 1364 中定义装备的效能是：“在规定的条件下达到规定的使用目标的能力”。定义中，“规定的条件”是指军事装备使用的环境条件、操作维护人员、时间、使用方式等因素，如“某型电台在正常情况下，由普通操作人员操作，通信距离可以达到 50km”便是一种规定的条件；“规定的使用目标”是指所要达到的目的，如“某电台可以传几路话、几路报，传输速率为多少”便是规定的使用目标；“能力”是指达到使用目标的定量或定性程度，可以用概率或其他指标表示。

显然，使用装备是因为其具有能够完成预定的或规定的使用目标的能力，也就是说，装备或系统的使用价值体现在完成规定使用目标的能力上。按传统的度量方法，无线通信装备的通信距离、通信容量、传输速率、灵敏度、频段范围等都可用来度量无线通信装备达到使用目标的能力。可靠性、维修性及保障性也是装备的一种达到规定使用目标的能力或特性，也可用于度量军事装备的使用能力即度量军事装备的效能。因此，军事装备的效能是军事装备的性能、可靠性、维修性及保障性等特性的函数。

效能的主要研究内容如图 4-1 所示，其中，可用性是目的，可信性是研究的主要内容，而可信性本身是一种非定量的集合性术语，它用来表示影响可用性因素(可靠性、维修性、测试性、保障性等)的一种非定量条款中的一般性描述。可信性的主要研究内容是可靠性(Reliability)、维修性(Maintainability)、测试性(Testability)、保障性(Supportability)等，它们分别从不同侧面给出了装备可信性的测度。装备的安全性主要研究装备所能接受的出现损坏的风险限制问题，不安全的首要因素是出现故障。因此，安全性与可靠性密切相关，但安全性的研究有一个后果防护问题。

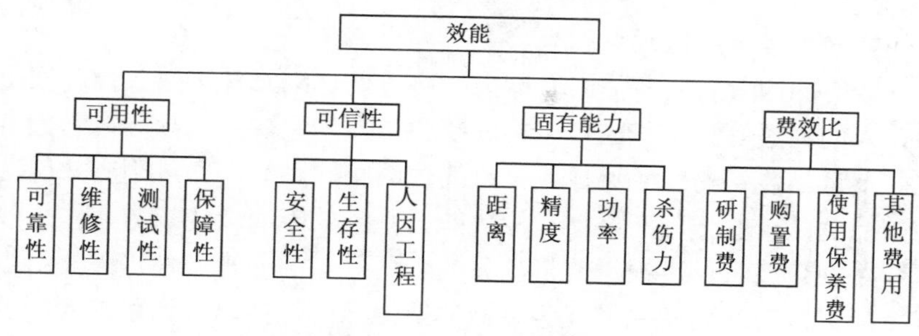

图 4-1　效能的主要研究内容

此外，装备的可用性和军事装备的战备完好性有相似性，研究内容基本一致。从可靠性定义中的“规定的条件”，考虑到军事装备的应用环境，又可分离出装备的生存性(Survivability)、抗毁性(Invulnerability)。由可靠性定义中的“规定时间”，以研究装备的持续工作能力或寿命为目的，又可分离出装备的耐久性(Durability)。

在研究军事装备的效能问题时，还必须结合研究军事装备的费效比问题，即研究军事装备的寿命周期费用问题，简称 LCC(Life Cycle Cost)问题。有关费效比的具体研究内容将在后面详细介绍。

2. 装备的效能度量

效能度量是效能大小的尺度，是系统达到其任务目标程度的度量，是完成一个任务剖面的概率表示；或是用与系统任务目标有关的期望效果值表示。

这里的期望效果值是一些表示系统实体性能值的物理量，如系统所发出的功率、射程、通信速率、杀伤力等。

由于效能的内涵随研究的角度不同而具体化，因此效能度量也将随研究角度不同而相互有异。例如，当研究的范围集中到装备的某一固有能力指标上时，效能的具体内涵可能是速度、功率、精度、作用范围等，而其度量也可采用对这些固有能力的度量，如 km/s、kW、%、km 等。

在进行装备效能分析时，所确定的效能度量应能综合反映装备达到规定的使用目标的能力。一般装备均具有多样性的目标，如电台往往有数据传输、话音传输等任务目标。同一装备完成不同任务目标的能力各不相同，其度量方式也不尽相同，这就是目标的多样性决定了效能度量的多样性。因此，在进行具体的效能分析时，效能的度量一般只能根据具体的装备功能和使用要求等情况确定，即根据功能与目标确定效能度量。例如，对一部电台而言，其发射功率、调制方式、工作频段通常为决策者所关心，这些参数就可以作为效能度量；而当电台用于传递报文时，其传输速率可能更为重要，此时应将传输速率作为效能度量。

某些情况下，装备的效能度量可能难以找到单一的度量方法，或者当采用单一的效能度量来综合各指标会产生预料不到的错误时，就需要用一组指标作为效能度量来定量表示装备的效能。一组指标的效能度量往往有利于进行费用-效能分析，为决策者提供有用的信息。因此，确定效能度量的重点一般不在于设法寻求单一度量，而是把装备的效能与影响其效能的因素定量地联系起来。

影响装备效能的因素有装备的固有能力、可靠性、维修性、耐久性、安全性、保障性、生存性、人的因素等。这些因素是构成装备效能的主要组成部分，它们有着各自的度量，将这些度量与装备的任务目标或分析的目的相联系后，即可确定效能度量。

装备的效能度量一般分为三类：指标效能、系统效能或效能指数、作战效能。

在分析装备的效能时，可根据分析的目的、所具备的分析条件等因素恰当地选择使用上述效能度量，以反映装备完成任务目标的能力。必须指出，通用的效能度量是不存在的，确定效能度量在装备的效能分析中是一项比较困难但又至关重要的工作，效能度量的选定如果存在错误或不当，后果不堪设想。

4.1.2　装备效能分析

效能分析就是根据影响装备效能的主要因素，运用一般系统分析的方法，在收集信息的基础上，确定分析目标，建立综合反映装备达到规定目标的能力测度算法，最终给出衡量装备效能的测度与评估。其中，影响装备效能的主要因素有装备的可靠性、维修性、保障性、测试性、安全性、生存性、耐久性、人的因素和固有能力等。

1. 效能分析的基本步骤

装备效能分析是一个迭代过程，在系统生命周期的各个阶段都要运用系统效能模型反复进行系统效能分析，在初步设计阶段要预测各个方案的系统效能。在用试验模型进行的初步试验中，能得到关于系统性能、可靠性、维修性等最初的实际值。此时，要把这些数值输入系统效能模型中。根据模型的输出，修改原来得到的预测值，改进初步设计。这样，直至进行到装备投产，保证有效地进行系统设计，保证在全面研制、定型生产或装备部队之前，弄清楚需要做出的其他改进。装备在编配部队之后，将受到使用环境的影响，其中包括在野外进行的后勤保障和维修工作的影响。与此同时，将源源不断地得到现场使用数据。此时，还要运行系统效能模型来确定受使用环境影响的系统作战效能，以便揭示需要改进的地方。

装备效能分析过程如下。

(1) 工作 1：规定系统的任务剖面。使用某种系统的唯一原因是系统能帮助人们完成某项任务，所以在分析装备的效能时，首要的工作是确定对装备的工作(任务)要求。这就要求明确系统在其任务过程中每一时刻所应处的状态或每一状态所持续的时间及所应提供的功能和所处的环境等任务剖面要素。

在按 GJB 1364 进行费用–效能分析时，确定任务剖面的工作可能在确定目标、建立假定和约束条件中完成，在这里需要做的工作是对其进行认可和修正。

(2) 工作 2：描述系统。确定系统的可工作状态、不可工作状态以及系统的使用、维修方式、系统的可靠性框图等。

(3) 工作 3：确定效能度量。即确定以何种方式、什么单位度量效能。

(4) 工作 4：确定影响效能的因素。这些因素在所进行的分析中构成了边际条件和约束。

(5) 工作5：建立模型。在完成了以上四项工作以后即可建立效能度量与系统的工作模式、约束等参量之间的关系。

(6) 工作6：获得数据。为了取得模型用的初始数据，必须先从数据库、试验场等场所得到良好可靠的数据。

(7) 工作7：数据转换。建立一个能够利用所有的原始数据、不经任何转换即可计算出效能值的模型非常困难，因此，必须将原始数据转换为模型所能利用的形式。

(8) 工作8：使用模型。输入各个参量的数值，通过模型获得效能的估算值并完成最优化的工作。

工作5、6、7是一个相互反复的过程，需要经过反复的迭代，三者往往同时而难以完全独立。

2. 效能分析的基本方法

效能分析的方法多种多样，基本上可归为解析法、统计法、作战模拟法和多指标综合评价法，选择哪种方法取决于效能参数特性、给定条件及分析目的和精度要求。

1) 解析法

解析法是根据描述效能指标与给定条件之间的函数关系的解析表达式来计算效能指标值。在这里，给定条件常常是低层次系统的效能指标及作战环境条件。解析表达式的建立方法多样，可以根据现成的军事运筹理论建立，也可以通过数学方法求解所建立的效能方程而得到。例如，用兰彻斯特方程可以建立在对抗条件下的射击效能评估公式。解析法的优点是公式透明度好，易于了解和计算，并且能够进行变量间关系的分析，便于应用；缺点是考虑因素少，并且有严格的条件限制。因此，解析法比较适用于不考虑对抗条件下的装备效能分析和简化情况下的宏观作战效能分析。

2) 统计法

统计法是应用数理统计方法，依据实战、演习、试验获得的大量统计资料来评估作战效能。常用的统计法有抽样调查、参数估计、假设检验、回归分析与相关分析等。统计法不但能给出效能指标的评估值，还能显示装备性能、作战规则等因素的变化对效能指标的影响，从而为改进装备性能和作战使用规则提供定量分析基础。对许多装备来说，统计法是分析其效能参数特别是射击效能的基本方法。

3) 作战模拟法

作战模拟法是以计算机模拟为试验手段，通过在给定数值条件下运行模型来进行作战仿真试验，由试验得到的结果数据直接或经过统计处理后给出效能指标估计值。装备的作战效能评价要求全面考虑对抗条件和交战对象，考虑各种武器装备的协同作用、装备的作战效能诸因素的作战过程的体现以及在不同规模作战中效能的差别，而作战模拟法能较为详细地考虑影响实际作战过程的诸多因素，因此特别适合用于装备作战效能指标的预测分析。

4) 多指标综合评价法

对于一般装备，采用前面三类效能指标评估方法就已经可以分析其效能了。但是对于某些复杂的装备(如战略导弹等)，其效能呈现出较为复杂的层次结构，有些较高层次的效能指标与其下层指标之间只有相互影响，而无确定函数关系，这时只有通过对其下层指标进行综合才能分析其效能指标。常用的综合分析方法有线性加权和法、概率综合法、模糊评判法、层次分析法以及多属性效用分析法等。多指标综合评价法的优点是使用简单，评价范围广，适用性强；缺点是受人的主观因素影响较大。

4.1.3 装备效能模型

1. 效能模型的含义

在分析效能过程中，确定效能度量后，便可计算效能的量值。效能的计算一般需借助效能模型，通过输入全部或部分只与系统及其使用有关的参数就能得到代表效能的单个或多个参数值。效能模型一般取数学方程形式(数学模型)，或者用计算机程序模拟系统的运行情况(模拟模型或蒙特卡罗模型)，或者同时取上述两种形式。

有了效能模型才能计算出效能的具体数值，由于效能度量随不同的问题而具有不同的内涵，因此，效能模型也无通用模型，任何一个效能分析必须根据所分析的装备特点、约束条件及一些合理的假定建立具体的模型，模型的输入是一些已知的或假定的条件，输出则应与效能度量具体地联系起来，以得出效能的量值。

2. 效能模型的用途

在系统效能评价中，最重要的是建立系统的效能模型，在装备样机研制之前，系统效能模型的主要用途如下。

(1) 计算各个方案的系统效能值，帮助决策者选择最能满足规定要求的方案。

(2) 在系统的性能、可靠性、维修性等参数之间进行权衡，保证在这些参数之间得到最理想的平衡，从而得到最大的系统效能。

(3) 依次改变每一个参数值，进行参数灵敏度分析，确定参数值的变化对模型数值输出的影响。对模型输出没有或几乎没有影响的参数可以略去，从而使模型得以简化；对模型输出影响较大的参数，要认真研究，这一类参数称为高灵敏度参数，对此类参数，只需增加有限的费用，使参数值得到有限的变化，就能使系统效能得到相当大的提高。

(4) 在设计过程中发现严重限制设计能力，妨碍达到所规定的系统效能的问题。

3. 效能模型的输入参数

凡影响效能的各种因素均应视为模型的输入参数。例如，对于系统效能，按美国工业界武器装备效能咨询委员会或 GJB 451A 规定的系统效能，模型的输入参数应为系统的可用性、可信性、固有能力，而影响可用性、可信性及固有能力的因素有多个，如可靠性、维修性、保障性、技术指标等。输入如此多的参数，可使系统效能模型变得十分复杂，有时这种复杂的模型对分析没有多大帮助，对决策者也无多大意义，因此，一般是根据决策者的意图及分析的目的确定其中的几个参数，或将其进行再组合以后，作为模型的输入参数，以简化模型。例如，将可靠性、维修性组合成可用性与可信性；系统技术指标中的各参数组合成固有能力，则可得到模型为 $E=A\times D\times C$。再如，将可靠性、维修性的一些参数组合成战备完好性(POR)、任务可靠性(RM)，将系统技术指标中的其他参数组合成设计恰当性(DA)，则系统效能 E=POR×RM×DA。总之，对效能模型的输入参数进行选择与预处理，可使模型既简单又实用。因此，在建立效能模型之前应根据决策者的要求及实际情况确定其输入参数。

4. 效能模型的输出参数

分析效能必须确定效能的量值，理想的效能模型的输出参数是以单一指标度量的效能值。但是在某些情况下，由于决策者的态度及其他因素的影响，效能的度量方式不能采用单一指标，此时效能模型的输出参数可以是按决策者要求的几个构成系统效能的分量。因此，在建立效能模型之前，必须确定分析效能的所有输出参数。

5. 多子模型的综合

装备的效能，从硬件上讲是由组成系统的各子系统有机结合而产生的，因此，在建立效能模型时，可先建立子系统的效能模型，然后根据功能传递关系进行综合，得到装备的效能模型。

例如，从装备总体出发，构成装备效能的是那些如固有能力、可靠性、维修性及安全性等影响装备效能的因素，确定这些因素需通过模型。因此，在建立效能模型时，可先建立如可用性、可信性、战备完好性、任务可靠性、固有能力等与影响效能诸因素有直接联系的中间参数模型，然后根据各参数间的相互影响关系进行综合，得到装备效能模型。

多子模型综合法是解决复杂装备效能问题的可行方法，只要正确建立各子模型以及确定各子模型之间及其与总模型之间的关系，便可建立起有效并适用的效能模型。

4.2　装备寿命周期费用

4.2.1　寿命周期费用构成

1. 寿命周期费用的含义

寿命周期费用(LCC)的含义是装备寿命周期内，为装备的论证、研制、生产、使用与保障，直至退役所付出的一切费用之和。寿命周期费用也称寿命周期成本。对于装备而言，寿命周期费用实际上是指它在整个寿命周期(即“一生”)中所消耗的费用的总和。

美国国防部颁发的 DoD 文件中给出的 LCC 的定义为：政府为了设置和获得系统以及系统一生所消耗的总费用，其中包括开发、设置、使用、后勤支援和报废等费用。

2. 按寿命周期阶段划分的费用组成

根据研究问题的出发点和目的的不同，寿命周期费用的组成有不同的分类和表示方法。装备在寿命周期的不同阶段内所发生的费用，常以阶段的名称来命名。按大阶段分，LCC 由前期费用和后期费用组成。前期费用包括研制费用和购置费用，也称采购费用。

后期费用包括使用与保障费用和退役处置费用。因此，LCC 是研制费用、购置费用、使用与保障费用和退役处置费用之和(图 4-2)，即

LCC＝研制费用+购置费用+使用与保障费用+退役处置费用

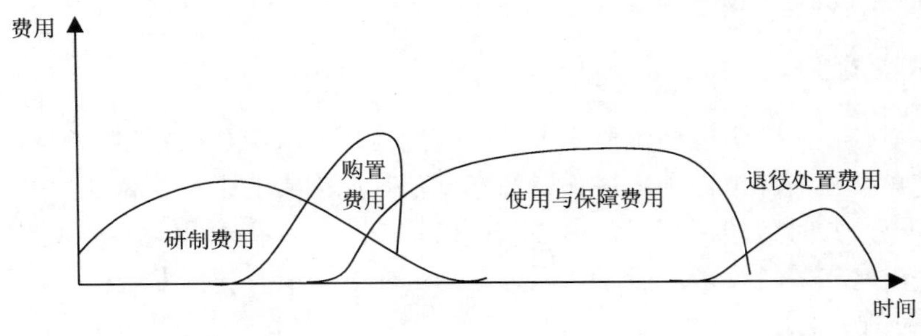

图 4-2　LCC 的分布关系

1) 研制费用

研制费用又称研究、设计和发展费用，即从装备立项开始直到装备研制完成(在我国，一般到生产定型鉴定)所需的一切费用之和。

研制费用一般包括设计工程、样机和原型机制造、软件开发、各种试验与鉴定、资料项目、服务项目和管理等费用。

2) 购置费用

购置费用是指订购方向承制方购置装备并获得装备所需的初始保障所支出的全部费用。购置费用一般包括定价成本费、利润、初始保障费等。

3) 使用与保障费用

使用与保障费用是装备投入使用后所需的使用费用和维修保障费用之和，一般包括装备使用中的消耗性费用(如电力、燃料、弹药等)，以及人员、通信、运输、技术数据、使用保障所需的设备与设施、管理等费用。维修保障费用则包括备件、维修保障所需的通用和专用设备与设施、维修工时、人员培训和训练设备、技术数据与文件、后勤管理、故障产品送到修理地点与返回的包装、运输等费用。

4) 退役处置费用

退役处置费用是指系统或装备的退役报废所需支付的费用，它可能由一定残值予以部分抵消。在装备寿命周期内，在不同阶段所发生的费用在 LCC 中占的比例有所不同。研制费用和退役处置费用所占比例很小，在分析 LCC 时往往可以忽略不计，而使用与保障费用在 LCC 中所占比例最大，并以每年 3%左右的速率持续增长。例如，我国研制的通信装备，其使用与保障费用占 LCC 的比例一般均高于国外的同类装备，这是由以前在装备研制中没有进行可靠性、维修性、保障性设计造成的。

4.2.2　寿命周期费用分解结构

对装备寿命周期费用进行计算时，首先应明确它所包括的费用项目，也就是列出其费用结构。寿命周期费用结构也称寿命周期费用分解结构，是一种按照树状排列的费用

单元的集合。或者说，费用结构是费用单元的一种按序分类法，用于估算寿命周期费用。这种结构表示寿命周期费用估算的“记账模型”，费用单元是明确定义费用的最低层次。一个费用单元应能用有关的变量、因式、比值或常数从数学上加以表述，以便能估算出费用金额。

以通信装备为例，其寿命周期费用分解结构如图 4-3 所示。

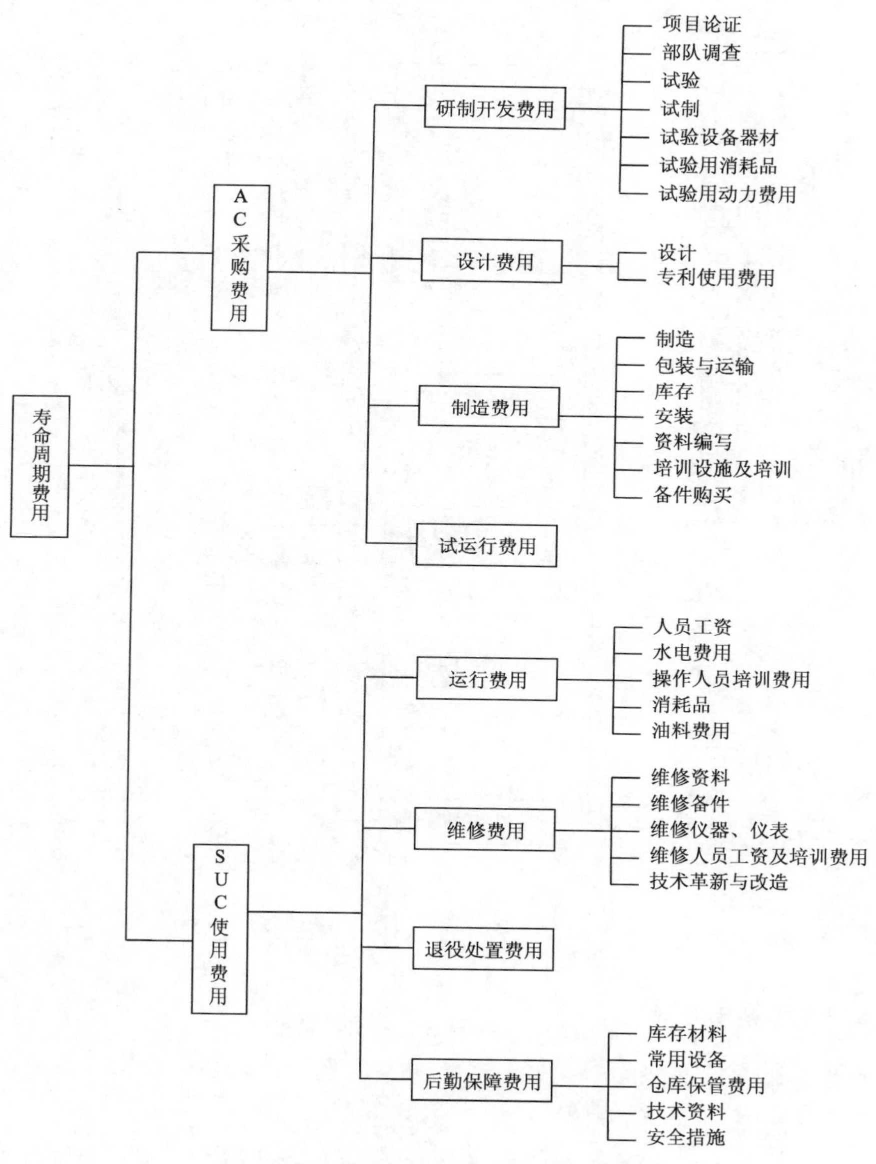

图 4-3　通信装备的寿命周期费用分解结构

软件装备寿命周期费用分解结构如图 4-4 所示。

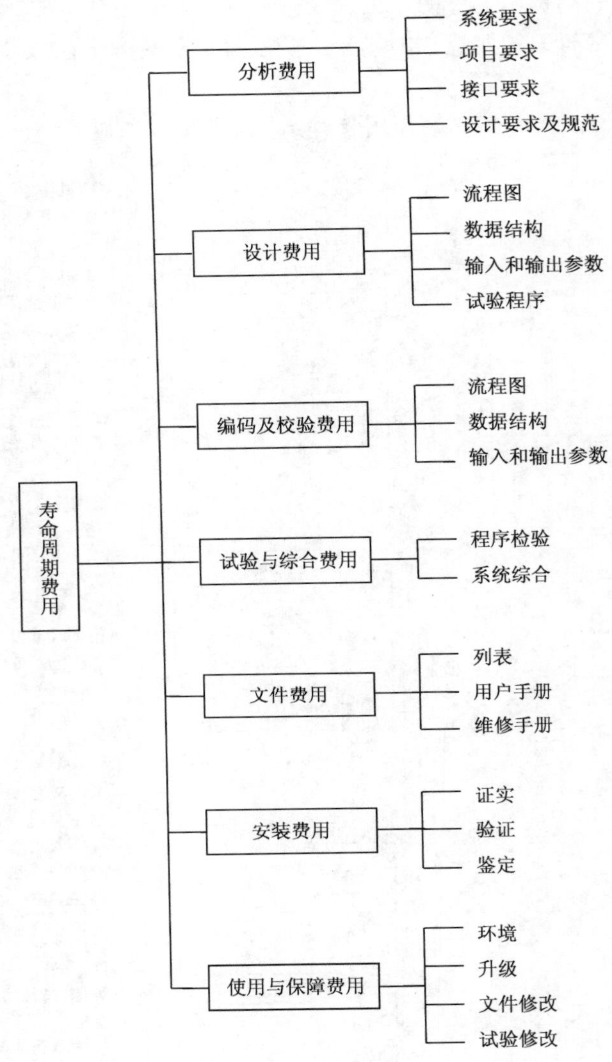

图 4-4　软件装备寿命周期费用分解结构

4.2.3　寿命周期费用模型

1. 重复与非重复性费用模型

$$\begin{aligned}\mathrm{LCC} &= \mathrm{NRC} + \mathrm{RC} \\ &= (C_{\mathrm{RD}} + C_{\mathrm{RM}} + C_{\mathrm{Q}} + C_{\mathrm{LCM}} + C_{\mathrm{A}} + C_{\mathrm{I}} + C_{\mathrm{TE}} + C_{\mathrm{T}} + C_{\mathrm{TR}} + C_{\mathrm{S}}) \\ &\quad + (C_{\mathrm{O}} + C_{\mathrm{M}} + C_{\mathrm{S}} + C_{\mathrm{MT}} + C_{\mathrm{IN}})\end{aligned} \tag{4-1}$$

式中，NRC 为非重复性费用；RC 为重复性费用；C_{RD}为研究与研制费用；C_{RM}为可靠性与维修性提高费用；C_{Q} 为鉴定批准费用；C_{LCM} 为寿命周期管理费用；C_{A} 为采购费用；C_{I} 为安装费用；C_{TE} 为试验设备费用；C_{T} 为培训费用；C_{TR} 为运输费用；C_{S} 为保障费用；C_{O} 为工作费用；C_{M} 为人力费用；C_{MT} 为维修费用；C_{IN} 为库存费用。

2. 使用与保障性费用模型

$$\begin{aligned}\mathrm{LCC} &= A_{\mathrm{C}} + S_{\mathrm{C}} \\ &= (C_{\mathrm{D}} + C_{\mathrm{F}} + C_{\mathrm{I}} + C_{\mathrm{M}} + C_{\mathrm{T}} + C_{\mathrm{X}} + C_{\mathrm{L}} + C_{\mathrm{B}} + C_{\mathrm{S}} + C_{\mathrm{P}}) + (C_{\mathrm{O}} + C_{\mathrm{D}} + C_{\mathrm{Y}})\end{aligned} \tag{4-2}$$

式中，A_{C} 为采购费用；S_{C} 为系统或装备寿命周期中的使用与保障费用；C_{D} 为研究、设计与试验费用；C_{F} 为制造费用；C_{I} 为安装费用；C_{M} 为手册费用；C_{T} 为测试设备费用；C_{X} 为工具费用；C_{L} 为型号设备文件费用；C_{B} 为设施费用；C_{S} 为基地库存及初始备件费用；C_{P} 为补给备件费用；C_{O} 为部队级费用；C_{D} 为基地级费用；C_{Y} 为承制方费用。

3. 使用与维修费用模型

使用与维修费用是年复一年地不断消耗的，随着使用年限的增加，累计结果是很可观的。据统计，一般装备使用与维修费用为装备购置费用的 3～20 倍。因此，它是构成装备寿命周期费用的主要组成部分，准确估算这项费用不仅是估算寿命周期费用的关键，而且对控制和节省这项费用，提高装备的可靠性和维修性，加强装备使用与维修的科学管理有着十分重要的意义。

1) 工作人员费用模型

在装备的寿命周期内，为了使装备发挥应有的性能，需要多种工作人员，随着人员种类、数量等因素的不同，其费用也不一样。

$$\mathrm{LCC}_{\mathrm{OP}} = \sum D_k \sum_{j=1}^{\mathrm{NT}} \sum_{s=1}^{\mathrm{NS}} \mathrm{PR}_{sjk} \mathrm{CP}_{sjk} \tag{4-3}$$

式中，D_k 表示第 k 年的费用贴现系数；PR_{sjk} 表示第 k 年，人员种类为 j，技术级别为 s 的人员数量；CP_{sjk} 表示人员种类为 j，技术级别为 s 的人员在第 k 年每人的年度费用；NT 表示人员种类数；NS 表示人员的技术级别数。

2) 工作消耗品费用模型

$$\mathrm{LCC}_{\mathrm{ot}} = \sum_{k=1}^{Y} D_k \sum_{i=1}^{\mathrm{NC}} \mathrm{RC}_i \mathrm{CU}_i \mathrm{HC}_{ik} \tag{4-4}$$

式中，$\mathrm{LCC}_{\mathrm{ot}}$ 表示工作消耗品费用；Y 表示年限；D_k 表示第 k 年的费用贴现系数；RC_i 表示第 i 种消耗品每小时单位的消耗率；CU_i 表示第 i 种消耗品的单价；HC_{ik} 表示第 i 种消耗品在第 k 年的使用小时数；NC 表示消耗品种类。

3) 训练费用模型

$$\mathrm{LCC}_{ik} = \sum_{k=1}^{Y} D_k \sum_{j=1}^{\mathrm{NT}} \sum_{s=1}^{\mathrm{NS}} \mathrm{CI}_{sjk} (\mathrm{PR}_{sjk} - \mathrm{PF}_{sjk}) \tag{4-5}$$

式中，LCC_{ik} 表示训练费用；Y 表示年限；D_k 表示第 k 年的费用贴现系数；CI_{sjk} 表示每个人员的初始训练费用；PR_{sjk} 表示第 k 年，人员种类为 j，技术级别为 s 的人员数量；PF_{sjk}

表示已有的训练完成人员数；NT 表示人员种类数；NS 表示人员的技术级别数。

4) 后勤保障费用模型

$$\mathrm{LSC} = C_A + C_B + C_C + C_D + C_E + C_F + C_G + C_H + C_I \tag{4-6}$$

式中，C_A为燃料费用；C_B为装备费用；C_C为备件费用；C_D为保障设备费用；C_E为技术资料及管理费用；C_F为设备及人员培训费用；C_G为在用设备维修费用；C_H为库存设备维修费用；C_I为供应管理及入库费用。

5) 装备研制费用模型

在型号设备的研制过程中，由于改进可靠性的设计而使设备的研制费用单调地增加，但使用保障费用则单调地减少。一个型号设备的研制费用(DC)可表示为

$$\mathrm{DC} = C_1 + C_2\left(\frac{\ln R_1}{\ln R_2}\right)^{\beta} \tag{4-7}$$

式中，C_1 为基本固定费用(即与可靠性无关的费用)；C_2 为可变费用(即生产一台定型产品的设备、人力等费用)；β 为常数，取经验值；R_1 为原有设计的产品可靠度；R_2 为改进设计后产品的产品可靠度。

式(4-7)也可写成如下形式：

$$\mathrm{DC} = C_1 + C_2\left(\frac{\theta_1}{\theta_2}\right)^{\beta} \tag{4-8}$$

式中，θ_1 为原有设计产品的 MTBF；θ_2 为改进设计后产品的 MTBF。

6) 可靠性改进保证费用模型

可靠性改进保证是生产方提供激励和进一步推动使之生产出高可靠产品的重要措施。可靠性改进保证费用模型的形式较多，下面介绍两种模型。

(1) 模型 1。

$$P = Q + C_1 + Y + C_2 + C_d \tag{4-9}$$

其中

$$Y = \frac{NRt_d C_r}{\mathrm{MTBF_a}} \tag{4-10}$$

式中，P 为支付给生产方的固定保证费用；Q 为利润；C_1 为和生产方保证有联系的费用；C_d 为涉及一个故障后所要满足周转时间的损失费用；C_2 为增加改进措施使之达到平均故障间隔时间($\mathrm{MTBF_a}$)所需费用；$\mathrm{MTBF_a}$ 为达到的平均故障间隔时间；C_r 为对于生产方单位部件的修理费用；t_d 为保证周期时间；R 为在工作时间内每日使用率；N 为被用户采购的项目数。

(2) 模型 2。

在具有 MTBF 保证的可靠性改进保证费用模型中，生产方保证：在某一规定时间内，产品满足规定的 MTBF。如果在某个双方同意时刻上，实际达到的 $\mathrm{MTBF_i}$ 低于规定的 $\mathrm{MTBF_a}$，则生产保证提供备份件。

$$P = Q + C_1 + K + C_2 + C_d + C_{cs} \tag{4-11}$$

式中，K 为提供备份件数量；C_{cs} 为提供的每个备份件的费用。

其中，K 可用下式进行估算：

$$K = M\left(\frac{\mathrm{MTBF_i}}{\mathrm{MTBF_a}} - 1\right) \tag{4-12}$$

式中，M 为备份件指标水平；$\mathrm{MTBF_i}$ 为实际达到的 MTBF；$\mathrm{MTBF_a}$ 为规定达到的 MTBF。

4.3　装备费用-效能分析

效能与费用之间存在内在的相互关系，它们是一对矛盾的综合体，必须建立效能与费用的综合平衡，才能使装备实现又好又快地发展。装备费用-效能分析作为装备系统分析的重要方面，是系统工程方法的一种应用，具有系统工程的特征。随着科学技术的发展以及装备日趋复杂和先进，装备的费用-效能分析也逐步形成了自身的特定内容和全新的形式。

4.3.1　装备费用-效能分析的基本概念

1. 费用-效能分析

根据 GJB 1364《装备费用-效能分析》中的定义，费用-效能分析是“通过确定目标，建立备选方案，从费用和效能两方面综合评价各方案的过程”，即研究少花钱、收益大的方案，追求费用效果最佳匹配的过程。装备的费用-效能分析着重从定量的角度对装备的费用和效能同时加以考虑，以便权衡备选方案的优劣。费用-效能分析应有可信的供权衡分析用的数据，以及可供使用的、合理的效能模型和费用模型。

2. 费效比

从前面关于装备效能和费用的论述中可以知道，如果单独从费用(寿命周期费用)的角度看问题，则装备的寿命周期费用越低越好，因而会得出装备越简单越好的结论；而如果单独从效能的角度看问题，则装备的效能越高越好，因而会得出装备越先进、越复杂越好的结论。实际上，上述观点都具有片面性。一方面，装备越简单，效能越低，越不能完成规定的任务使命，如果装备连任务都不能完成，其寿命周期费用无论多低都没有实际意义；另一方面，一味片面地追求装备高性能和作战效能，则有可能引起寿命周期费用的急剧增加，以致超过国防经费所能负担的限度。因此，必须从装备寿命周期费用和装备效能两个方面来综合考虑问题，费效比的概念也就应运而生。

装备费效比的定义式为 $M=C/E$，式中 C 表示装备费用，通常为装备寿命周期费用，根据需要，也可以是装备论证、研制、生产或使用与维修费用等；E 表示装备效能。

从上式可知，费效比是装备费用和效能的比值，说得更广泛一点，是投入与产出的比值。把它应用于装备备选方案的分析与评价方面，是指产生单位效能所需投入的费用；把它应用于分析作战上，是消耗兵力、兵器与执行任务取得效果的比值。兵力、兵器的消耗包括武器的维修费用、所使用的弹药和损失的武器的价值等，而作战的效果则取决于敌方所受的损失。显然，在使用费效比进行装备发展、工程项目管理等决策时，哪个方案的费效比越低，说明它的投入越少，产出越高，这个方案就越好。若采用效费比，其说法和道理是一样的，只不过是效能与费用的比值，与费效比是互为倒数的关系。本书在论述中主要采用费效比的概念。

4.3.2 装备费用-效能分析的主要内容

概括地讲，装备费用-效能分析的主要内容包括目标、方案、费用、效能、模型和准则六个要素。

1. 目标

确定目标、任务应当和装备系统的功能分析结合起来，并且把功能要求作为进行设计和系统分析的基础。在充分了解功能要求的基础上，才有可能设计出达到目标、保证完成任务的系统方案。在系统分析过程中常出现这样的情况，即仅根据规定系统的目标和任务，并不一定需要研制一种新的武器系统，只要对现有装备做适当的改装就能达到目标。因此，目标任务的确定和功能分析是紧密相关的，不能有片面性。同时，在确定目标时，不能对系统实现目标的途径加以过多的限制，也不能对目标的定义和界限模糊不清。确定目标时，不应当把目标同速度、质量、毁伤概率等性能指标混为一谈。

目标可以是单一的或多个的。这里所指的目标是指那些备选系统和设备所要完成的任务，换句话说，是被用来干什么的。目标的选择是非常关键的，也是非常基本的，对于费用-效能分析来讲，确定目标是分析的首要要素。目标必须是真实的、合理的和可达的。要使目标符合这几个方面的要求，是一件较为困难的事情，特别是在涉及重大决策的典型问题时。初始目标也许是含糊不清的，或非常概略的，不够具体。在有些情况下，目标可能会与达到目标的方案混淆不清，也可能会用系统的总体性能参数来替代目标，费用-效能分析人员的职责就是协助决策者对目标加以准确和合理的描述。处于考虑之中的目标应当由任务需求来确定，应当反映系统用户的要求。无论目标多么难以确定或陈述，其总是存在的。在费用-效能分析中，首要的一步是研究所要分析的问题，寻找目标并准确地对其进行表述。

2. 方案

方案是指对有可能达到目标、任务要求的各个备选方案进行分析比较。通过费用-效能分析选择最优方案，是费用-效能分析的重要任务。尽管目标总是首先确定，但在费用-效能分析流程中的各步骤并非按照固定的顺序进行。分析人员应当根据其他步骤的情况来考虑某个步骤，从某一步骤到另一步骤然后返回，当试图列出值得考虑的方案时，首要的问题是：所拟定的方案在费用、进度和性能方面将受到何种限制？这也需要在对影响费用、效能的关键变量加以研究后，才能比较容易地回答该问题。通常系统的研制周期和研制费用不仅限制着方案的选择，也限制着费用-效能分析的规模和深度。虽然不存在一套规范化的方法步骤用来拟定较好的方案，但还是可以总结出一些原则用来指导拟定和选择方案，这些指导原则的应用效果在很大程度上取决于费用-效能分析人员的聪明才智、经历和经验、所处的角度和位置以及与其他有关专业人员的相互交流。

确定方案之前应对现有系统、正在研制的系统、改进的系统和探索中的系统甚至包括国外的系统逐个加以分析研究，特别是方案论证阶段进行费用-效能分析时，应在方案分析方面多做些工作。

3. 费用

对于每一个方案，都伴随着实际费用。实际费用是指除了货币，还可能包括稀有资源、时间和人力等。一般情况下，实际费用要转化为货币单位，以便于分析能在一个共同的基础上进行。在估算一个方案的费用时，应当考虑到系统寿命周期内所有的资源问题，包括该系统的使用保障费用，以及与使用该系统有关系统、设备或设施的间接费用等。对那些难以用货币度量的资源，如系统使用时所诱发的局部环境对其他系统使用的影响、系统特性方面的余度对系统改装的影响等，分析人员也应明确地将问题阐明并提出建议，供决策者参考。每个方案的费用都应当经过仔细的分析计算并尽可能力求精确。对难以估计准确的部件费用，可以采用各种合适的量值进行比较分析。对费用的估算值，一般都要通过灵敏度分析予以检验。灵敏度分析可用不同的量值进行反复的分析，以便判定所得结果的可靠程度。

4. 效能

费用-效能分析的基本点之一是预计各备选方案达到目标的能力，并要求用定量的方式加以描述，这种定量的描述称为效能度量。例如，某个系统被用来探测目标，可能的效能度量将是探测概率或平均探测时间。效能度量应与系统的作战能力和使用要求紧密相关。在确定系统效能度量时，应当注意首先要明确系统是什么、系统能干什么、与其他系统的相互关系、在作战和使用环境下的特殊要求等。作为效能度量自身，必须要满足可定量的、可度量的、可验证达到目标的程度等方面的要求。

5. 模型

模型是用于描述系统的实际状态或预计未来系统的状态，其目的是在有限范围内表示方案的结果。在费用-效能分析中，必然要运用模型来研究未来系统所涉及的许多变量。适当的模型不仅有助于突出分析的重点问题，还有助于揭示关键因素和相互关系，也有助于提醒决策者注意哪些因素对于决策是特别重要的。所选用的模型应适合于所分析问题的背景，所利用的数据应来源于有依据的事实，各变量关系的建立和处理应合乎逻辑。模型和数据是影响费用-效能分析结论的主要因素。所有模型都是客观实体的抽象，其有效性取决于简化假设的合理性。在建立费用-效能分析模型的过程中，重要的问题在于正确处理那些难以量化的因素。在这种情况下，可以采取定量分析和定性分析相结合的方法，但要尽可能将各种因素反映到模型中，包括不能量化的变量和所有不确定性的变量都必须给予考虑，除非能够通过推理或分析证明，这些因素是无关紧要的。

费用-效能分析模型一般应具有其他模型所具备的共同要素，即问题的定义、主要因素及目标、约束条件、验证与决策过程中应用的准则。费用-效能分析中使用的模型多数为抽象的概念模型和近似数学模型，这些模型的准确性与有效性只能根据它的实用性进行检验。

6. 准则

准则是依据所分析的问题而确定的一种尺度。通过准则，不仅可以对各系统方案进行优劣比较，还能对各方案的费用和效能进行权衡。费用-效能分析中广泛应用的准则有三种，即等费用准则、等效能准则和费用-效能递增准则。

(1) 等费用准则是在假定各方案消耗的费用相等的情况下，分析确定哪一个方案能达到最大的效能。

(2) 等效能准则是以各方案所能取得的效益(达到的效能)相等(或相同)为基础的，分析确定哪个方案所需(消耗)的费用(资源)最少。

(3) 费用-效能递增准则是将所达到的效能增加的程度与所消耗的费用(资源)增加的速率结合在一起进行分析。这种准则只有当系统各方案的费用和效能都无法作为等同的分析基础时，才使用它，例如，对于两种不同方案的导弹系统，由于采用的技术先进程度和复杂程度各不相同，无法用同一个费用标准或效能准则去评定这两种方案，这时即可利用费用-效能递增准则进行分析比较。

4.3.3　装备费用-效能分析的基本程序和方法

1. 基本程序

在系统工程管理过程中，需要解决的问题是大量的，而且是各式各样的。问题的解决依靠正确的决策，而正确的决策都应建立在对问题的深入分析和权衡比较的基础上。国家军用标准 GJB 1364 规定了费用-效能评估的基本程序。

1) 收集信息

分析之前应收集所分析研究项目的有关资料和信息，包括指令性文件、类似装备的效能与费用信息、现实中各方面存在的问题和提出的问题(军事的、技术的、经济的)、任务需求等。收集的信息应尽量详细，特别要注意数据资料运用的条件，因为费用和效能都是在一定条件下得到的，不讲条件的数据往往会导致错误的结论。

2) 确定目标

目标是指决策的目标，通常根据分析研究任务需求便可定出正确目标。任务需求，是指要做的工作而不是如何去做。因此，确定目标就是对所要分析的问题给予正确的说明。

在确定目标时，必须根据系统任务的需求、系统定义、有关的工作和影响因素等，确定分析的边界。首先要概括地说明目标，以便能够进行综合分析。

为了正确、恰当地确定装备系统目标，分析人员不仅要充分利用类似装备分析研究中的结论并借鉴其经验，还要充分利用关于装备的使用环境和使用要求的知识。确定目标时，应当注意避免下述三种情况。

(1) 将目标定得太宽。

(2) 使得目标范围受到过多的限制。

(3) 在目标的说明中，可能是描述了具体系统，而没有描述系统的任务需求。这是用系统硬件的性能要求代替系统任务要求的一种典型情况。这样做，无疑会把相当好的方案排除在研究范围之外，使得最终的研究结果难以被他人所接受。

3) 建立假定和约束条件

建立假定和约束条件的目的在于限制分析研究的范围。约束条件包括预算、进度、资源和使用方案等。它表示各种决策因素的一组允许范围，分析问题时必须在该范围内进行求解。

(1) 变量的分类。

将分析问题所涉及的变量列出，可以达到以下目的：

①在解决问题之前，作为收集数据的指南；

②显示问题的复杂程度，并有助于确定在分析问题中要使用的模型和方法；

③避免忽略任何重要因素；

④为拟订方案提供指导；

⑤包含那些效能与费用定量估算和比较中有用的量值。

军事装备效能-费用分析中所涉及的变量可分为三类：可控变量、不可控变量、随机变量。

通常意义上，分析的输出被看作多个变量的函数，记为

$$输出=f(x_1, x_2, \cdots, x_n) \tag{4-13}$$

这些变量都应准确地定义。在分析过程中，如果发现某些变量对输出影响不大，就应将它剔除出去，不做进一步的考虑。通过这种分类方法，所面临的问题能够逐步简化为若干关键变量。

在费用-效能评估中，应进行变量的灵敏度分析，以确定哪些变量在哪个范围对输出影响最大。在分析过程中，无论该变量是确定的还是预计的，应尽量准确。

以上所有这些变量都是可以用数值描述的，对于一些其他变量，要对它们进行定量描述是非常困难的，如人的素质、教育和训练、战斗爆发的时间、敌我双方态势对敌我双方的心理作用等，都是难以定量化的。尽管如此，对这些因素还是应尽量要设计某种尺度或某种准则，以便对这些因素进行适当处理，给决策者提供参考，因此对这些因素的处理原则应与决策者的判断和经验相符。

(2) 建立假定。

适当地建立假定，是为了把研究范围缩小到便于处理的程度。典型的假定有以下几种：

①某个系统能够使用 T 年；

②不考虑使总费用小于预计费用 Z 的全部外界条件；

③系统在部署期中维修所需的备件有 Y%能够在现场获得，时间不超过 t 小时；

④系统的一个任务期为 D 天；

⑤在费用估算中，不考虑由于战损或事故而产生的系统修复费用；

⑥只考虑与系统主要任务有关的威胁，对于其他形式可能的威胁，由其他系统提供保护和支援。

对于所有的假设，都应当清楚地说明，而且要用实际论据加以证明。如果不能进行清楚地说明，也不能用实际论据加以证明，那就应说明此假设的理由(如在数学上处理方便、大家意见一致等)，指出要做多少额外的研究工作和可能产生偏差的地方。对于关键的假定，还应检验它的合理性。

(3) 建立约束条件。

约束条件实际上是系统中各种决策因素的一组允许范围，如固定预算、周期、要求的效能或资源的使用方法等，而问题的解决必须在该范围内求解。换言之，与系统有关的约束条件，其作用是规定在运用系统变量求得问题解决过程中允许有多大的自由度。

约束条件往往可以用作区别可行方案与不可行方案的唯一基础。但是，建立约束条件应恰当并符合实际，使可供选择的方案既不过多，又必须具有一定的伸缩性，总之应有利于分析工作的正常进行。

4) 拟定备选方案

方案是指那些能达到目标的各种方法或建议的设计，是根据任务，将达到目标的各种方案予以拟定，再通过对各个方案开展先进性和可行性论证，淘汰明显差的方案，建立供进一步分析权衡的若干个备选方案。

(1) 确定任务剖面。

在确定目标和建立假定与约束条件后，下一步就是对任务进行描述。任务的描述或称任务剖面，是把系统的要求和目标变成对性能的具体说明。对性能的具体说明，事实上就是描述系统为达到规定目标必须完成的一系列任务。此外，在任务剖面中还包括威胁、环境和战术等条件。

例如，若所研究的通信装备是一种入口交换机，则给它确定一组任务，就应能代表预计这种入口交换机要完成的全部任务。对于有些要求完成的任务，可能比包括在一组任务中的其他任务的要求更为重要。但是，这种可能性将在总结分析结果时予以考虑。

入口交换机任务的形成及特征可以用图 4-5 所示的流程图表示。首先研究要求的任务数、所使用的功能概念、通信协议、可能遇到的各种环境以及在通信装备定性要求中规定的其他要求等因素。通过对这些因素的研究，能够确定目标，然后把这些目标变成性能要求的具体说明，如执行某种通信保障任务所要求的设备数量、信息速率和可靠性要求，以及距离和重量的约束条件等。

在确定任务的过程中，必须考虑下述几个重要因素。

①应当把性能参数(或一组任务边界)表示为最低可接受值和目标值，一定不要把性能参数定得太严，要根据能否达到要求和目标去估算每一个性能参数的临界值。

②提出系统的特性要求和确定性能参数，不仅是分析人员的事情，而且要从技术部门和业务部门抽调专家，运用协调一致的方法共同解决问题。

③随着工作的进展，可能需要对所确定的要求进行权衡和折中，因为达到预定目标的风险可能太大。

④任务剖面必须非常具体，以使分析人员能够检验系统的全部重要参数。

⑤任务必须能够预研。

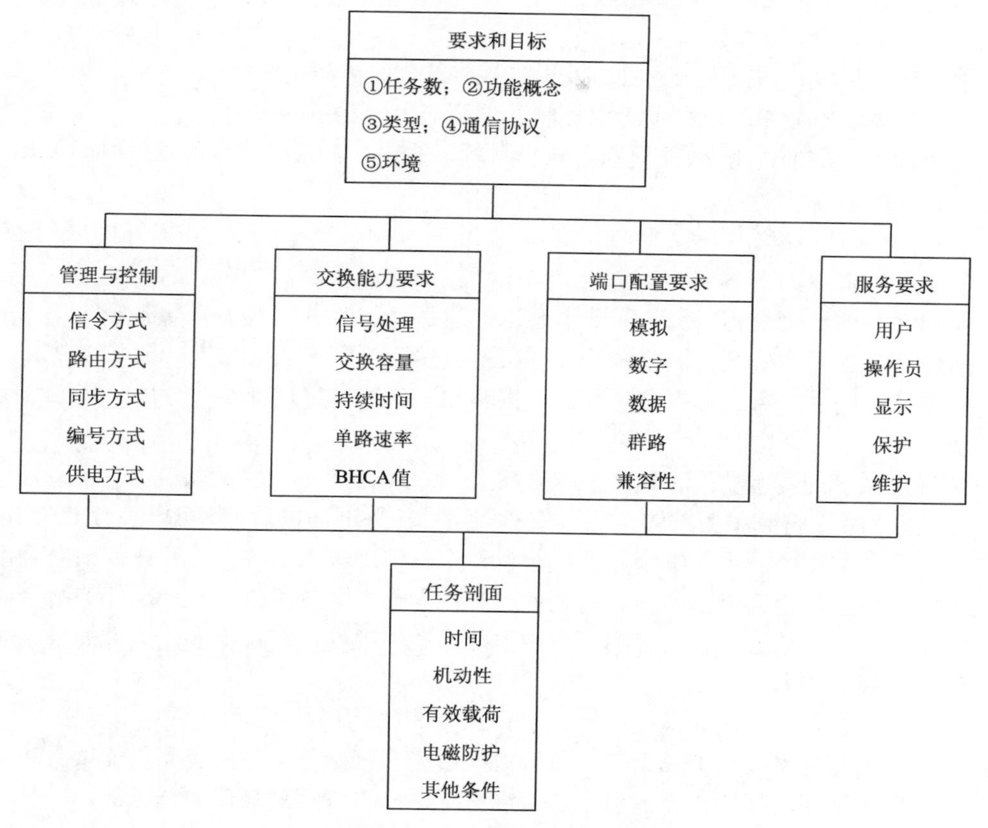

图 4-5　任务剖面的确定

确定任务的最后一步，是把所有不同的输入组成论证方案的模型格式，表示系统要求、使用条件、威胁、环境等的组合。这样，任务剖面就作为传递函数把系统目标同备选系统的性能要求联系起来。

(2) 拟定可行方案。

可行方案，是指在建立的假定和约束条件内，有可能达到任务目标的途径和措施。对于新研制的系统，系统方案的可行性在承受能力的限制条件下直接相关于性能、进度和费用。

(3) 确定关键性能参数。

在系统效能评定中，并不需要系统的全部性能参数。因为有些性能要求与系统目标的关系比较紧密，而其他性能要求与系统目标的关系就不那么密切；因此，为了合乎逻辑地论述系统性能参数的重要性，首先要弄清楚：在系统的许多参数中哪一些参数对于达到系统目标是必不可少的。下面列举几个可能与不同类型的装备都有关系的性能参数案例。

①通信设备：通信距离、接收灵敏度、发射机输出功率、功耗、工作种类、抗干扰特性、信道数和信息传输速率。

②计算机：CPU 速度、硬盘容量、输入输出形式、精度、检索速度、语言能力和兼

容性等。

③天线：频段、增益、方向性、发射与接收损失、体积等。

在确定关键性能参数时必须考虑控制变量和非控制变量的影响。

费用参数取决于费用-效能问题上对费用所下的定义。费用参数可以是时间、货币、生命、距离或面积。

(4) 建立备选方案。

①系统的描述。

虽然系统的概念是相对的，即一个系统可能是另一个更大系统的一部分，但是在开始分析时，首先要明确既定的系统等级或层次，然后研究该系统与上一层系统以及同一层相邻系统之间的关系。在拟定可行性方案和建立备选方案过程中，这项研究工作是十分重要的。

②确定系统的基本功能和建立基本方案。

在确定目标，得到了关键的性能参数和描述了任务剖面以后，就可以综合一个系统，或综合一组备选系统。系统综合需要一些条件，其中比较重要的有：对任务剖面有足够的认识；了解最终使用者的能力和局限性；对作为一个系统工作的各个部件的组合效果做出正确的判断；通过调查，了解现有技术能力和局限性；在疑难的或关键的技术领域中，请专家担任顾问。

a. 基本功能。

在描述出任务剖面后的第一步，是确定能够完成规定任务的所有系统需要具备的基本功能。确定基本功能的工作要自上而下地进行，一直进行到最低的任务级。

b. 建立基本方案。

一旦确定了完成某项任务所需的基本功能要素，就可以列出认为可能完成任务的各种结构方案。

c. 确定有关系统级的性能参数。

系统综合过程的下一步，是确定将任务剖面与功能分系统性能之间联系起来的参数体系。

③技术发展水平分析。

在技术发展水平分析中，应当从三个基本方面观察每一个关键的设计问题或部件，它们分别是：建议采用的技术途径在技术上的可行性；全面描述与主要研制时间范围有关的技术途径的时间阶段问题；把技术途径纳入所涉及的经济问题。

④结论。

为了定量地表示这些方案，还需确定要分析的变量。一般来说，在分析工作开始时，就要很好地说明一些方案。这种做法的好处之一，是通过分析能够产生一些新的方案，其中一些新的方案可能是在分析过程中由现有方案组合而成或是在已有方案的基础上修改而成。变量的最初识别与选择，一般需要进行筛选(如通过灵敏度分析)。随着分析的进展，要连续不断地审查所做出的关于方案和变量选择的决策。

系统的研制是一个复杂的过程，这个过程从概念开始，直到系统使用阶段。随着分析人员对系统认识的每一次加深，就要做出某种决策，并对系统的描述向前发展一步及缩小以后做出决策的自由度。在每一个阶段上，都可能有一些方案对系统的未来产生重大的影响。从这些方案中选择一个方案，就可能使人们把注意力集中到一组新的方案上。

⑤确定硬件性能。

每一个备选系统的硬件性能都取决于满足任务剖面内的具体要求的必要性，对这些硬件的性能，可能要进行系统内的权衡，以便使每一个方案实现最优化。通信装备的硬件性能应根据通信距离、信道容量、传输速率、系统可靠性等性能要求以及重量、机动性等约束条件加以确定。

5) 分析效能和费用

分析效能是指用分析效能的方法，对备选方案的效能进行研究并量化以便权衡比较。分析费用是根据装备的特点和分析目的，将装备应发生费用的各组成部分逐层分解至所需细化的层次，利用模型估算出各备选方案的费用。

在效能和费用分析中，一般要使用很多模型，这些模型通过逻辑关系把效能和费用联系起来。根据不同的假定和所确定的准则，用模型把每一个方案的效能和费用联系起来，可以在效能相等、费用相等或效能及费用都不相等的条件下，进行效能和费用的比较。取得这种效能和费用关系所用的方法与技术应当是合乎逻辑的。分析人员应当向决策者提供足够的数据和说明材料，使其能够了解把效能与费用连接在一起的逻辑关系。

6) 建立决策准则

准则是确定一个方案对另一个方案的相对性或需要性的标准或尺度。有了这个标准或尺度，就能说明选择这个方案，而不选择另一个方案的原因。准则的建立在很大程度上取决于良好的工程判断能力、经济判断能力、使用判断能力及其他科学知识判断能力。对于通信装备，评价装备的准则归根结底是由装备的使用价值所决定的，准则只是使用价值的某种量纲。在费用-效能分析中，建立准则也许是最富有创造性的一项工作。

(1) 建立决策准则的方法步骤如下：

①定义系统及其边界；

②分析变量；

③确定限制条件；

④选择关键参数；

⑥确定决策准则。

选择出关键参数后，给定所要求的数值，就可以确定方案的决策准则。对于装备决策的评价，一般有以下三种简单的准则：

a. 等效能准则，在满足给定效能约束的条件下，使方案的费用最少；

b. 等费用准则，在满足给定费用约束的条件下，使方案的效能最大；

c. 效费比准则，使方案的效能与所需费用之比最大。

等效能准则和等费用准则是常用的“标准”准则，而效费比准则的使用应相当慎重。因为使用效费比准则，常常忽略效能和费用的绝对值，从而导致在不同的给定费用和效能的约束下，各个方案的优点和缺陷得不到揭示。

对于复杂系统往往具有多种目标和多重任务，无单一的效能度量，是一个多准则选择问题。对于这种问题不可能有一个普遍的、通用的、标准化的决策准则。此时，应视系统的目标和要求及实际问题的背景，建立一组合理的决策准则。

(2) 建立决策准则需注意以下几点：

①准则应符合系统确定的目标；

②准则应明确、具体，避免一般化；

③准则应合乎逻辑；

④不要忽略效能和费用的绝对值。

(3) 结论。

在理想情况下，应当把决策准则规定得一清二楚，以便排除关于决策是否满意和是否正确的疑问。但是，在大多数情况下，由于不确定性的普遍存在，能够使用的方法受到限制，因此要把决策准则规定得一清二楚，不是一件容易的事情。例如，关于某种装备的可靠性规定，如果没有测量准则，是没有意义的；有了测量准则，但是没有相应的测量手段，关于可靠性的规定仍然是没有意义的。关于测量准则的正确性和测量方法准确性的不确定性，特别是关于规定是否正确的不确定性，将使建立决策准则的问题更加复杂。

装备评价的标准准则是：以既定的预算获得最大的效能，或者以最少的费用获得规定的效能。但是一定不要忽视费用或效能的绝对值，因为有了这两个绝对值，就能很容易地使费用-效能比达到极大值。一般来说，费用-效能比并不是选择方案的一种适当的评价准则。没有标准的评价准则，并不妨碍费用-效能分析。但是，在这种情况下，一定要推导出尽可能多的关于系统决策相关的数据资料，供决策者研究。尽管这种分析方法不可能把数据资料“归纳”在一个有效的准则之中，但也要把这些数据资料以适当的方式显示出来，以便决策者把使用数据同他们的经验判断结合起来。因此，分析人员在分析过程中所建立的模型必须保持一定的灵活性，以便使分析工作能够适应变化的数据要求。

7) 权衡备选方案

权衡备选方案实际上就是用已确定的准则对备选方案进行判断，以权衡各个方案的优劣。如果各方案的差别很大，则权衡分析是不困难的。如果方案的差别不大，则应进一步补充信息、数据甚至方案，在进行了风险和不确定性分析以后，再确定最优方案。

8) 分析风险与不确定性

费用-效能分析是在对未来系统预测的基础上进行的，这种预测不可能在任何情况下都保证绝对正确。因此，在这种分析中，充满了风险和不确定性，并涉及分析的各个要素。对于装备费用-效能分析的不确定性一般主要有两个来源，即系统方案本身的不确定性和系统所处环境的不确定性，通常这两者独立存在并相互作用。这就要求分析人员能够充分认识到在费用-效能分析中所使用的模型和所建立的假设及约束条件，仅仅是实际可能情况的一种描述或局部描述。

(1) 风险和不确定性的概念。

风险是指结果的出现具有偶然性，但每种结果出现的概率是已知的。不确定性是指结果的出现具有偶然性，即结果出现的概率不能依据客观事实加以确定。决策是从不同方案中做出抉择的一种管理行为，在一项分析结果中不包含某种程度的风险和不确定性是极少的。但是，在许多情况下，风险和不确定性都可以在做出决策之前发现，并把它们的影响包括在分析结果中。因此，可以对风险和不确定性进行某种程度的控制。例如，有可能详细说明究竟许可多大的风险和不确定性的存在程度。

(2) 不确定性的表示方法。

影响估计值、测量值或预测结果的不确定性，是由各种各样的因素引起的，要完全了解和全面控制这些因素往往很困难甚至是不可能的。因此，分析人员必须面临如何处理不确定性的任务。首先，不要忽视不确定性；其次，必须分辨不确定性的类型；然后，在特定的分析中区别重要的不确定性和次要的不确定性；最后，必须研究由于不确定性产生的偶然事件，并根据研究结果阐述他们所做出的基本估计或测量结果。这就要做到以下方面：

①把因变量表示为一个数值范围，每一个数值有一个出现的概率；

②给定关于估计值的置信区间；

③主观地限制估计值和预测值的性质。

表 4-1 给出了表示估计值的六种不同形式。按照自上而下的顺序，在对不确定性的处理上，每一种都比前一种更为具体。

表 4-1　不确定性的表示方法

表示形式	具体程度
估计系统 A 要花费 M_1 元	没有表示不确定性
估计系统 A 要花费 M_1 元但分析人员不能保证这个数字的准确性	含糊地、定性地表示有不确定性存在
估计系统 A 要花费 M_1～M_2 元(M_1、M_2 均为常数，且 $M_2 \geqslant M_1$)	给出了表示不确定性大小的范围，但没有给出概率数据
系统 A 要花费 M_1～M_2～M_3 元，M_2 为中心倾向性的某种度量；M_3、M_1 为费用估计值的上下限	给出一个倾向性的度量粗略地表示概率
系统 A 要花费 M_1～M_2～M_3 元，概率为 P_1	给出准确的概率数字
(概率分布曲线图)	给出整个概率分布

(3) 灵敏度分析。

对于各类重要的不确定性，应当进行灵敏度分析，以判断不确定因素的变化对分析结果的影响。

进行灵敏度分析的目的是要缩小所研究的系统变量的范围，确定关键变量，观察系统变量的变化将如何影响结果。通过这种分析可能会产生新的方案或改进方案，也可能发现分析结果中的不足之处。

在分析人为控制变量时，把所有的人为控制变量除一个外都固定在它们的设定值，让这个未固定的变量在设定的范围内变化，并观察结果将如何变化。如果发现某个变量的变化对结果影响严重，则将该变量定为关键性人为控制变量。反之，则在灵敏度分析之后将它设为常数值，并在以后的分析中不再加以考虑。同理，对于非人为控制变量的分析也是如此。

(4) 概率分析。

灵敏度分析只能表明某种变量对结果的影响，并不能告知这种影响的可能性有多大。对于系统中不确定的变量，如果能够收集足够的信息，进行概率分析也是一种科学的方法。在对系统进行分析过程中所涉及的参数，可能会有大量的历史统计资料，而这种参数估计也会以同样的规律出现在未来，那么对这种参数的概率就可以用来作为概率分析的基础。这种建立在客观数据基础上的分析也称客观概率分析。对于通信装备系统中的大部分变量一般不可能都用建立在客观数据基础上的客观概率来表示，但这种概率分析方法可以对主观概率进行类似的加工处理。

9) 评价与反馈

评价分析结果和反馈信息过程的主要任务是运用在研究过程中得到的信息不断地修改以前的输入和分析结果。

装备系统最初的费用-效能分析，是最重要的一次分析。最初分析工作做得好，以后的各次分析基本上都是在此基础上进行修改。由于以前已经做了一次费用-效能分析，所以修改就意味着指出在目标、要求、约束条件、环境、方案、费用、效能或选择准则等方面所发生的变化。在开始进行下一次费用-效能分析之前，应当估计自上一次分析以来所发生的变化。这样做有助于确定修改的范围，也可能证明没有必要进行修改。评价效能-费用分析的过程和所得到的结果(包括各步骤工作中得到的结果)将能得到许多需要反馈并做进一步分析的信息，这样反复进行分析，就能使研究的问题趋于正确。在评价与反馈的过程中，要注意研究下述问题。

(1) 保证在分析中所用的全部假定和主观判断都做了鉴定。在研究工作开始时，凡是重要的假定都应规定得一清二楚，如果可能，还应当由决策级进行审查，以确定这些假定是否正确。

(2) 保证在分析中所有的不确定性都做了处理。关于未来威胁、环境和工作特性的不确定性，以及可能具有的概率和与之有关的置信水平，所有这些都应当规定清楚。

(3) 审查费用-效能分析过程的每一步输出，确定这些结果是否正确。

(4) 对证明是敏感的假定和变量进行参数处理。

对于进行过费用-效能分析并选定予以实施的方案，还应在实施过程中适时地进行费用-效能评价。评价的重点在于确定方案实施过程中已实现的结果与以前进行费用-效能分析所设定或预测的结果之间的差异，并评价其对于装备效能和费用的影响。根据评价结果和分析过程中所得到的信息，分析者可向决策者提出以下建议：

①继续实施原方案；

②修改已有的方案；

③重新建立假定和约束条件；

④修改效能模型和费用模型；

⑤废弃原方案，提出新的方案；

⑥其他。

10）输出结果

装备的费用-效能评估结果和建议应以报告的形式提供给决策者，内容包括以下方面。

（1）方案优选顺序和理由。

（2）备选方案的效能和费用的绝对值以及各方案间的相对值。

（3）费用-效能评估的基本程序，所采用的效能模型、费用模型以及决策准则和模型。

（4）灵敏度分析的结果。

（5）分析研究的局限性，包括假定条件及数据的选定条件。

（6）其他。

在编制装备的费用-效能分析报告时，分析人员应认识到，对于重要的决策将涉及许多复杂的问题，而这些问题完全用定量的方式是不可能解决的。因此，在分析报告中应当认真详细地阐述分析的结果，说明尚未解决的问题。分析报告的内容应包括：问题和目标、基本假定、论述和分析结果等。应当指出，在编制最初的装备费用-效能分析报告时要尽量安排合理，便于以后能够比较容易地在此基础上进行再分析和修改。

2. *主要方法*

军事装备的效能与费用评估采用的方法是一种比较分析或相关分析，它应当有助于决策者能够判断一组备选方案在满足预定目标上的优劣和程度，最后从这些方案中选择一个最优的方案。在方案的实施过程中，验证先前采办决策的正确性，并及时做出调整，提高方案的使用价值。每一种装备都有一组特性，这些特性使得装备在按照使用方案使用时，能够达到某种适当的性能，完成与预定的一个目标或一组目标相关的任务。每一个方案都要耗费资源（时间、费用、人力等），或者说，如果资源分配或处理不当就要付出某些无谓的代价。因此，在各个备选方案是否令人满意方面都存在一些限制，或者说有一些约束条件，还有一些妨碍达到目标的威胁因素。对每一种装备来说，必须说清楚使它在何种环境范围内和约束条件下能达到规定的目标。在评估每一个方案时，需要发现、建立和评定一组表示达到目标的程度，即效能的度量；需要发现、建立和评定资源关系，即费用度量。为了在一个公正合理的基础上评价各备选方案，揭示出各方案的价值，需要确定一组评价标准，用来比较各方案总体上的优劣程度。例如，某种方案的费用比其他方案低，低多少；某种方案的效能比其他方案高，高多少。显然，评价准则是衡量方案价值的一种尺度，它应以目标为依据加以选择，并将所确定的准则应用到效能度量和费用度量上。

由于效能-费用评估是在不确定的条件下对未来系统做出预计，在评估中必须要涉及大量具有不确定性的变量。如果不对这些变量加以分类和有重点地分析，势必导致方案的评价和选择的不确定性。为了表明这些变量可能的变化对方案的影响程度，还需进行灵敏度分析，以便合理地设定关键变量，从而保证方案评价和选择的确定性与连续性。

装备的费用-效能受多种因素的影响，要在众多装备备选方案中寻找出“最优”方案，就必须对费用、效能及其影响因素进行系统的评价、综合的分析，才能得到科学合理的结论，为方案优选提供科学的决策依据。

4.3.4 装备寿命周期各阶段的费用–效能分析

1. 论证阶段的费用–效能分析

该阶段的主要任务是：从能满足任务需求的各种备选方案中确定最有希望的方案，得到费用及效能的初始目标，并根据效能包含的主要因素通过权衡分析确定性能的初始目标，具体内容有以下方面。

(1) 估算效能、寿命周期费用、研制与生产费用和各年度所需费用，以及重要的费用项目。

(2) 确定和评价装备的固有能力、可靠性、维修性、安全性、保障性、进度等因素对装备效能、寿命周期费用、研制与生产费用的影响。

(3) 进行费用和效能诸因素(固有能力、可靠性、维修性、安全性、保障性、进度等)的权衡研究。

2. 方案阶段的费用–效能分析

此阶段分析的重点应当仍是为满足任务需求而在不同方案之间的权衡，以支持方案批准决策。此时应确定装备的重要性能指标和关键的系统特性，以便能为下一阶段确定设计和费用目标，为此应强调数据的准确性和一致性。

此时备选方案已经缩小了范围，因此在某些方面的分析将更为详细。此阶段的分析应当确定性能的最低目标和费用的最高限额或性能与费用的可能组合的可接受范围，以及确定和分析费用的主导因素，具体内容有以下方面。

(1) 对各备选方案进行评价。

(2) 评价和比较参与投标的研制方案，为选择研制单位与签订合同提供依据。

(3) 以文件形式确定研制单位应达到的效能、费用及其主要影响因素的要求，以及需完成的费用和效能方面的工作。

(4) 提出关于研制、生产、使用与维修管理的建议。

3. 工程研制阶段的费用–效能分析

此阶段的分析可能只是对上述阶段分析的修正，如用实现值代替估计值等。但是，如果在研制进程中装备的性能或费用发生了重大变化，则应进行新的费用–效能分析，包括对拟定过的备选方案的评定，具体内容有以下方面。

(1) 在整个工程研制过程中，研制单位应以订购方所提出的费用–效能指标和要求，采用费用–效能分析来评价设计方案，并选择费用–效能最佳的设计途径，以减少寿命周期费用。

(2) 评价变更设计方案对费用–效能的影响。

(3) 控制重要的费用项目。

(4) 分析效能及其主要影响因素和研制费用的实现值，以研制费用的实现值和其他已确定的因素为依据重新估算寿命周期费用。

(5) 确定和评价研制单位所实现的固有能力、可靠性、维修性、保障性等因素对效能、寿命周期费用及其主要部分的影响，并作为提供转入生产阶段的决策依据之一。

(6) 评价和比较参与投标的生产方案，为生产单位的选择和签订合同提供依据。

4. 生产阶段的费用-效能分析

此阶段的主要任务是根据实现值对装备的费用-效能进行评估，发现生产出的装备效能与预定要求的偏差，获得细化的费用信息，也可用分析来确定生产方案的少量变更，具体内容有以下方面。

(1) 用以监督承制方完成订购方提出的费用-效能要求。

(2) 评价变更生产方案对费用-效能的影响。

(3) 分析与确定效能及其主要影响因素和生产费用的实现值，以重新估算寿命周期费用。

5. 使用阶段的费用-效能分析

此阶段的主要任务是对使用期的效能与费用进行跟踪和评估，将使用中暴露出的问题反馈给承制方，同时可利用费用-效能分析对装备进行改进和改型，具体内容有以下方面。

(1) 评价实际使用过程中装备所能达到的效能和所支付的费用。

(2) 评价和改进使用与保障方案。

(3) 为执行任务选择优化的使用与保障方案。

(4) 为改进型设计、现代化改装、封存决策和新装备的研制提供信息。

(5) 评价退役时机和延寿方案。

(6) 对装备更新提出建议。

6. 退役阶段的费用-效能分析

此阶段的主要任务是对装备效能和费用数据进行资料整理、归档，以备改进、改型和新品研制时使用，具体内容有以下方面。

(1) 评价退役处置方案。

(2) 全面收集整理装备的费用及技能资料，以便为今后新装备的费用-效能分析提供信息。

习　题

1. 装备效能和装备效能度量的定义是什么？
2. 寿命周期费用的含义是什么？
3. 阐述寿命周期费用的分解结构。
4. 描述装备费用-效能分析的主要内容。

第 5 章　装备可靠性工程

可靠性是产品的固有设计属性，属于一种与时间紧密相关的隐性设计特性，它不像产品功能/性能那样可在设计完成后直接进行显性测量，只能通过后期的试验和使用过程才能显示出来。可靠性工程是指为了达到产品可靠性要求而进行的有关设计、试验和生产等一系列工作。可靠性工程包括对零件、部件、装备和系统等产品的可靠性数据的收集、分析，可靠性设计、试验、管理、控制和评价是系统工程的重要分支。因此，针对可靠性工程的研究，需要利用系统工程的思想和方法，在可靠性基础理论、设计与分析方法架构以及试验与评价等方面进行系统性分析，以明确可靠性工程中的主要内容。

5.1　可靠性基础

可靠性作为装备的通用质量特性，具有可以描述装备的相应可靠性指标的能力，本节从可靠性定义与内涵出发，系统介绍可靠性的分类、定性定量要求及建模方法，可为读者开展接下来的可靠性设计与分析、可靠性试验与评价相关学习奠定基础。

5.1.1　可靠性相关定义

可靠性通常是指产品在规定的条件下和规定的时间内完成规定功能的能力。这里，产品是一个非限定性术语，可以是某个装备系统，也可以是组成系统中的某个部分乃至元器件等。在可靠性定义中，以下三个规定是很重要的。

(1) 规定的功能。可靠性是保证完成规定功能的质量特性，定义产品的可靠性，首先要定义和规定其功能。电视机的功能是接收电视台发出的电视信号，能看，能听；洗衣机的功能是洗衣服；雷达的功能是发现搜索目标，测出距离和方位；枪、炮的功能是射击……这些是产品的规定功能。许多产品规定的功能并不是单一的，而是多种多样的，电视机还可以连接录像机。显然，工厂制造出来的合格产品本来是具有完成规定功能的能力的，但如果出了故障，就不能完成规定的功能；可靠性就是要产品不出故障，能完成规定功能。应当强调的是，一是规定的功能是指产品技术文件中规定的功能。电视机能让人看见图像、听见声音，若其图像“跳舞”或噪声大就失去了规定功能；二是功能应指规定的全部功能，而不是其中的部分功能，即要注意产品功能的多样性；三是规定功能还应包括故障或完成功能的判断准则，例如，枪、炮不是打响就合格，散布大到一定程度就不能完成规定功能，但散布大到什么程度就算失去规定功能，应加以规定。

(2) 规定的时间。这是可靠性定义中的核心。因为离开时间就无可靠性可言，而规定时间的长短又随产品对象不同和使用目的不同而异。例如，火箭弹要求在几秒或几分钟内可靠地工作；地下电缆、海底电缆系统则要求几十年、上百年内可靠地工作。产品的规定时间是广义的时间或“寿命单位”，它可以是使用小时数(如电视机、雷达、电机等)、行驶公里数(如汽车、坦克等)、射击发数(如枪、炮、火箭发射架等)，也可以是储存年月(如弹药、导弹等一次性使用而长期储存的产品)。

(3)规定的条件。这是产品完成规定功能的约束条件，它包括多方面，如装备使用(工作)时所处的环境(指产品工作所处的环境温度、湿度、振动、风、砂、霉菌等)、运输、储存、维修保障和使用人员的条件等。这些条件对产品可靠性都会有直接的影响，在不同的条件下，同一产品的可靠性也不一样。例如，实验室条件与现场使用条件不一样，它们的可靠性有时可能相近，有时可能相差几十倍，所以不在规定条件下就失去了比较产品可靠性的前提。

5.1.2　可靠性分类

1. 任务可靠性与基本可靠性

从体现的目标出发，可靠性可区分为任务可靠性和基本可靠性，而它们对应两种剖面。

1)寿命剖面与任务剖面

剖面是对产品所发生的事件、过程、状态、功能及所处环境的描述。由于事件、过程、状态、功能及所处环境都与时间有关，因此这种描述事实上是一种时序描述。

寿命剖面是指装备从制造完成到寿命终结或退出使用这段时间内所经历的全部事件和环境的时序描述。它包含一个或几个任务剖面。寿命剖面说明产品在整个寿命周期经历的事件(如包装、运输、储存、检测、维修、任务剖面等)以及每个事件的持续时间、顺序、环境和工作方式。

任务剖面是指装备在完成规定任务这段时间内所经历的事件和环境的时序描述。它包括任务成功或致命故障的判断准则。对于完成一种或多种任务的产品均应制定一种或多种任务剖面。任务剖面一般包括产品的工作状态、维修方案、产品工作的时间顺序、产品所处环境(外加与诱发的)的时间顺序。

2)任务可靠性

装备的任务可靠性是指在任务剖面规定的时间内和规定的条件下完成规定任务的能力。显然，装备的任务可靠性高，表示该装备具有较高的完成规定任务的概率。任务可靠性是装备作战效能的一个因素。

3)基本可靠性

基本可靠性又称后勤可靠性，是装备在规定条件下无故障的持续时间或能力。它说明装备经过多长时间可能要发生故障需要维修。基本可靠性可评估装备或部件对维修和维修保障的要求，反映了减少维修人力与费用的要求。

2. 固有可靠性与使用可靠性

为了比较装备在不同条件下的可靠性，可将可靠性区分为固有可靠性和使用可靠性。

1)固有可靠性

固有可靠性是装备在设计、制造过程中赋予的，在理想的使用及保障条件下的可靠性，也是可靠性的设计基准。具体装备设计、工艺确定后，装备的固有可靠性是固定的。

2) 使用可靠性

使用可靠性是装备在实际使用过程中呈现出来的可靠性，包括设计、安装、质量、环境、使用、维修的综合影响。

3. 工作可靠性与不工作可靠性

许多军用装备往往是工作时间极短，而不工作时间(待命、储存等时间)较长，因此可将可靠性区分为工作可靠性和不工作可靠性。工作可靠性是产品在工作状态所呈现出的可靠性。例如，飞机的飞行、导弹和弹药的发射、车船运行等是装备工作状态，其工作可靠性常用飞行小时数、发射成功率、运行小时数或公里数等来量度。

不工作可靠性是产品在不工作状态所呈现出的可靠性。不工作状态包括储存、静态携带(运载)、战备警戒(待机)或其他不工作状态，此时尽管装备不工作，但可能由于自然环境或诱导环境应力等的影响，也可能发生故障。例如，弹药、导弹、电子装备、光学仪器在储存过程中，由于高温、潮湿等造成失效。对于弹药、导弹等装备，不工作可靠性尤其重要。

5.1.3 可靠性要求

可靠性要求是产品使用方从可靠性角度向承制方(或生产方)提出的研制目标，是进行可靠性设计分析、制造、试验和验收的依据。研制人员只有在透彻地了解这些要求后，才能在产品的设计、生产过程中充分考虑可靠性问题，并按要求有计划地实施有关的组织、监督、控制及验证工作。

可靠性要求可分为三类。第一类是可靠性定性要求，即用一种非量化要求的形式来设计、评价和保证产品的可靠性；第二类是可靠性定量要求，即规定产品的可靠性参数、指标和相应的验证方法，用定量方法进行设计分析、验证，从而保证产品的可靠性；第三类是可靠性工作项目要求，即要求采取的可靠性设计措施或可靠性分析工作，以保证和提高产品的可靠性。第三类要求一般根据产品的具体特点制定相关要求，这里重点对前两类要求相关内容进行介绍。

1. 可靠性定性要求

可靠性定性要求是通过非量化的形式提出可靠性要求，以便通过设计、分析工作，保证产品的可靠性。可靠性定性要求对数值无确切要求，因此在缺乏大量数据支持的情况下，提出定性要求并加以实现就显得尤为重要。

1) 整体简化设计

简化设计即减少产品的复杂性，提高其基本可靠性，例如，在满足功能和预期使用条件的前提下，尽可能将产品设计成具有最简单的结构和外形；或者在设计时使用较少的零组件实现多种功能，以简化组装、减少差错等。

2) 具备一定余度

余度设计即用多余一种的途径来完成规定的功能，以提高产品的任务可靠性和安全性，例如，针对重要的承力结构件，应按损坏-安全原则设计，要提供足够的冗余，以保证产品在某一承力结构件损坏时，仍可执行任务或安全返回。再如，装有两台(或多台)发动机的产品，其中任一台发动机损坏时，另一台或几台发动机仍能保证产品完成规定的任务。

3) 降额设计

降额设计即降低元器件、零部件的故障率，提高产品的基本可靠性、任务可靠性和安全性。通常选用的电子元器件、液压元件、气动元件、电机、轴承、各种结构件，应采用降低负荷额定值的设计，以提供更大的安全储备，机械、电气、机电等设备零件应减少其承受载荷的应力以实现降额设计。

4) 具备一定的环境防护能力

在确定可靠性定性要求时，应该选择能够减轻环境作用或影响力的设计方案和材料，例如，应选用耐腐蚀的材料，依据使用环境和材料的性质，对零件表面采用镀层、涂料、阳极化处理或其他表面处理，提高其防腐蚀性能。

2. 可靠性定量要求

可靠性定量要求是确定产品的可靠性参数、指标以及验证时机和验证方法，以便在设计、生产、试验验证、使用过程中用量化方法评价或验证产品的可靠性水平。可靠性参数要反映战备完好性、任务成功性、维修人力费用和保障资源费用四个方面的要求。

1) 可靠性函数

(1) 可靠度函数。

产品在规定的条件下和规定的时间内，完成规定功能的概率称为可靠度。由定义可知，产品的可靠度是时间的函数，用数学符号表示为

$$R(t)=P(\xi>t) \tag{5-1}$$

式中，$R(t)$为可靠度函数；ξ为产品故障前的工作时间(h)；t为规定的时间(h)。

由可靠度的定义可知

$$R(t)=\frac{N_0-r(t)}{N_0} \tag{5-2}$$

式中，N_0为t=0 时，在规定条件下进行工作的产品数；$r(t)$为在 0～t时刻的工作时间内，产品的累积故障数(产品故障后不予修复)。

(2) 累积故障分布函数。

产品在规定的条件下和时间内，丧失规定功能的概率称为累积故障概率(又称不可靠度)。由定义可知，产品的累积故障概率是时间的函数，也称累积故障分布函数，用数学符号表示为

$$F(t)=P(\xi\leqslant t) \tag{5-3}$$

由不可靠度的定义可知

$$F(t)=\frac{r(t)}{N_0} \tag{5-4}$$

显然，以下关系成立：

$$F(t)+R(t)=1 \tag{5-5}$$

(3) 故障密度函数。

由累积故障概率可知

$$F(t)=\frac{r(t)}{N_0}=\int_0^t \frac{1}{N_0}\frac{\mathrm{d}r(t)}{\mathrm{d}t}\mathrm{d}t \tag{5-6}$$

令

$$f(t)=\frac{1}{N_0}\frac{\mathrm{d}r(t)}{\mathrm{d}t}$$

则有

$$F(t)=\int_0^t f(t)\mathrm{d}t \tag{5-7}$$

称 $f(t)$ 为故障密度函数。

(4) 故障率函数。

工作到某时刻尚未故障的产品，在该时刻后单位时间内发生故障的概率，称为产品的故障率，用数学符号表示为

$$\lambda(t)=\frac{\mathrm{d}r(t)}{N_s(t)\mathrm{d}t} \tag{5-8}$$

式中，$\lambda(t)$ 为故障率函数(1/h)；$\mathrm{d}r(t)$ 为 t 时刻后，$\mathrm{d}t$ 时间内故障的产品数；$N_s(t)$ 为残存产品数，即到 t 时刻尚未故障的产品数，$N_s(t)=N_0-r(t)$。

可按式(5-8)进行 $\lambda(t)$ 的工程计算：

$$\lambda(t)=\frac{\Delta r(t)}{N_s(t)\Delta t} \tag{5-9}$$

式中，$\Delta r(t)$ 为 t 时刻后，Δt 时间内故障的产品数；Δt 为所取的时间间隔(h)；$N_s(t)$ 为残存产品数。

对于低故障率的元、部件常以 10^{-9}/h 为故障率的单位，称为菲特(Fit)。

大多数产品的故障率随时间的变化曲线形似浴盆(图5-1)，称为浴盆曲线。由于产品的故障机理不同，产品的故障率随时间的变化大致可以分为以下三个阶段。

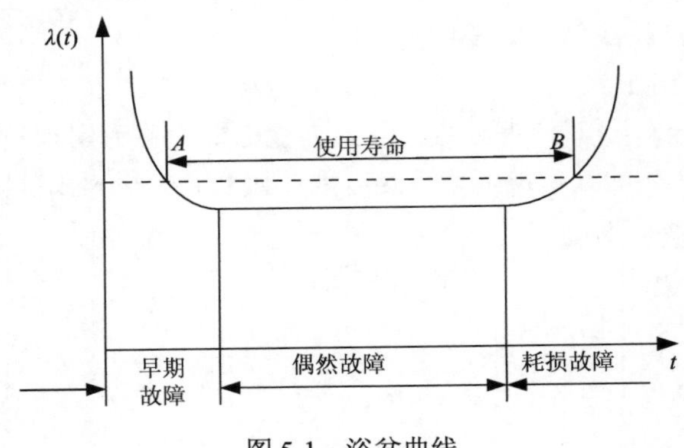

图 5-1　浴盆曲线

①早期故障阶段。在产品投入使用的初期，产品的故障率较高，且存在迅速下降的特征。这一阶段产品的故障主要是由设计和制造中的缺陷造成的(如设计不当、材料缺陷、加工缺陷、安装调整不当等)，产品投入使用后很容易暴露出来，可以通过加强质量管理及采用老化筛选等方法来消灭早期故障。

②偶然故障阶段。在产品投入使用一段时间后，产品的故障率可降到一个较低的水平，且基本处于平稳状态，可以近似认为故障率为常数。这一阶段产品的故障主要是由偶然因素引起的。偶然故障阶段是产品的主要工作期间。

③耗损故障阶段。在产品投入使用相当长的时间后，进入产品的耗损故障期，其特点是产品的故障率迅速上升，很快出现大批量的故障或报废。这一阶段产品的故障主要是由老化、疲劳、磨损、腐蚀等耗损性因素引起的。采取定时维修、更换等预防性维修措施，可以降低产品的故障率，以减少由于产品故障所带来的损失。

另外，并非所有产品的故障率曲线都可以分出明显的三个阶段。例如，高质量等级的电子元器件的故障率曲线在其寿命期内基本是一条平稳的直线，而质量低劣的产品可能存在大量的早期故障或很快进入耗损故障阶段。

(5)可靠性函数之间的关系。

$$\lambda(t)=\frac{\mathrm{d}r(t)}{N_{\mathrm{s}}(t)\mathrm{d}t}=\frac{\mathrm{d}r(t)}{N_0(t)\mathrm{d}t}\cdot\frac{N_0(t)}{N_{\mathrm{s}}(t)}=\frac{f(t)}{R(t)} \tag{5-10}$$

由于 $f(t)=-\dfrac{\mathrm{d}R(t)}{\mathrm{d}t}$，所以

$$\lambda(t)=-\frac{\mathrm{d}R(t)}{R(t)\mathrm{d}t} \tag{5-11}$$

$$\int_0^t \lambda(t)\mathrm{d}t=-\ln R(t)\big|_0^t \tag{5-12}$$

$$R(t)=\mathrm{e}^{-\int_0^t \lambda(t)\mathrm{d}t} \tag{5-13}$$

当产品的故障服从指数分布时，故障率为常数，产品可靠度为

$$R(t)=\mathrm{e}^{-\lambda t} \tag{5-14}$$

2)可靠性寿命特征参数

(1)平均寿命。

产品寿命的平均值或数学期望称为该产品的平均寿命，记为θ。

设产品的故障密度函数为 $f(t)$，则该产品的平均寿命，即寿命 T(随机变量)的数学期望为

$$\theta=E(T)=\int_0^{\infty} tf(t)\mathrm{d}t \tag{5-15}$$

若产品的故障密度函数为

$$f(t)=\lambda\mathrm{e}^{-\lambda t} \tag{5-16}$$

则

$$\theta=\int_0^{\infty} t\times\lambda \mathrm{e}^{-\lambda t}\mathrm{d}t=\frac{1}{\lambda} \tag{5-17}$$

即故障率为常数时，平均寿命与故障率互为倒数。

平均寿命表明产品平均能工作多长时间。很多装备常用平均寿命来作为可靠性指标，如车辆的平均故障间隔里程，雷达、指挥仪及各种电子设备的平均故障间隔时间，枪、炮的平均故障间隔发数等。人们可以从这个指标中比较直观地了解一种产品的可靠性水平，也容易在可靠性水平上比较两种产品的高低。

平均寿命一般通过寿命试验，用所获得的一些数据来估计。可靠性试验往往具有破坏性，故只能随机抽取一部分产品进行寿命试验。这部分产品在统计学中被称为子样或样本，其中每一个称为样品。一般情况下，平均寿命是指试验的总工作时间与在此期间的故障次数之比，即

$$\hat{\theta}=\frac{\text{试验总工作时间}(S)}{\text{故障次数}(r)} \tag{5-18}$$

(2) 可靠寿命。

设产品的可靠度函数为 $R(t)$，使可靠度等于给定值 r 的时间 t_r，称为可靠寿命。其中，r 称为可靠水平，满足 $R(t_r)=r$。特别地，可靠水平 $r=0.5$ 的可靠寿命 $t_{0.5}$ 称为中位寿命。可靠水平 $r=\mathrm{e}^{-1}$ 的可靠寿命 $t_{\mathrm{e}-1}$ 称为特征寿命。

从定义中可以看出，产品工作到可靠寿命 t_r，大约有 $100(1-r)\%$产品已经失效；产品工作到中位寿命 $t_{0.5}$ 大约有一半产品失效；产品工作到特征寿命，大约有 63.2%产品失效(在指数寿命分布下)。

(3) 平均拆卸间隔时间(Mean Time Between Removals, MTBR)。

平均拆卸间隔时间是指在规定的时间内，系统寿命单位总数与从该系统上拆卸下的产品总次数之比，不包括为了方便其他维修活动或改进产品而进行的拆卸。它是与供应保障要求有关系的系统可靠性参数。

(4) 平均故障前时间(Mean Time to Failure, MTTF)。

设 N_0 个不可修复的产品在同样条件下进行试验，测得其全部故障时间为 $t_1,t_2,\cdots,t_i,\cdots,t_{N_0}$，其平均故障前时间为

$$T_{\mathrm{TF}}=\frac{1}{N_0}\sum_{i=1}^{N_0} t_i \tag{5-19}$$

当 N_0 趋向无穷时，T_{TF} 为产品故障时间这一随机变量的数学期望，因此

$$T_{\mathrm{TF}}=\int_0^{\infty} tf(t)\mathrm{d}t=-\int_0^{\infty} t\mathrm{d}R(t)=-[tR(t)]|_0^{\infty}+\int_0^{\infty} R(t)\mathrm{d}t=\int_0^{\infty} R(t)\mathrm{d}t \tag{5-20}$$

当产品的寿命服从指数分布时，$T_{\mathrm{TF}}=\int_0^{\infty}\mathrm{e}^{-\lambda t}\mathrm{d}t=\frac{1}{\lambda}$。

(5) 平均故障间隔时间(Mean Time Between Failure, MTBF)。

一个可修产品在使用过程中发生了 N_0 次故障，每次故障修复后又重新投入使用，测得其每次工作持续时间为 $t_1,t_2,\cdots,t_i,\cdots,t_{N_0}$，其平均故障间隔时间为

$$T_{\mathrm{BF}} = \frac{1}{N_0}\sum_{i=1}^{N_0} t_i = \frac{T}{N_0} \tag{5-21}$$

式中，T 为产品总的工作时间(h)。

显然，产品的平均故障间隔时间与产品的维修效果有关。产品典型的修复状态有基本修复和完全修复两种。

(6) 致命性故障间的任务时间(Mission Time Between Critical Failure, MTBCF)。

致命性故障间的任务时间是一种与任务有关的可靠性参数，其度量方法为：在规定的一系列任务剖面中，产品任务总时间与致命性故障之比。对于不同的武器装备也能采用不同的任务时间单位表达，例如，对于坦克、车辆等可采用致命性故障间的任务里程，对于火炮等可采用致命性故障间的任务发数。

5.1.4　可靠性建模

模型是为了理解事物而对事物做出的一种抽象。可靠性模型是从对系统故障规律认知的角度，对系统及其组成部件进行建模，反映系统的主要故障特征，用于预计或估算产品的可靠性。可靠性建模是开展可靠性设计分析的基础，也是进行系统维修性和保障性设计分析的前提。

1. 可靠性建模分类

根据系统特点与建模手段的不同，可靠性模型可分为可靠性框图、网络可靠性模型、故障树模型、事件树模型、马尔可夫模型、Petri 网模型、GO 图模型等。

本节所讲的可靠性模型主要是针对可靠性框图而言的，即为预计或估算产品的可靠性所建立的可靠性方框图和数学模型。同时，依照既往的教学、工程及科研实践，并参照国外的惯例，对可靠性框图模型和网络可靠性模型进行了综合描述，仍可称之为可靠性框图模型。可靠性框图由代表产品或功能的方框、逻辑关系和连线、节点组成，在需要时可对节点加以标注。节点分为输入节点、输出节点和中间节点。其中，输入节点表示系统功能流程的起点，输出节点表示系统功能流程的终点。连线可以是有向的，也可以是无向的，它反映了系统功能流程的方向。无向的连线意味着是双向的。系统的原理图、功能框图和功能流程图是建立系统可靠性模型的基础，但由于描述的角度不同，不能与系统可靠性框图混为一谈。

2. 典型可靠性模型

典型可靠性模型可分为系统静态可靠性模型和系统动态可靠性模型。系统静态可靠性模型描述系统在某一时间点系统可靠性与其组成单元的可靠性关系。系统动态可靠性模型描述系统可靠性与其组成部分状态变化之间的关系。

1) 串联模型

在一个系统内部，系统组成单元主要通过两种方式与其他单元相关联：并联或串联结构。在串联结构中，系统内所有的单元必须正常运行，整个系统才可以正常运行。假设系统包含 n 个单元，如果其中任一个单元故障，那么系统将会发生故障。这种串联关系由图 5-2 所示的可靠性框图表示。

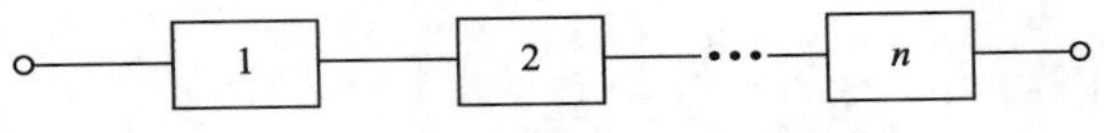

图 5-2　单元串联可靠性框图

由于可靠度是一个概率问题，一个两单元系统的可靠度 R_s 可根据组成单元的可靠度，由以下方式来确定。

假设系统中各单元是相互独立的(即一个单元的故障与否不会改变其他单元的可靠度)。为了使系统正常运行，系统 n 个单元都必须正常运行，则系统的可靠度 $R_s(t)$ 为

$$R_s(t)=R_1(t)\cdot R_2(t)\cdot\cdots\cdot R_n(t)\leqslant\min\{R_1(t),R_2(t),\cdots,R_n(t)\} \tag{5-22}$$

不等式是 $0<R_i(t)<1\ (i=1,2,\ \cdots,\ n)$ 乘积的结果。因此，系统可靠度将不会大于最小的单元可靠度。如果每个单元都有一个常数故障率 λ_i，则系统的可靠度可表示为

$$R_s(t)=\prod_{i=1}^{n}R_i(t)=\prod_{i=1}^{n}\exp(-\lambda_i t)=\exp\left(-\sum_{i=1}^{n}\lambda_i t\right)=\exp(-\lambda_s t) \tag{5-23}$$

式中，$\lambda_s=\sum_{i=1}^{n}\lambda_i$ 为系统故障率(l/h)，显然系统同样具有常数故障率。

2) 并联模型

两个或者两个以上单元并联，也可称之为冗余结构，那么这种结构使得只有在所有单元均故障时，系统才会发生故障。单元并联由图 5-3 所示的可靠性框图表示。

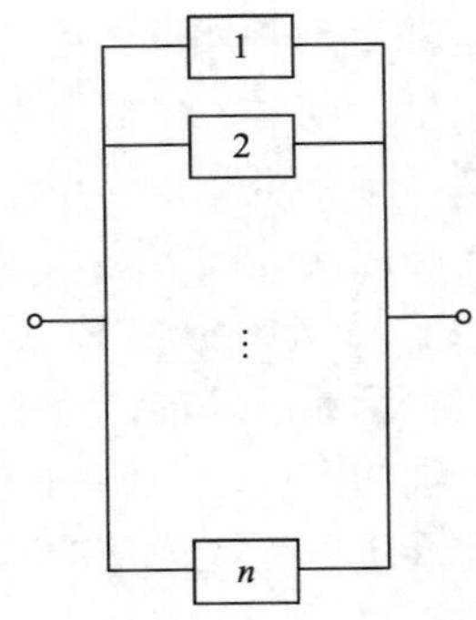

图 5-3　单元并联可靠性框图

n 个独立单元并联的系统可靠度等于 1 减去 n 个单元均故障时的概率(即至少有一个单元正常工作的概率)：

$$R_s(t)=1-\prod_{i=1}^{n}[1-R_i(t)] \tag{5-24}$$

以下结论总是成立：

$$R_s(t)\geqslant\max\{R_1(t),R_2(t),\cdots,R_n(t)\} \tag{5-25}$$

即 $\prod_{i=1}^{n}[1-R_i(t)]$ 一定会小于可靠度最大单元的不可靠度。

对于由具有常数故障率单元组成的一个冗余系统，有

$$R_s(t)=1-\prod_{i=1}^{n}[1-e^{-\lambda_i t}] \tag{5-26}$$

式中，λ_i 表示第 i 个单元的故障率(1/h)。

3)混联系统

混联系统通常会同时包含串联和并联关系组合的单元，这里以典型的串并联系统以及并串联系统为例进行介绍。

串并联系统是特殊的混联系统，单元先并联后串联，并联的各单元相同，又称附加单元系统，其可靠性框图如图 5-4 所示。

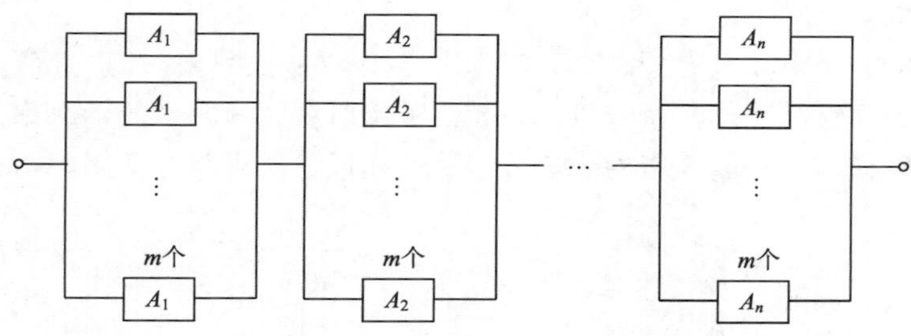

图 5-4　串并联系统可靠性框图

假设每个单元 A_i 的可靠度为 $R_i(t)$，则此系统的可靠度为

$$R_s(t)=\prod_{i=1}^{n}\{1-[1-R_i(t)]^m\} \tag{5-27}$$

并串联系统是又一特殊的混联系统，单元先串联后并联，且串联单元组的可靠度相等，又称附加通路系统，其可靠性框图如图 5-5 所示。

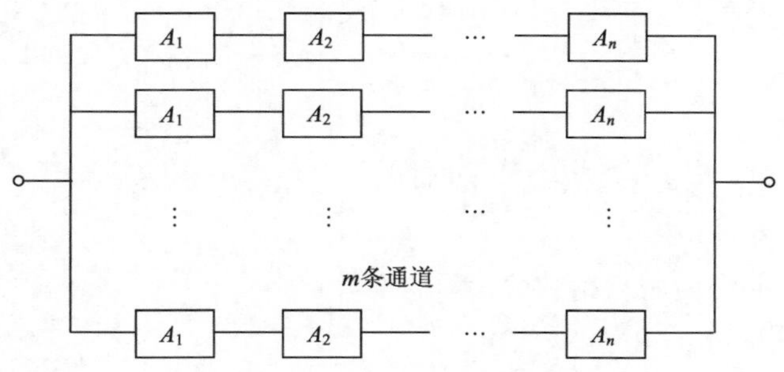

图 5-5　并串联系统可靠性框图

设每个单元 A_i 的可靠度为 $R_i(t)$，则此系统的可靠度为

$$R_s(t)=1-\left[1-\prod_{i=1}^{n}R_i(t)\right]^m \tag{5-28}$$

4) k/n 冗余结构

k/n 冗余结构要求 n 个完全相同且互相独立的单元中至少有 k 个单元正常工作，系统才能正常工作。显然，$k \geqslant n$。若 k=1，则这 n 个单元实际上是并联连接的；当 $k=n$ 时，这 n 个单元实际上是串联连接的，可靠度可以通过二项分布定理获得。

如果每一个单元都相互独立，且可靠度 $R(t)$ 均相同，那么系统可靠度为

$$R_s(t)=\sum_{x=k}^{n}C_x^n R^x(1-R)^{n-x} \tag{5-29}$$

式中，$C_x^n=\dfrac{n!}{x!(n-x)!}$。

5) 旁联结构

组成系统的 n 个单元只有一个单元工作，当工作单元故障时，通过监测与转换装置转接到另一个单元继续工作，直到所有单元都故障时系统才发生故障，称为非工作储备模型，又称旁联模型。旁联模型用于任务可靠性建模，其可靠性框图如图 5-6 所示。

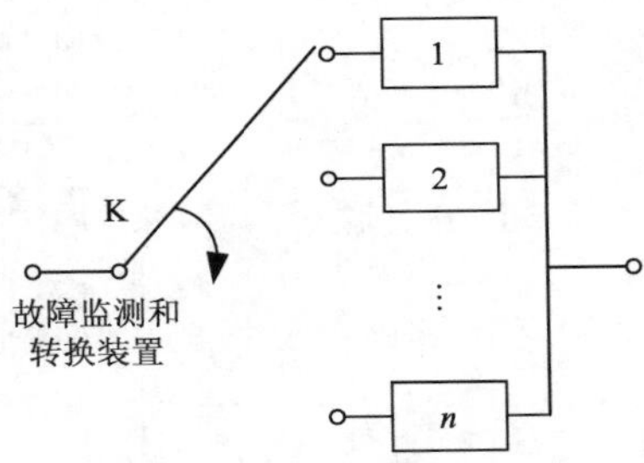

图 5-6　旁联模型的可靠性框图

该可靠性框图对应的可靠性数学模型如下。

(1) 假设转换装置的可靠度为 1，则系统 $T_{\mathrm{BCF_s}}$ 等于各单元 T_{BCF_i} 之和，即

$$T_{\mathrm{BCF_s}}=\sum_{i=1}^{n}T_{\mathrm{BCF}_i} \tag{5-30}$$

式中，$T_{\mathrm{BCF_s}}$ 为系统的平均重要故障间隔时间；T_{BCF_i} 为单元的平均重要故障间隔时间；n 为组成系统的单元数。

当系统各单元的寿命服从指数分布时，有

$$T_{\mathrm{BCF_s}}=\sum_{i=1}^{n}\frac{1}{\lambda_i} \tag{5-31}$$

式中，λ_i 为单元的任务故障率；n 为组成系统的单元数。

由此，可得

$$R_s(t) = e^{-\lambda t}\left[1 + \lambda t + \frac{(\lambda t)^2}{2!} + \cdots + \frac{(\lambda t)^{n-1}}{(n-1)!}\right] \tag{5-32}$$

(2)假设监测与转换装置的可靠度为常数 R_D，两个单元相同且寿命服从任务故障率为 λ 的指数分布，则系统的可靠度为

$$R_s(t) = e^{-\lambda t}(1 + R_D \lambda t) \tag{5-33}$$

非工作储备的优点是能大大提高系统的可靠度。其缺点是：由于增加了故障监测与转换装置而加大了系统的复杂度；要求故障监测与转换装置的可靠度非常高，否则储备带来的好处会被严重削弱。

3. 系统可靠性模型建立程序

为正确地建立系统的任务可靠性模型，必须对系统的构成、原理、功能、接口等各方面有深入的理解。一般地，建立系统任务可靠性模型的程序如下。

从前述建立系统任务可靠性模型的程序可知，对系统的构成、原理、功能、接口等各方面深入的分析是建立正确的系统任务可靠性模型的前导。前导工作的主要任务就是进行系统的功能分析。本节从功能的分解与分类、功能框图与功能流程图、时间分析、任务定义及故障判据四个方面进行系统功能分析。

1)功能的分解与分类

系统往往是多任务与多功能的，一个系统及功能是由许多分系统级功能实现的。通过自上而下的功能分解过程，可以得到系统功能的层次结构，功能的逐层分解细分到可以获得明确的技术要求的最底层(如部件)为止。进行系统功能分解可以使系统的功能层次更加清晰，同时也产生了许多低层次功能的接口问题。对系统功能的层次性以及功能接口的分析，是建立可靠性模型的重要一步。

2)功能框图与功能流程图

在系统功能分解的过程中，较低层次功能间的接口与关联关系暴露了出来，功能间的关联逻辑关系可以用功能框图或功能流程图加以描述。功能框图是在对系统各层次功能进行静态分组的基础上，描述系统的功能和各子功能之间的相互关系，以及系统的数据(信息)流程系统内部的各接口。功能流程图是可以逐级细化的，直到确认出所有的功能和子功能以及它们之间的相互关系时。功能框图与功能流程图的逐级细化过程是与系统的功能分解相协调的。

3)时间分析

对于系统的功能随时间而变的系统，采用功能框图的形式进行描述显得力不从心，应该采用功能流程图的形式。功能框图所描述的系统的功能关系是静态的(不随时间而变)，因此可以认为系统级的功能以及它们的子功能具有唯一的时间基准，所有功能的执行时间一样长。采用功能流程图可以描述系统的功能关系，为建立系统可靠性框图模型奠定基础。

4)任务定义及故障判据

在进行系统功能分解，建立功能框图或功能流程图及确立时间基准的基础上，要建

立系统的任务及基本可靠性框图，必须明确地给出系统的任务定义及故障判据，把它们作为系统可靠性定量分析计算的依据和判据。产品或产品的一部分不能或将不能完成预定功能的事件或状态，称为故障。对于具体的产品，应结合产品的功能以及装备的性质与使用范畴，给出产品故障的判别标准，即故障判据。故障判据是判断产品是否构成故障的界限值，一般应根据产品的每一规定性能参数和允许极限确定，并与订购方给定的故障判据相一致。具体产品的故障判据与产品的使用环境、任务要求等密切相关。对于多任务、多功能的系统建立任务可靠性模型时，必须先明确所分析的任务是什么，对于任务的完成，涉及系统的哪些功能，其中哪些功能是必要的，哪些功能是不必要的，依此而形成系统的故障判据。影响系统这一特定任务完成的全部必要功能所涉及的所有软、硬件故障都计为任务关联故障事件。

5.2　可靠性设计与分析

可靠性设计与分析是可靠性工程的重点和核心工作，其目的是挖掘与确定产品潜在的隐患和薄弱环节，并通过设计预防与改进，有效地消除隐患和薄弱环节，从而提高产品的可靠性水平，满足产品的可靠性要求。可靠性设计与分析工作必须遵循预防为主、早期投入的方针，必须从产品方案阶段就开展可靠性设计与分析工作，尽可能把不可靠的因素消除在设计过程早期。在设计过程中，要努力认识故障发生规律，防止故障发生及其影响的扩展，同时也要把发现和纠正可靠性设计方面的缺陷作为工作重点。通过采用成熟设计和行之有效的可靠性设计与分析技术，能够保证和提高产品的固有可靠性。本节重点对可靠性设计与分析的概念内涵及常见可靠性设计与分析方法进行介绍。

5.2.1　可靠性设计与分析内涵

1. 可靠性设计与分析的目的

产品的可靠性是设计出来的、生产出来的、管理出来的。国内外开展可靠性工作的经验表明，可靠性设计对产品的可靠性具有重要影响，要提高产品的可靠性，关键在于做好产品的可靠性设计与分析工作。把可靠性工程的重点放在设计与分析阶段的目的，主要包括以下两个方面。

(1) 开展可靠性设计与分析工作可保证产品具有较高的固有可靠性水平。产品的固有可靠性是产品的固有特性之一。产品一旦完成设计，并按设计要求被制造出来，其固有可靠性就已经完全被确定了。对产品可靠性起决定作用的是设计与分析过程，制造过程主要是实现设计过程所形成的固有可靠性，使用和维护过程是保持获得的固有可靠性。如果在设计阶段没有认真分析、考虑其可靠性问题，如产品设计的鲁棒性、设计裕度和余度考虑不足，以及元器件原材料选用不当等，那么无论怎样精心制造、严格管理、合理使用，也难以实现高的可靠性要求。

(2) 开展可靠性设计与分析工作可降低产品的后期改进成本。现代科学技术迅速发展，同类产品之间竞争激烈，产品被淘汰的速度日益加快，因而要求新产品研制周期要短，质量要好，设计时如果不认真考虑可靠性要求，等到试制、试用后发现严重问题，再进行改进设计，必然推迟产品投入市场的周期，提高产品的价格，降低竞争力。在设计阶段采取措施提高产品可靠性的耗资最少，效果显著。据美国诺斯罗普公司估计，在研制阶段为改善可靠性与维修性所耗费的每 1 美元，将在以后的使用和保障费用方面节省 30 美元。

2. 可靠性设计与分析的流程

不同研制阶段的可靠性设计与分析流程有所差异，但都是由一组彼此交互的可靠性设计与分析任务所构成的。其中，最基本的任务可以分为三类：①提出可靠性要求，包括通过分配提出不同层次产品的可靠性设计要求；②可靠性设计与分析，通过可靠性设计与分析为产品研制过程提供输入，形成考虑可靠性的产品设计；③验证可靠性设计的效果，验证是否满足产品的可靠性要求。以这三类任务及相应决策活动为基础，即可构成一个可靠性设计与分析的概念流程。完成这三类任务需要开展各类可靠性技术与管理活动(工作项目)，包括各类与可靠性相关的系统设计、建模与分析、数据收集与分析，以及配套的管理工作。

产品各个研制阶段开展的可靠性设计与分析的工作项目有所不同，某些可靠性工作在多个研制阶段都需要开展，存在一定的继承性，但是使用的数据源及开展的深入程度不同。此外，不少可靠性工作项目之间存在依赖性。因此，要在产品研制工作中有效地组织开展可靠性设计与分析工作，达到高效、全面地提高系统的可靠性水平的目的，需对各研制阶段中可靠性设计与分析工作的关系和流程有清楚的认识。

产品各研制阶段典型的可靠性设计与分析流程简述如下(以一般武器装备为例)。

1) 论证阶段

论证阶段由使用方组织实施，具体研制任务是进行战术技术指标、总体技术方案的论证及研制经费、保障条件、研制周期的预测，形成《武器系统研制总要求》。该阶段由使用方根据武器装备的使用需求和特征，制定可靠性定性要求与定量要求，并把它们作为武器装备战术技术指标的一部分，同时给出可靠性工作项目要求，作为可靠性工作大纲的重要组成部分，明确装备研制后续需开展的各项可靠性工作。

2) 方案阶段

方案阶段的研制任务为：依据战术技术要求，进行装备总体与系统方案的优选及关键技术攻关，并确定总体技术方案；根据总体技术方案，进行系统方案设计、总体协调和系统布局，确定系统方案和主要部件的结构形式；进行模型样机或原理样机的研制与试验。根据研制任务，确定方案阶段可靠性设计与分析的具体流程如下。

(1) 按照已确定的可靠性定量要求，进行系统可靠性指标的分配，使系统各层次设计人员明确各自的设计目标。

(2) 按照设计方案建立系统可靠性模型，进行系统可靠性预计，发现薄弱环节，改进设计，并判断设计方案能否满足系统可靠性定量要求。

(3) 改进方案或/和调整可靠性分配指标，再次进行可靠性预计，可迭代多次。

(4) 如果需要，可按照工程设计的特点，与使用方协商，进行系统可靠性指标的调整。

(5) 按照已确定的可靠性定性要求，制定初步的可靠性设计准则(含降额设计准则，下同)及优选元器件清单(PPL)，以指导系统设计。

(6) 按照已确定的可靠性定性要求，进行功能故障模式影响分析(FMEA)、故障树分析(FTA)、事件树分析(ETA)等分析工作，发现薄弱环节，改进设计。

3) 工程研制阶段

工程研制阶段包括初样设计阶段和正样设计阶段，这两个阶段的具体流程有一定区别。

(1) 初样设计阶段。

初样设计阶段主要是细化方案论证阶段确定的方案，对各系统的功能、性能进行分析计算，从系统到设备层次产品开展相关原理设计、组成和结构设计。基于以上内容，在初样设计阶段中可靠性设计与分析的流程如下：

①随着工程设计工作的进展，建立更加详细准确的可靠性模型，进行新一轮系统可靠性指标的分配与预计工作，同时进行系统可靠性分配指标的调整工作，使指标分配更合理；

②完善系统的可靠性设计准则及优选元器件清单，并对工程设计工作进行初步的符合性检查；

③进行 FMEA 或故障模式影响及危害性分析(Failure Mode Effects and Criticality Analysis, FMECA)、FTA、ETA 等分析工作；

④开展其他一些可靠性设计与分析工作；

⑤对发现的薄弱环节采取设计更改等补偿措施。

(2) 正样设计阶段。

为有计划地组织、协调、实施和检查全部可靠性工作，形成规范的可靠性设计与分析流程，承制方需要制订可靠性工作计划。在制订可靠性工作计划的过程中应贯彻系统工程思想，并将其作为产品系统工程工作计划的一部分。项目管理者应该在项目开始时就制订可靠性工作计划，包含可靠性工作的范围，并且在各阶段进行更新。此外，为保证可靠性工作项目取得良好效果，应由独立于工程项目研制的可靠性专家指导，开展规范的可靠性检查和评审工作，具体流程包括以下方面：

①随着工程设计工作的深入，建立更加详细准确的可靠性模型，进行新一轮的系统可靠性预计工作，并初步判断工程设计方案能否达到系统的可靠性指标要求，以便及时进行设计调整；

②对工程设计工作进行全面的可靠性设计准则和优选元器件清单的符合性检查；

③进行 FMECA、FTA、ETA 等分析工作；

④开展其他一些可靠性设计与分析工作；

⑤对发现的薄弱环节采取设计更改等补偿措施。

3. 可靠性设计与分析的主要内容

可靠性设计与分析包含的内容较多。本书结合我国型号可靠性工作的多年经验，以支持型号可靠性设计与分析为主线，首先对那些在型号工作中已取得重要成效的成熟方法进行阐述，同时也对那些近年来逐渐应用到型号中，并取得一定成效的新方法进行系统性的介绍。为使读者能开阔眼界和继续深入研究，本书也对一些前沿性可靠性设计与分析技术进行了简要介绍。所有这些方法在工程研制中可以视情选用。

表 5-1 给出了适用于不同研制阶段的常用可靠性设计与分析方法。在型号工作中，需要根据产品的可靠性要求、产品特点(如电子产品等、机械产品等、机电产品等)以及产品的层次(如系统、分系统、设备组件等)选择相应的可靠性设计与分析方法。此外，可靠性设计与分析方法的选择也受到型号技术储备、人员素质、经费约束等方面的影响。

表 5-1　常用可靠性设计与分析方法

可靠性设计与分析方法	研制阶段			
	论证阶段	方案阶段	工程研制阶段	
			初步设计	详细设计
可靠性要求确定	√	√		
可靠性分配		√	√	
可靠性预计		√	√	√
可靠性设计准则制定		√	√	√
简化设计		√	√	△
余度设计		√	√	△
容错设计		√	√	△
裕度设计		△	√	√
热设计与热分析		√	√	√
故障模式影响及危害性分析		√	√	√
故障树分析		△	√	√
GO 图法			√	√
潜在分析			△	√
电路容差分析			√	√
耐久性分析		√	√	√
故障物理法		△	△	△

注：√表示适用，△表示视情选用。

5.2.2　可靠性设计

系统(产品)在进行可靠性设计中的一个重要任务是预测可靠性并在给定总体可靠性时将其分配到系统的各环节中。可靠性分配与可靠性预测是可靠性设计中的相反过程。可靠性预测是由局部到总体、由小到大与由下到上的过程。而可靠性分配是由总体到局部、由大到小与由上到下的过程。两种可靠性技术是有严格内在关系的对立统一过程，最终目的是提高系统的可靠性。

可靠性预测是在产品设计过程预测产品可靠性是否达到要求的指标，达不到指标时，产品进行可靠性重新分配，改进产品设计，这样反复进行工作直到达到要求的指标的全部过程。可靠性分配则是将可靠性总体指标分配到各单元，使在单元生产过程及在其他因素影响下仍能保证总体指标的实现。

1. 可靠性分配

1) 可靠性分配的目的

可靠性分配就是将使用方提出的，在产品研制任务书(或合同)中规定的总体可靠性指标，自顶向底，由上到下，从整体到局部，逐步分解，分配到各系统、分系统及设备，也就是，上一级产品对其下一级产品的可靠性定量要求，并将其写入相应的研制任务书或合同中，是一个演绎分解的过程。

可靠性分配的目的就是使各级设计人员明确其可靠性设计要求，根据要求估计所需的人力、时间和资源，并研究实现这些要求的可能性及方法。如同性能指标一样，可靠性指标是设计人员在可靠性方面的一个设计目标。可靠性分配主要在方案阶段及初步设计阶段进行，它与可靠性预计工作结合，是一个反复迭代的过程，且应尽可能早地实施。

2) 可靠性分配的原理和准则

产品的可靠性分配就是求解下面的基本不等式：

$$R_s(R_1, R_2, \cdots, R_i, \cdots, R_n) \geqslant R_s^* \tag{5-34}$$

$$g_s(R_1, R_2, \cdots, R_i, \cdots, R_n) \leqslant g_s^* \tag{5-35}$$

式中，R_s^*为产品的可靠性指标；g_s^*为对产品设计的综合约束条件，包括费用、重量、体积、功耗等因素，所以它是一个矢量函数关系；R_i为第i个单元的可靠性指标。

对于简单的串联系统，式(5-34)可以转换为

$$R_1(t) \cdot R_2(t) \cdots R_i(t) \cdots R_n(t) \geqslant R_s^*(t) \tag{5-36}$$

如果对分配没有任何约束条件，则式(5-34)和式(5-35)可以有无数个解。当有约束条件时，也可能有多个解。因此，可靠性分配的关键在于要确定一个方法，通过它能得到合理的可靠性分配值的优化解。考虑到可靠性的特点，为提高分配结果的合理性和可行性，可以选择故障率、可靠度等参数进行可靠性分配。在进行可靠性分配时需要遵循以下几条准则。

(1) 对于复杂度高的分系统、设备等，应分配较低的可靠性指标。因为产品越复杂，其组成单元就越多，要达到高可靠性就越困难且费用越高。

(2) 对于技术上不成熟的产品，应分配较低的可靠性指标。对于这种产品提出高可靠性要求会延长研制时间，增加研制费用。

(3) 对于在恶劣环境条件下工作的产品，应分配较低的可靠性指标。因为恶劣的环境会增加产品的故障率。

(4) 当把可靠度作为分配参数时，对于需要长期工作的产品，应分配较低的可靠性指标。因为产品的可靠度随着工作时间的增加而降低。

(5) 对于重要度高的产品，应分配较高的可靠性指标。因为重要度高的产品的故障会影响人身安全或任务的完成。

3) 可靠性分配的方法

(1) 等分配法。

等分配法是在设计初期，即方案阶段，当产品没有继承性，而且产品定义并不十分清晰时所采用的最简单的分配方法，可用于基本可靠性和任务可靠性的分配。

等分配法的原理是：对于简单的串联产品，认为其各组成单元的可靠性水平均相同。设产品由 n 个单元串联而成，$R_i = R, i = 1,2,\cdots,n$，则产品可靠度 R_s 为

$$R_s = \prod_{i=1}^{n} R_i = R^n \tag{5-37}$$

若给定产品可靠度指标为 R_s^*，则由式(5-37)可得到分配给各单元的可靠度指标 R_i^* 为 $R_i^* = \sqrt[n]{R_s^*}$。

假设各单元寿命服从指数分布，则 $\lambda_i^* = \lambda_s^* / n$，式中，$\lambda_i^*$ 为分配给第 i 个单元的故障率(1/h)；λ_s^* 为产品的故障率(1/h)。

等分配法虽然简单，但并不合理。因为实际产品中，一般不可能存在各单元可靠性水平均等的情况。但对于一个新产品，在方案阶段进行初步分配是可取的。

(2) 评分分配法。

评分分配法是在可靠性数据非常缺乏的情况下，通过有经验的设计人员或专家对影响可靠性的几种因素进行评分，并对评分值进行综合分析以获得产品各组成单元之间的可靠性相对比值，最后根据相对比值给每个单元分配可靠性指标的分配方法。应用这种方法时，时间一般应以产品工作时间为基准。这种方法主要用于分配产品的基本可靠性，也可用于分配串联产品的任务可靠性，一般假设产品寿命服从指数分布。另外，该方法适合于方案阶段和初步设计阶段。

评分分配法通常考虑的因素有复杂程度、技术水平、工作时间和环境条件等。在工程实际中可以根据产品的特点增加或减少评分因素。

下面以产品故障率为分配参数说明评分原则。各种因素评分值范围为 1～10 分，评分越高说明其对产品的可靠性产生的影响越恶劣。

①复杂程度。它是根据产品组成单元的数量以及组装的难易程度来评定的，最复杂的评 10 分，最简单的评 1 分。

②技术水平。它是根据产品单元目前的技术水平的成熟程度来评定的，水平最低的评 10 分，水平最高的评 1 分。

③工作时间。它是根据产品单元的工作时间来评定的，单元工作时间最长的评 10 分，最短的评 1 分。如果产品中所有单元的故障率是以产品的工作时间为基准，即所有单元故障率统计是以产品工作时间为统计时间计算的，则各单元的工作时间不相同，而统计时间均相等(实际工作中，现场统计很多是以产品工作时间统计的)。如果产品中所有单元的故障率是以单元自身工作时间为基准，即所有单元故障率统计是以单元自身工作时间为统计时间计算的，则单元的工作时间各不相同，故障率统计时间也不同，可以不考虑此因素。

④环境条件。它是根据产品单元所处的环境来评定的，单元工作过程中会经受极其

恶劣而严酷的环境条件的评 10 分，环境条件最好的评 1 分。

设产品的可靠性指标为 λ_s^*，分配给每个单元的故障率 λ_i^* 为

$$\lambda_i^* = C_i \cdot \lambda_s^* \tag{5-38}$$

式中，$i=1,2,\cdots,n$,n 为单元数；C_i 为第 i 个单元的评分系数，$C_i = \omega_i / \omega$，ω_i 为第 i 个单元的评分数，ω 为产品的评分数。

$$\omega_i = \prod_{j=1}^{4} r_{ij} \tag{5-39}$$

式中，r_{ij} 为第 i 个单元、第 j 个因素的评分数；$j=1$ 为复杂程度；$j=2$ 为技术水平；$j=3$ 为工作时间；$j=4$ 为环境条件。$\omega = \sum_{i=1}^{n} \omega_i$，式中，$i$=1,2,…,$n$ 为单元数。

(3) 比例组合分配法。

如果一个新设计的产品与老产品非常相似，即组成产品的各单元类型相同(例如，新、老飞机都是由机体、动力装置、燃油、液压、导航等分系统组成的)，对新产品只是根据新情况提出新的可靠性要求，那么就可以采用比例组合分配法(也称相似产品法)，根据老产品中各单元的故障率，按新产品可靠性的要求，给新产品的各单元分配故障率。这种方法主要用于分配产品的基本可靠性，也可用于分配串联产品的任务可靠性，其数学表达式为

$$\lambda_{i新}^* = \lambda_{s新}^* \frac{\lambda_{i老}}{\lambda_{s老}} \tag{5-40}$$

式中，$\lambda_{s新}^*$ 为新产品的故障率；$\lambda_{i新}^*$ 为分配给新产品中第 i 个单元的故障率；$\lambda_{s老}$ 为老产品的故障率；$\lambda_{i老}$ 为老产品中第 i 个单元的故障率。

(4) AGREE 分配法。

AGREE 分配法一般在初步设计阶段采用，此时可获得产品的相关故障等信息，可用于基本可靠性和任务可靠性的分配。

①按重要度分配内涵。

产品可以按系统级、分系统级、设备级……逐级展开。一般情况下，产品的可靠性框图是由各系统串联组成的，而系统的可靠性框图则由分系统或设备以串联、并联等组成混合模型。

当串联部分任一系统发生故障时，产品就发生故障。用一个定量的指标来表示各系统(或分系统、设备)的故障对产品故障的影响，这就是重要度 $\omega_{i(j)}$，可表示为

$$\omega_{i(j)} = \frac{N_i}{r_{i(j)}} \tag{5-41}$$

式中，$r_{i(j)}$ 为第 i 个系统(第 j 个分系统/设备)的故障次数；N_i 为由第 i 个系统的故障引起产品故障的次数。

注意：当系统没有冗余时，下标 $i(j)$ 就是指第 i 个系统。

②按复杂度分配内涵。

复杂度 C_i 可以简单地用该系统(分系统/设备)的基本构成部件数来表示。其定义为

$$C_i = n_i / N = n_i / \sum_{i=1}^{n} n_i \tag{5-42}$$

式中，n_i 为第 i 个系统的基本构成部件数；N 为系统的基本构成部件总数；n 为系统数。

某个系统中基本构成部件数所占的百分比越大就越复杂。在分配时，假设这些基本构成部件对整个串联产品的可靠度的贡献是相同的，因此系统 i 的可靠度 R_i^* 为

$$R_i^* = [(R_s^*)^{1/N}]^{n_i} = (R_s^*)^{n_i/N} \tag{5-43}$$

这种分配方法的实质是：复杂的系统比较容易出故障，因此可靠度应分配得低一些。

③综合考虑重要度和复杂度的分配方法。

当仅考虑系统(分系统/设备)重要度时，按等分配法得到

$$R_i^* \approx e^{-\omega_{i(j)} t_{i(j)} / \theta_{i(j)}} = \sqrt[n]{R_s^*} \tag{5-44}$$

如果不是按照等分配法，而是按照系统的复杂度进行分配，则

$$R_i^* \approx e^{-\omega_{i(j)} t_{i(j)} / \theta_{i(j)}} = [(R_s^*)^{1/N}]^{n_i} = (R_s^*)^{n_i/N} \tag{5-45}$$

即

$$-\omega_{i(j)} t_{i(j)} / \theta_{i(j)} = \frac{n_i}{N} \ln R_s^* \tag{5-46}$$

$$\theta_{i(j)} = \frac{N \cdot \omega_{i(j)} t_{i(j)}}{n_i(-\ln R_s^*)} \tag{5-47}$$

式中，n_i 为第 i 个系统的基本构成部件数；N 为整个产品的基本构成部件数：$\omega_{i(j)}$ 为第 i 个系数(第 j 个分系统/设备)的重要度；$t_{i(j)}$ 为第 i 个系统(第 j 个分系统/设备)工作时间(h)；$\theta_{i(j)}$ 为分配给第 i 个系统(第 j 个分系统/设备)的平均故障间隔时间(h)；R_s^* 为系统规定的可靠度指标。

(5) 再分配法。

可靠度的再分配法适用于基本可靠性和任务可靠性的分配。对于串联产品，当通过预计得到各系统可靠度 $R_1, R_2, \cdots, R_n$ 时，产品的可靠度为

$$R_s = \prod_{i=1}^{n} R_i \tag{5-48}$$

式中，$i = 1, 2, \cdots, n$ 为分系统数。

如果 $R_s < R_s^*$ (规定的可靠度指标)，即所设计的产品不能满足规定的可靠度指标要求，那么需要进一步改进原设计以提高其可靠度，即要对各系统的可靠性指标进行再分配。可靠度的再分配法就是用来解决这个问题的。

可靠度再分配法的基本思想是：认为可靠性越低的系统(或分系统/设备)改进起来越容易，反之则越困难(以往的经验也是如此)。把原来可靠度较低的系统的可靠度都提高到某个值，而对于原来可靠度较高的系统的可靠度仍保持不变。可靠性再分配法的具体步骤如下。

①根据各系统的可靠度大小，由低到高将它们依次排列为

$$R_1 < R_2 < \cdots < R_{k_0} < R_{k_0+1} < \cdots < R_n \tag{5-49}$$

②按可靠度再分配法的基本思想，把可靠度较低的 $R_1, R_2, \cdots, R_{k_0}$ 都提高到某个值 R_0，而原可靠度较高的 $R_{k_0+1}, \cdots, R_n$ 保持不变，则产品可靠度为

$$R_s = R_0^{k_0} \cdot \prod_{i=k_0+1}^{n} R_i \tag{5-50}$$

使 R_s 满足规定的产品可靠度指标要求，即

$$R_s = R_s^* = R_0^{k_0} \cdot \prod_{i=k_0+1}^{n} R_i \tag{5-51}$$

4) 可靠性分配的注意事项

(1) 可靠性分配应在研制阶段早期即开始进行。这样可以：使设计人员尽早明确其设计要求，研究实现这个要求的可能性和设计措施；为确定外购件及外协件可靠性指标提供依据；根据所分配的可靠性要求估算所需要的人力和资源等管理信息。

(2) 可靠性分配应反复多次进行。在方案和初步设计阶段，分配是较粗略的，经粗略分配后，应与经验数据进行比较、权衡；也可与不依赖于最初分配的可靠性预计结果相比较，来确定分配的合理性，并根据需要重新进行分配。

(3) 为了尽量减少可靠性分配的重复次数，在可靠性规定值的基础上，可考虑留出一定的余量。这种做法为在设计过程中增加新的功能单元留下余地，因而可以避免为适应附加的设计而必须进行的反复分配。

(4) 必须按成熟期规定值(或目标值)进行分配。分配中要有“其他”项，即产品中有些部分在分配中没有考虑，如电缆、管路、接口等，占总指标的10%左右。

2. 可靠性预计

1) 可靠性预计的目的

可靠性预计是在设计阶段对系统的可靠性进行定量的估计，是根据历史的产品可靠性数据、系统的构成和结构特点、系统的工作环境等因素估计组成系统的部件及系统可靠性。系统的可靠性预计是根据组成系统的元件、部件的可靠性来估计的，是一个自下而上、从局部到整体、由小到大的系统综合过程。

可靠性预计的目的和用途主要有以下方面。

(1) 评价是否能够达到要求的可靠性指标。

(2) 在方案阶段，通过可靠性预计，比较不同方案的可靠性水平，为最优方案的选择及方案优化提供依据。

(3) 在设计中，通过可靠性预计，发现影响系统可靠性的主要因素，找出薄弱环节，采取设计措施，提高系统的可靠性。

(4) 为可靠性增长试验、验证及费用核算等提供依据。

(5) 为可靠性分配奠定基础。

可靠性预计的主要价值在于：它可以作为设计手段，为设计决策提供依据。因此，

要求预计工作具有及时性，即在决策点之前做出预计，提供有用的信息，否则这项工作就会失去其意义。为了达到预计的及时性，在设计的不同阶段及系统的不同层次上可采用不同的预计方法，由粗到细，随着研制工作的深入而不断细化。

可靠性预计与可靠性分配都是可靠性设计分析的重要工作，两者相辅相成，相互支持。前者是自下而上的归纳综合过程，后者是自上而下的演绎分解过程。可靠性分配结果是可靠性预计的目标，可靠性预计的相对结果是可靠性分配与指标调整的基础。在系统设计的各个阶段均要相互交替反复进行多次，其工作流程如图 5-7 所示。

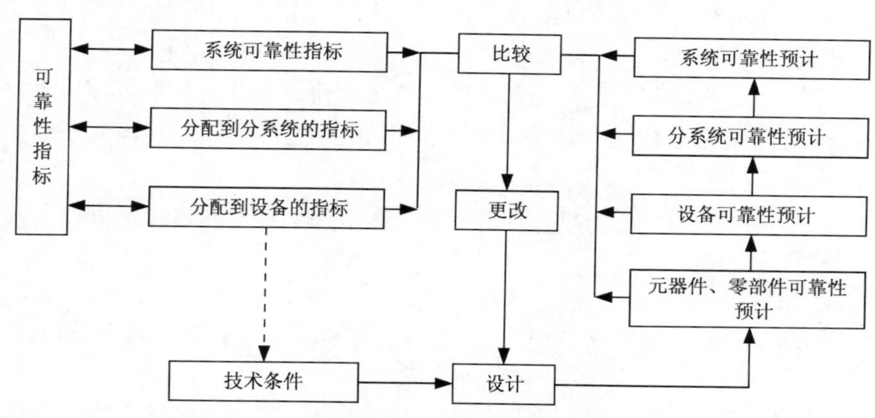

图 5-7　可靠性预计与分配关系的工作流程

2) 单元可靠性预计的方法

(1) 相似产品法。

相似产品法就是利用与该产品相似的已有成熟产品的可靠性数据来估计该产品的基本可靠性，成熟产品的可靠性数据主要来源于现场统计和实验室的试验结果。

相似产品法考虑的相似因素一般包括：产品结构、性能的相似性；设计的相似性；材料和制造工艺的相似性；使用剖面(保障、使用和环境条件)的相似性。

这种方法简单、快捷，适用于系统研制的各个阶段，可应用于各类产品的可靠性预计，如电子、机械、机电等产品，其预计的准确性取决于产品的相似性。成熟产品的详细故障记录越全，数据越丰富，比较的基础越好，预计的准确度越高。

相似产品法的预计程序如下。

①确定相似产品。考虑前述的相似因素，选择确定与新产品最为相似，且有可靠性数据的产品。

②分析相似因素对可靠性的影响。分析所考虑的各种因素对产品可靠性的影响程度，分析新产品与老产品的设计差异及这些差异对可靠性的影响。

③新产品的可靠性预计。根据②中的分析，确定新产品与老产品的可靠度值的比值，当然，这些比值应由有经验的专家评定。最终，根据比值预计出新产品的可靠度。

这种方法对于具有继承性的产品或其他相似的产品是比较适用的，但对于全新的产品或功能、结构改变比较大的产品就不太合适，而且这种方法的前提是相似产品具有可靠性数据。

(2) 评分预计法。

组成系统的各单元可靠性由于其复杂程度、技术水平、工作时间和环境条件等主要影响可靠性的因素不同而有所差异。评分预计法是在可靠性数据非常缺乏的情况下(可以得到个别产品可靠性数据)，通过有经验的设计人员或专家对影响可靠性的几种因素进行评分，对评分进行综合分析而获得各单元产品之间的可靠性相对比值，再以某一个已知可靠性数据的产品为基准，预计其他产品的可靠性。应用这种方法时，时间因素一般应以系统工作时间为基准，即预计出的各单元 MTBF 是以系统工作时间为其工作时间的。

①评分因素。

评分预计法通常考虑的因素有复杂程度、技术水平、工作时间和环境条件。在工程实际中可以根据产品的特点而增加或减少评分因素。

②评分原则。

评分预计法以产品故障率为预计参数说明评分原则。各种因素评分值范围为 1～10，评分越高说明可靠性越差。

评分原则如下：

a. 复杂程度。它是根据组成单元的元、部件数量以及它们组装的难易程度来评定的，最简单的评 1 分，最复杂的评 10 分。

b. 技术水平。它是根据单元目前的技术水平的成熟程度来评定的，水平最低的评 10 分，水平最高的评 1 分。

c. 工作时间。它是根据单元工作的时间来评定的，其前提是以系统的工作时间为时间基准。系统工作时，单元一直工作的评 10 分，工作时间最短的评 1 分。

如果系统中所有单元的故障率是以系统工作时间为基准，即所有单元故障率统计是以系统工作时间为统计时间计算的，则各单元的工作时间不相同，而统计时间均相等(实际工作中，外场统计很多是以系统工作时间统计的)，因此，必须考虑此因素。如果系统中所有单元的故障率是以单元自身工作时间为基准，即所有单元故障率统计是以单元自身工作时间为统计时间计算的，则单元的工作时间各不相同，故障率统计时间也不同，不考虑此因素。

d. 环境条件。它是根据单元所处的环境来评定的，单元工作过程中会经受极其恶劣和严酷的环境条件的评 10 分，环境条件最好的评 1 分。

③评分预计法的可靠性预计。

已知某单元的故障率为 λ^*，则其他单元的故障率为

$$\lambda_i = \lambda^* C_i \tag{5-52}$$

式中，$i = 1,2,\cdots,n$ 为单元数；C_i 为第 i 个单元的评分系数，$C_i = \omega_i / \omega^*$，$\omega_i$ 为第 i 个单元的评分数；ω^* 为故障率为 λ^* 的单元的评分数。

$$\omega_i = \prod_{j=1}^{4} r_{ij} \tag{5-53}$$

式中，r_{ij} 为第 i 个单元、第 j 个因素的评分数；$j = 1$ 为复杂程度；$j = 2$ 为技术水平；$j = 3$

为工作时间；$j=4$ 为环境条件。

评分预计法主要适用于产品的初样设计阶段与正样设计阶段，可用于各类产品的可靠性预计。这种方法是在产品可靠性数据十分缺乏的情况下进行可靠性预计的有效手段，但其预计的结果受人为影响较大。因此，在应用时，尽可能多请几位专家进行评分，以保证评分的客观性，以提高预计的准确性。

(3)应力分析法。

应力分析法主要用于产品详细设计阶段的电子元器件故障率的预计，其方法也是基于概率统计，是对某种电子元器件在实验室的标准应力与环境条件下，通过大量的试验，对其结果进行统计而得出该种元器件的故障率，称为基本故障。在预计电子元器件工作故障率时，应用元器件的质量等级、应力水平、环境条件等因素对基本故障率进行修正。电子元器件的应力分析法已有成熟的预计标准和手册，如国家军用标准 GJB/Z 299C—2006《电子设备可靠性预计手册》，它除了提供国产元器件的可靠性预计方法，同时也给出了进口元器件的可靠性预计方法。其计算较为烦琐，不同类别的元器件有不同的工作故障率计算模型，如普通二极管的故障率计算模型(GJB/Z 299C—2006)为

$$\lambda_P=\lambda_b(\pi_E\pi_Q\pi_r\pi_A\pi_{s_2}\pi_c) \tag{5-54}$$

式中，λ_P 为元器件工作故障率(1/h)；λ_b 为元器件基本故障率(1/h)；π_E 为环境系数；π_Q 为质量系数；π_r 为电流额定值系数；π_A 为应用系数；π_{s_2} 为电压应力系数；π_c 为结构系数。

各 π 系数是按照影响元器件可靠性的应用环境类别及其参数对基本故障率进行修正，这些系数均可查阅 GJB/Z 299C—2006。由于利用应力分析法预计电子元器件故障率很烦琐且费时，目前国内外已开发了相关的软件工具，利用计算机辅助预计可以大大节省人力及时间。

(4)故障率预计法。

故障率预计法主要用于非电子产品的可靠性预计，其原理与电子元器件的应力分析法基本相同，而且对基本故障率的修正更简单。

当系统研制进入详细设计阶段时，已有了产品的详细设计图，选定了零件，且已知它们的类型、数量、环境及使用应力，在具有实验室常温条件下测得的故障率时，可采用故障率预计法，这种方法对电子产品和非电子产品均适用。

在实验室常温条件下测得的故障率为基本故障率，实际故障率为工作故障率。对于非电子产品可考虑降额因子 D 和环境因子 K 对 λ 的影响。非电子产品的工作故障率为

$$\lambda=\lambda_b\cdot K\cdot D \tag{5-55}$$

式中，λ 为工作故障率(1/h)；λ_b 为基本故障率(1/h)；K, D 的取值由工程经验确定。

3)研制阶段不同时期可靠性预计方法的选取

可靠性预计应随研制工作的进展而深化，一般分为以下三个阶段。

(1)可行性预计用于方案阶段。在这个阶段，信息的详细程度只限于系统的总体情况、功能要求和结构设想，一般采用相似产品法或元件计数法，以工程经验来预计系统的可靠性，为方案决策提供依据。

(2)初步预计用于初步设计阶段。该阶段已有了工程图或草图，系统的组成已确定，

可采用元件计数法或专家评分法预计系统的可靠性,发现设计中的薄弱环节并加以改进。

(3) 详细预计用于详细设计阶段。这个阶段的特点是：系统的各个组成单元都具有了工作环境和使用应力的信息，可采用应力分析法或故障率预计法来比较准确地预计系统的可靠性，为进一步改进设计提供依据。

在进行可靠性预计时，除非特殊说明，寿命分布一般假设为指数分布，故障之间是相互独立的。

5.2.3　可靠性分析

1. 故障模式影响及危害性分析

1) FMECA 概述

(1) 目的与作用。

FMECA 是分析产品所有可能的故障模式及其可能产生的影响，并按每个故障模式产生影响的严重程度及其发生概率予以分类的一种归纳分析方法，属于单因素的分析方法。FMECA 由故障模式及影响分析(FMEA)和危害性分析(CA)两部分组成，只有在进行 FMEA 的基础上，才能进行 CA。

(2) 分类。

FMECA 是产品可靠性分析的一个重要的工作项目，同时也是开展维修性分析、安全性分析、测试性分析和保障性分析的基础。

在产品寿命周期内的不同阶段，采用 FMECA 的方法和目的略有不同，但根本目的均是从不同角度发现产品的各种缺陷与薄弱环节，并采取有效的改进和补偿措施以提高可靠性水平。在论证阶段与方案阶段，一般采用功能 FMECA 方法，其目的是分析研究系统功能设计的缺陷与薄弱环节，为系统功能设计的改进和方案的权衡提供依据；在工程研制阶段，通常综合使用功能 FMECA、硬件 FMECA、软件 FMECA、DMECA、过程 FMECA，其目的是分析研究系统硬件、软件设计的缺陷与薄弱环节，为系统的硬件、软件设计改进和方案权衡提供依据；在生产阶段，主要采用过程 FMECA，其目的是分析研究所设计的生产工艺及过程的缺陷和薄弱环节及其对产品的影响，为生产工艺的设计及过程的改进提供依据；在使用阶段，通常采用硬件 FMECA、软件 FMECA、DMECA、过程 FMECA，从而能够分析研究产品使用过程中实际发生的故障、原因及其影响，为评估论证阶段、工程研制阶段、生产阶段的 FMECA 的有效性和进行产品的改进、改型或新产品的研制提供依据。

(3) 主要步骤。

在本章中，如无特殊说明，均以功能/硬件 FMECA 为例来阐述 FMECA 的原理与过程。用于其他分析目的的 FMECA 方法与功能/硬件 FMECA 方法在原理上基本是一致的。功能/硬件 FMECA 一般由故障模式及影响分析和危害性分析两部分构成，其中故障模式及影响分析的主要步骤包括故障模式分析、故障原因分析、故障影响及严酷度分析、故障检测方法分析、设计改进与使用补偿措施分析等，在此基础上通过危害性分析即可形成完整的 FMECA 报告。

下面分别就故障模式及影响分析和危害性分析的具体方法进行介绍。

2) 故障模式及影响分析

(1) 故障模式分析。

故障是产品或产品的一部分不能或将不能完成预定功能的事件或状态(对某些产品如电子元器件、弹药等称为失效)。判定产品是否构成故障的依据是事先定义的故障判据，一般根据产品规定的性能指标及其允许基线来定义。故障模式是故障的表现形式，如短路、开路、断裂、过度耗损等。在进行故障模式分析时，应注意区分两类不同性质的故障，即功能故障和潜在故障。功能故障是指产品或产品的一部分不能完成预定功能的事件或状态，即产品或产品的一部分突然、彻底地丧失了规定的功能。潜在故障是指产品或产品的一部分将不能完成预定功能的事件或状态。潜在故障是一种指示功能故障将要发生的一种可鉴别(人工观察或仪器检测)的状态。

在系统的寿命周期内，分析人员首先遇到的问题是在系统研制初期如何分析各产品可能的故障模式。一般来说，可通过统计、试验、分析、预测等方法获取产品的故障模式，主要原则如下。

①对于现有产品，以该产品在过去的使用中所发生的故障模式为基础，根据该产品使用环境条件的异同进行分析修正，进而得到该产品的故障模式。

②对于新产品，可根据该产品的功能原理和结构特点进行分析、预测，进而得到该产品的故障模式，或以与该产品具有相似功能和相似结构的产品所发生的故障模式作为基础，分析判断该产品的故障模式。

③对于引进的国外货架产品，应向外商索取其故障模式，或以相似功能和相似结构产品中发生的故障模式为基础分析判断其故障模式。

④对于常用的元器件、零组件，可从国内外某些标准、手册中确定其故障模式。

(2) 故障原因分析。

故障模式分析只说明了产品将以什么模式发生故障，并没有说明产品为何发生故障。因此，为了提高产品的可靠性，还必须分析产生每一个故障模式的所有可能原因。分析故障原因一般从两个方面着手，一方面是导致产品功能故障或潜在故障的产品自身的那些物理、化学或生物变化过程等直接原因；另一方面是由于其他产品的故障、环境因素和人为因素等引起的间接故障原因。

(3) 故障影响分析。

①确定约定层次。

FMEA 中常用约定层次的定义如下。

a. 初始约定层次：产品所在的约定层次中的最高层次。

b. 约定层次：按产品的功能关系或组成特点进行 FMEA 的产品所在的功能层次或结构层次，一般是从复杂到简单依次进行划分。

c. 其他约定层次：相继的约定层次(第二、第三、第四等)，这些层次表明了直至较简单的组成部分的有顺序的排列。

d. 最低约定层次：约定层次中最底层的产品所在的层次。

②故障影响的定义。

故障影响是指产品的每一个故障模式对产品自身或其他产品的使用、功能和状态的影响。当分析系统中某产品的故障模式对其他产品的故障影响时，通常按预先定义的约定层次结构进行，即当分析某产品的故障模式对其他产品的影响时，不仅要分析该故障模式对该产品所在相同层次的其他产品造成的影响，还要分析该故障模式对该产品所在层次的更高层次产品的影响。通常将这些按约定层次划分的故障影响称为局部影响、高(上)一层次影响和最终影响，其定义见表 5-2。

表 5-2　故障影响的定义

名称	定义
局部影响	某产品的故障模式对该产品自身及所在约定层次产品的使用、功能或状态的影响
高(上)一层次影响	某产品的故障模式对该产品所在约定层次的紧邻上一层次产品的使用、功能或状态的影响
最终影响	某产品的故障模式对初始约定层次产品的使用、功能或状态的影响

③严酷度定义。

在进行故障影响分析之前，应对故障模式的严酷度类别(或等级)进行定义。它是根据故障模式最终可能出现的人员伤亡、任务失败、产品损坏(或经济损失)和环境损害等方面的影响程度进行确定的。武器装备常用的严酷度类别与定义见表 5-3。

表 5-3　武器装备常用的严酷度类别与定义

严酷度类别	严重程度定义
Ⅰ类(灾难的)	引起人员死亡或产品(如飞机、坦克、导弹及船舶等)毁坏、重大环境损害
Ⅱ类(致命的)	引起人员的严重伤害或重大经济损失或导致任务失败、产品严重损坏及严重环境损害
Ⅲ类(中等的)	引起人员的中等程度伤害或中等程度的经济损失或导致任务延迟或降级、产品中等程度的损坏及中等程度环境损害
Ⅳ类(轻度的)	不足以导致人员伤害或轻度的经济损失或产品轻度的损坏及环境损害，但它会导致非计划性维护或修理

④故障影响与严酷度等级的确定。

系统全面地分析每一个故障模式产生的局部影响、高一层次影响及最终影响，同时按最终影响的严重程度，对照严酷度定义，分析每一个故障模式的严酷度等级。应注意的是，在进行最终影响分析时，当所分析的产品在系统设计中已采用了余度设计、备用工作方式设计或故障检测与保护设计时，应暂不考虑这些设计措施，即分析该产品的某一故障模式可能造成的最坏的故障影响。当根据这种最终影响确定该故障模式的严酷度等级时，应当在备注中指明系统中已采取的针对这种故障影响的设计措施，对于这种情况更详细的分析要借助故障模式的危害性分析。

(4) 故障检测方法分析。

针对经分析找出的每一个故障模式，确定其故障检测方法，以便为系统的维修性、测试性设计与系统的维修工作提供依据。故障检测方法一般包括目视检查、离机检测、原位测试等；采用的手段包括 BIT(机内测试)、自动传感装置、传感仪器、音响报警装置、显示报警装置等。故障检测一般分为事前检测与事后检测两类，对于潜在故障模式，应尽可能设计事前检测方法。

(5) 设计改进与使用补偿措施分析。

补偿措施分析是针对每个故障模式的原因、影响，提出可能的补偿措施，这是关系到能否有效地提高产品可靠性的重要环节。分析人员应指出并评价那些能够用来消除或减轻故障影响的补偿措施。这些补偿措施分为设计改进措施与使用补偿措施。

①设计改进措施。

a. 产品发生故障时，应考虑是否具备能够继续工作的冗余设备。

b. 安全或保险装置(如监控及报警装置)。

c. 可替换的工作方式(如备用或辅助设备)。

d. 可以消除或减轻故障影响的设计改进(如优选元器件、热设计、降额设计等)。

②使用补偿措施。

a. 为了尽量避免或预防故障的发生，在使用和维护规程中规定的使用维护措施。

b. 一旦出现某故障后，操作人员应采取的最恰当的补救措施等。

(6) FMEA 表格与实施。

FMEA 的实施一般通过填写 FMEA 表格进行，一种常用的功能及硬件 FMEA 表格形式如表 5-4 所示。根据各种不同的分析要求，可设计不同风格的 FMEA 表格形式。

表 5-4　功能及硬件 FMEA 表

初始约定层次产品：　　任务：　　审核：　　第　页共　页

约定层次产品：　　分析人员：　　批准：　　填表日期：

代码	产品或功能标志	功能	故障模式	故障原因	任务阶段与工作方式	故障影响			严酷度类别	故障检测方法	设计改进措施	使用补偿措施	备注
						局部影响	高一层次影响	最终影响					
1	2	3	4	5	6	7	8	9	10	11	12	13	14

在进行 FMEA 时，表 5-4 中的“初始约定层次产品”处填写处于初始约定层次中的产品名称，“约定层次产品”处则填写 FMEA 表中正在被分析的产品紧邻的上一层次产品。当约定层次的级数较多(一般大于 3 级)时，应从下至上按约定层次的级别不断分析，直至约定层次为初始约定层次时，才构成一套完整的 FMEA 表格。

表 5-4 中的“任务”处填写“初始约定层次产品”所需完成的任务。若初始约定层次具有不同的任务，则应分开填写 FMEA 表。对于武器装备的任务通常用任务剖面来描述。

3) 危害性分析

危害性分析的目的是按每一个故障模式的严重程度及该故障模式发生的概率所产生的综合影响对系统中的产品进行划等分类，以便全面评价系统中各种可能出现的产品故障的影响。危害性分析是 FMEA 的补充或扩展，只有在进行 FMEA 的基础上才能进行危害性分析。

危害性分析有定性分析和定量分析。究竟选择哪种方法，应根据具体情况决定。在不能获得产品技术状态数据或故障率数据的情况下，可选择定性分析方法。若可以获得产品的这些数据，则应以定量分析方法计算并分析危害度。

(1) 主要分析方法。

在得不到产品技术状态数据或故障率数据的情况下，可以按故障模式发生的概率来评价故障模式。此时，将各故障模式的发生概率按一定的规定分成不同的等级。在具备产品的技术状态数据和故障率数据的情况下，采用定量分析方法，可以得到更为有效的分析结果。用定量分析方法进行危害性分析时，所用的故障率数据源应与进行其他可靠性维修性分析时所用的故障率数据源相同。

(2) 危害性分析的工作程序。

危害性分析分为填写危害性分析表格和绘制危害性矩阵两大步骤。

①填写危害性分析表格。

危害性分析表如表 5-5 所示。

表 5-5　危害性分析表

初始约定层次产品：　　任务：　　审核：　　第　页共　页

约定层次产品：　　分析人员：　　批准：　　填表日期：

代码	产品或功能标志	功能	故障模式	故障原因	任务阶段与工作方式	严酷度类别	故障概率或故障率数据源	故障率	故障模式频数比	故障影响概率	工作时间	故障模式危害度	产品危害度	备注
1	2	3	4	5	6	7	8	9	10	11	12	13	14	15

第 1～7 栏：诸栏内容均可在 FMEA 表格中找到相一致的内容，可把 FMEA 表格中对应栏的内容直接填入危害性分析表中。

第 8 栏(故障概率或故障率数据源)：当进行定性分析时，即以故障模式发生概率来评价故障模式时，应列出故障模式发生概率的等级；如果使用故障率数据来计算危害度，则应列出计算时所使用的故障率数据的来源。当进行定性分析时，不考虑其余各栏内容，可直接绘制危害性矩阵。

第 9 栏(故障率)：故障率可通过可靠性预计得到，如果是从有关手册或其他参考资料查到的产品的基本故障率，则可以根据需要结合应用系数、环境系数及质量系数等参数修正工作应力的差异。

第 10 栏(故障模式频数比)：故障模式频数比表示产品将以故障模式 j 发生的百分比。

第 11 栏(故障影响概率)：故障影响概率是分析人员根据经验判断得到的，它是产品以故障模式 j 发生故障而导致系统任务丧失的条件概率。

第 12 栏(工作时间)：工作时间可以从系统定义导出，通常以产品每次任务的工作小时数或工作循环次数表示。

第 13 栏(故障模式危害度)：故障模式危害度是产品危害度的一部分，对给定的严酷度类别和任务阶段而言，产品的第 j 个故障模式危害度可通过计算得出。

第 14 栏(产品危害度)：一个产品的危害度指预计将由该产品的故障模式造成的某一特定类型的产品故障数。

第 15 栏(备注)：该栏记入与各栏有关的补充和说明以及有关建议等。

②绘制危害性矩阵。

危害性矩阵用来确定和比较每一个故障模式的危害度，进而为确定改进措施的先后顺序提供依据。危害性矩阵图的横坐标用严酷度类别表示，纵坐标用产品危害度或故障模式发生概率等级表示，其示例如图 5-8 所示。

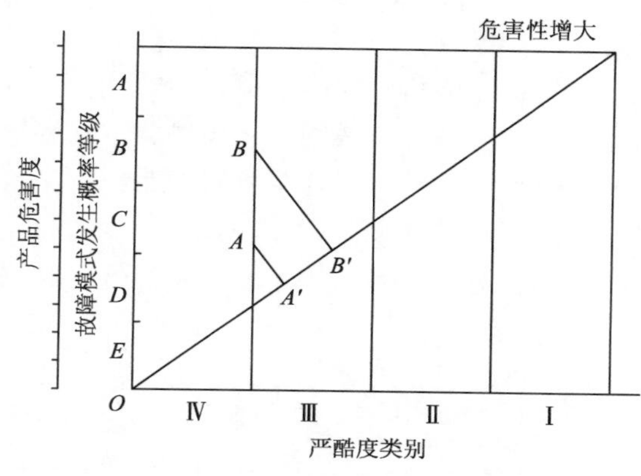

图 5-8　危害性矩阵示例

将产品或故障模式编码参照其严酷度类别及故障模式发生概率等级或产品危害度标在矩阵的相应位置，这样绘制的矩阵图可以表明产品各故障模式危害性的分布情况。所记录的故障模式分布点在对角线上的投影点距离原点越远，其危害性越大，越需尽快采取改进措施，如图中故障模式 B 的投影距离 OB'比故障模式 A 的投影距离 OA'长，所以故障模式 B 的危害性大。绘制好的危害性矩阵图应作为 FMECA 报告的一部分。

2. 故障树分析(FTA)

1)FTA 的目的与作用

虽然在系统设计和使用阶段对可能引起灾难性后果的故障已经给予了足够的重视，但还是不时发生一些令人痛心的灾难，如苏联的切尔诺贝利核泄漏事故、美国的挑战者号升空后爆炸和印度的博帕尔化学品泄漏等事故，都给人们留下了永远抹不去的痛苦记忆。这些灾难促使人们研究和寻找一种在工程上能够保障与改进系统可靠性、安全性的方法。FTA 的目的是通过 FTA 过程透彻了解系统故障与各部分故障之间的逻辑关系，找出薄弱环节，以便改进系统设计、运行和维修，从而提高系统的可靠性、维修性和安全性。

FTA 的作用有以下方面。

(1)全面分析系统故障状态的原因，不仅可以分析某些元器件、零部件故障对系统的影响，还可以对导致这些部件故障的特殊原因(如环境的甚至人为的原因)进行分析，予以统一考虑。

(2) 表达系统内在联系，并指出元器件、零部件故障与系统故障之间的逻辑关系。

(3) 弄清各种潜在因素对故障发生影响的途径和程度，因而许多问题在分析的过程中就能被发现和解决，从而提高了系统的可靠性。

(4) 通过故障树可以定量地计算复杂系统的故障概率及其他可靠性参数，为改善和评估系统可靠性提供定量数据。

(5) 故障树建成后，可以清晰地反映系统故障与单元故障的关系，为检测、隔离及排除故障提供指导。对不曾参与系统设计的管理和维修人员来说，故障树相当于一个形象的管理、维修指南，因此对培训使用系统的人员更有意义。

2) FTA 的分析程序

故障树分析可以让人们知道哪些事件的组合可以导致危及系统安全的故障，并计算它们发生的概率，然后通过设计改进和有效的故障监测、维修等措施，设法减小它们的发生概率，如图 5-9 所示。FTA 方法还可以让分析者对系统有更深入的认识，系统掌握有关结构、功能、故障及维修保障的知识，因此在设计、制造和操作过程中的可靠性改进更富有成效。实践证明，FTA 方法在系统安全性、可靠性、维修性和保障性分析方面很有工程实效。

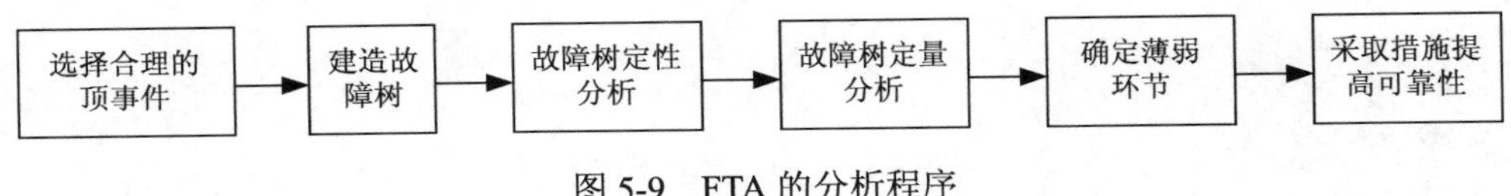

图 5-9　FTA 的分析程序

3) 建造故障树

故障树指用来表明产品哪些组成部分的故障或外界事件或它们的组合将导致产品发生给定故障的逻辑图。从故障树的定义可知，故障树是一种逻辑因果关系图，构图的元素是事件和逻辑门。图中的事件用来描述系统和元、部件故障的状态，逻辑门把事件联系起来，表示事件之间的逻辑关系。由于传统的故障树不能将次序相关故障(事件发生的次序非常重要)之间的关系表现出来，因此在传统的故障树中增添特殊的门集，用以模拟次序相关的故障，以此形成的故障树称为动态故障树。

(1) 故障树中的常用符号。

故障树中的常用符号包括事件符号和基本逻辑门符号，其中事件符号主要包括以下方面。

①顶事件(Top Events)：人们不希望发生的，但可以预见的对系统性能、经济性、可靠性和安全性有显著影响的故障事件。

②基本事件(Basic Events)：相当于系统中的基本故障事件，一般指元器件的故障事件。

③未展开事件(Undeveloped Events)：不需要再进一步分析的故障事件。

④入三角(Transfer In)：位于故障树的底部，表示该部分分支在别处。

⑤出三角(Transfer Out)：位于故障树的顶部，表示该部分为位于别处的子故障树。

顶事件、基本事件、未展开事件、入三角和出三角的符号如图 5-10 所示。

图 5-10　事件符号标示图

静态故障树的基本逻辑门符号主要包括以下几种。

①或门：任何一个输入存在，就会有输出。

②与门：所有输入同时出现，才会有输出。

③表决门：n 个输入事件中至少有 k 个事件发生时，输出事件才能发生(事件发生即发生故障，同下)。

④异或门：输入事件任何一个发生都可引起输出事件发生，但输入事件不能同时发生。

⑤禁止门：当前提条件满足时，输入事件发生方可引起输出事件的发生。

上述各类门的逻辑符号如图 5-11 所示。

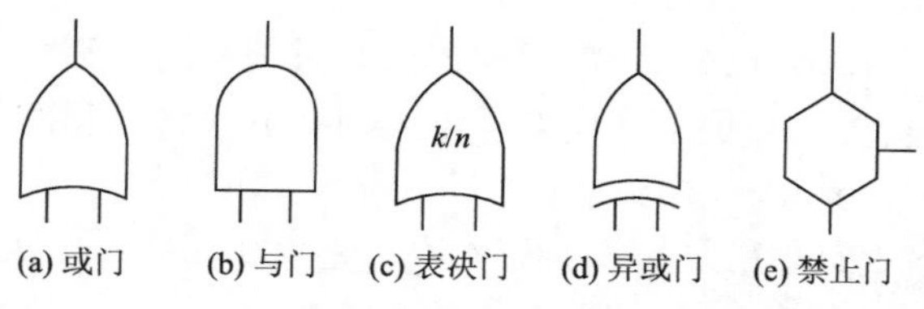

图 5-11　静态逻辑门

(2) 建造故障树的步骤。

①广泛收集并分析系统及其故障的有关资料。

有关资料包括系统的设计资料，如说明书、原理图、结构图和设计说明等；试验资料，如试验报告、故障记录等；使用维护资料，如维修规章、维修记录等；用户信息，如质量保证期的故障信息、重大故障的详细分析报告等。

②选择顶事件。

顶事件的选取根据分析的目的不同，可分别考虑对系统技术性能、经济性、可靠性和安全性影响显著的故障事件。例如，飞机起落架放不下来，将直接危及飞机安全，当对起落架进行安全性分析时就可以选“起落架放不下来”这一顶事件进行故障树分析。

③建造故障树。

故障树是一种特殊的倒立树状因果关系逻辑图，它用事件符号、逻辑门符号和转移符号描述系统中各种事件之间的因果关系。对于复杂系统，建树时应按系统层次逐级展开，利用故障树专用的事件和逻辑门符号将故障事件之间的逻辑推理关系表达出来，逻辑门的输入事件是输出事件的“因”，逻辑门的输出事件是输入事件的“果”。

④简化故障树。

在明确定义系统接口和进行合理假设的情况下，可以对所建故障树进行必要的简化；

再者对于复杂庞大的故障树可应用模块分解法、逻辑简化法和早期不变化法等进行合理的简化，以便分析。

(3) 建造故障树中应注意的事项。

①明确建树边界条件，简化故障树。

对系统进行必要的合理假设，如不考虑人为故障等。一棵庞大的故障树的接口应和其对应系统相一致，即树的边界应和系统的边界相一致，才可避免遗漏和重复。对于部件较多的系统，可在 FMECA 的基础上将那些对于给定的顶事件不重要的部件舍去。

②故障事件严格定义，特别是顶事件应严格定义。

故障事件，特别是顶事件必须严格定义，否则建出的故障树将不正确。

③应从上向下逐级建树。

本条规则的主要目的是避免遗漏。一棵庞大的故障树，下级输入数可能很多，而每一个输入都可能仍然是一棵庞大的子树，因此逐级建树可避免遗漏。

④建树时不允许门-门直接相连。

本条规则是防止建树者不从文字上对中间事件下定义即去发展该子树，其次门-门相连的故障树使评审者无法判断对错，故不允许门-门直接相连。

⑤把对事件的抽象描述具体化。

为了故障树的向下发展，必须用等价的比较、具体的直接事件逐步取代比较抽象的间接事件，这样在建树时也可能形成不经任何逻辑门的事件-事件串。

4) 故障树的定性分析

故障树定性分析的目的在于寻找导致顶事件发生的原因事件及原因事件的组合，即识别导致顶事件发生的所有故障模式集合，帮助分析人员发现潜在的故障和设计的薄弱环节，以便改进设计，还可用于指导故障诊断，改进使用和维修方案。

(1) 割集、最小割集和路集、最小路集。

割集：故障树中一些底事件的集合，当这些底事件同时发生时，顶事件必然发生。

最小割集：若将割集中所含的底事件任意去掉一个就不再成为割集了，这样的割集就是最小割集。

路集：故障树中一些底事件的集合，当这些底事件不发生时，顶事件必然不发生。

最小路集：若将路集中所含的底事件任意去掉一个就不再成为路集了，这样的路集就是最小路集。

用图 5-12 来说明割集、最小割集和路集、最小路集。

图 5-12 是一个由三个部件组成的串并联系统，该系统共有三个底事件：X_1, X_2, X_3，根据与门、或门的性质和割集的定义，可方便找出该故障树的割集是：$\{X_1\}$，$\{X_2, X_3\}$，$\{X_1, X_2, X_3\}$，$\{X_2, X_1\}$，$\{X_1, X_3\}$。

路集是：$\{X_1, X_2\}$，$\{X_1, X_3\}$，$\{X_1, X_2, X_3\}$。

根据最小割集的定义在以上 5 个割集中找出最小割集是：$\{X_1\}$，$\{X_2, X_3\}$。

最小路集是：$\{X_1, X_2\}$，$\{X_1, X_3\}$。

一个最小割集代表系统的一种故障模式，故障树定性分析的任务之一就是要寻找故障树的全部最小割集。

如果系统的某一故障模式发生了，则一定是该系统中与其对应的某一个最小割集中的全部底事件发生了。因此，当进行维修时，如果只修复某个故障部件，虽然能够使系统恢复功能，但其可靠性水平还远未恢复。根据最小割集的概念，只有修复同一最小割集中的其他部件故障，才能恢复系统的可靠性、安全性设计水平。

(2) 最小割集求解方法。

求最小割集的方法很多，常用的有下行法与上行法两种。

①下行法。

根据故障树的实际结构，从顶事件开始，逐层向下寻查，找出割集。规则就是遇到“与门”增加割集阶数(割集所含底事件数目)，遇到“或门”增加割集个数。具体做法就是从顶事件开始逐层向下寻查形成横向列表，遇到“与门”就将其输入事件取代输出事件排在表格的同一行下一列内，遇到“或门”就将其输入事件在下一列纵向依次展开，直到故障树的最底层。这样列出的表格最后一列的每一行都是故障树的割集，再通过割集之间的比较，进行合并消元，得到故障树的全部最小割集。

以图 5-13 所示故障树为例，采用下行法求它的割集与最小割集。

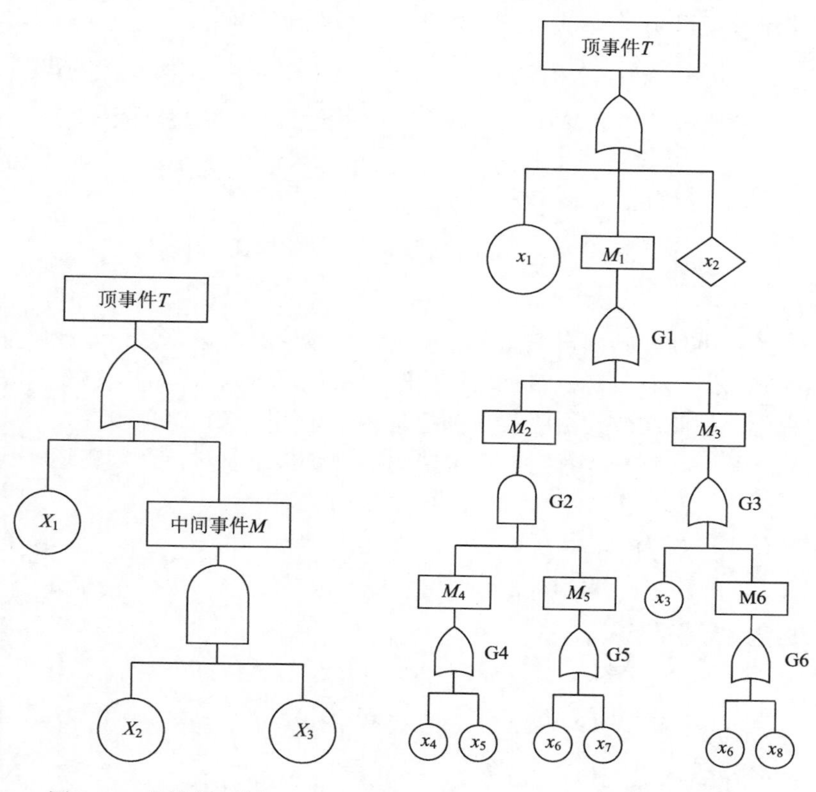

图 5-12　故障树示例 1

图 5-13　故障树示例 2

下行法的具体分析过程如表 5-6 所示。

表 5-6　下行法求解最小割集

步骤	1	2	3	4	5	6
过程	x_1	x_1	x_1	x_1	x_1	x_1
	M_1	M_2	M_4,M_5	M_4,M_5	x_4,M_5	x_4,x_6
	x_2	M_3	M_3	x_3	x_5,M_5	x_4,x_7
		x_2	x_2	M_6	x_3	x_5,x_6
				x_2	M_6	x_5,x_7
					x_2	x_3
						x_6
						x_8
						x_2

从步骤 1 到步骤 2 时，因 M_1 下面是“或门”，故在步骤 2 中 M_1 的位置换之以 M_2、M_3 且竖向串列。从步骤 2 到步骤 3 时，因 M_2 下面是“与门”，故在下一列同一行内用 M_4、M_5 代替 M_2 横向并列，由此下去直到步骤 6，共得九个割集：

$\{x_1\}$，$\{x_4, x_6\}$，$\{x_4, x_7\}$，$\{x_5, x_6\}$，$\{x_5, x_7\}$，$\{x_3\}$，$\{x_6\}$，$\{x_8\}$，$\{x_2\}$

通过集合运算吸收律规则简化以上割集，得到全部最小割集。因

$$x_6 \cup x_4x_6 = x_6\text{，}\quad x_6 \cup x_5x_6 = x_6$$

故 x_4x_6 和 x_5x_6 被吸收，得到全部最小割集：

$$\{x_1\}\text{，}\{x_4, x_7\}\text{，}\{x_5, x_7\}\text{，}\{x_3\}\text{，}\{x_6\}\text{，}\{x_8\}\text{，}\{x_2\}$$

②上行法。

从故障树的底事件开始，自下而上逐层地进行事件集合运算，将“或门”输出事件用输入事件的并(布尔和)代替，将“与门”输出事件用输入事件的交(布尔积)代替。在逐层代入过程中，按照布尔代数吸收律和等幂律来化简，最后将顶事件表示成底事件积之和的最简式。其中，每一积项对应于故障树的一个最小割集，全部积项即故障树的所有最小割集。用上行法求图 5-13 所示故障树的最小割集。

故障树的最下一层为

$$M_4 = x_4 \cup x_5\text{，}\quad M_5 = x_6 \cup x_7\text{，}\quad M_6 = x_6 \cup x_8$$

往上一层为

$$M_2 = M_4 \cap M_5 = (x_4 \cup x_5) \cap (x_6 \cup x_7)$$
$$M_3 = x_3 \cup M_6 = x_3 \cup x_6 \cup x_8$$

再往上一层为

$$\begin{aligned} M_1 &= M_2 \cup M_3 \\ &= (x_4 \cup x_5) \cap (x_6 \cup x_7) \cup x_3 \cup x_6 \cup x_8 \\ &= (x_4 \cup x_7) \cap (x_5 \cup x_7) \cup x_3 \cup x_6 \cup x_8 \end{aligned}$$

最上一层为

$$
\begin{aligned}
T &= x_1 \cup x_2 \cup M_1 \\
&= x_1 \cup x_2 \cup x_3 \cup x_6 \cup x_8 \cup (x_4 \cap x_7) \cup (x_5 \cup x_7)
\end{aligned}
$$

上式共有 7 个积项，因此得到 7 个最小割集：

$$\{x_1\},\ \{x_2\},\ \{x_3\},\ \{x_6\},\ \{x_8\},\ \{x_4,\ x_7\},\ \{x_5,\ x_7\}$$

结果与第一种方法相同。要注意的是，只有在每一步都利用集合运算规则进行简化、吸收，得到的结果才是最小割集。

(3) 最小割集与底事件的定性分析。

在求得全部最小割集后，如果有足够的数据，能够对故障树中各个底事件的发生概率做出推断，则可进一步对顶事件的发生概率做定量分析；数据不足时，可按以下原则对最小割集及底事件进行定性比较，以便将定性比较的结果应用于提示改进系统的方向，指导故障诊断、确定维修次序。

首先根据每个最小割集所含底事件数目(阶数)排序，在各个底事件发生概率比较小且相互差别不大的条件下，可按以下原则对最小割集及底事件进行比较。

①阶数越小的最小割集越重要。

②在低阶最小割集中出现的底事件比高阶最小割集中的底事件重要。

③在最小割集阶数相同的条件下，在不同最小割集中重复出现的次数越多的底事件越重要。

④在工程上为了减少分析工作量，可以略去阶数大于指定值的所有最小割集来进行近似分析。

5) 故障树的定量计算

(1) 静态故障树的数学描述。

现在研究一个由 n 个底事件构成的故障树，并有如下假设。

①底事件之间相互独立。

②元、部件和系统只有正常和故障两种状态。

③元、部件寿命为指数分布。

利用结构函数可以有效地进行静态故障树的分析。设 x_i 表示底事件的状态变量，根据以上假设，x_i 仅取 0 或 1 两种状态。ϕ 表示顶事件的状态变量，ϕ 也仅取 0 或 1 两种状态，有如下定义：

$$
x_i = \begin{cases} 1, & \text{底事件}x_i\text{发生(即元、部件故障)} \\ 0, & \text{底事件}x_i\text{不发生(即元、部件正常)} \end{cases}
$$

$$
\phi = \begin{cases} 1, & \text{顶事件发生(即系统故障)} \\ 0, & \text{顶事件不发生(即系统正常)} \end{cases}
$$

因为顶事件状态变量 ϕ 完全由故障树中底事件状态所决定，即 $\phi=\phi(X)$，$X=(x_1, x_2, \cdots, x_n)$。

称 $\phi=\phi(X)$ 为故障树的结构函数，它是表示系统状态的一种布尔函数，其自变量为该系统组成单元的状态。

(2) 常用的典型结构的结构函数。

①“与门”结构。

根据“与门”的定义：当输入事件全部发生时，输出事件才发生；即全部元、部件故障时，系统才发生故障(相当于可靠性模型中的并联模型)。因此，有

$$\phi(X)=\bigcap_{i=1}^{n} x_i,\quad i=1,2,\cdots,n \tag{5-56}$$

式中，n 为输入事件的个数。

当 x_i 仅取 0、1 时，结构函数可以写成

$$\phi(X)=\prod_{i=1}^{n} x_i \tag{5-57}$$

②“或门”结构。

根据“或门”的定义：输入事件只要有一个发生，输出事件就发生；即元、部件只要有一个故障，系统就故障(相当于可靠性模型中的串联模型)。因此，有

$$\phi(X)=\bigcup_{i=1}^{n} x_i,\quad i=1,2,\cdots,n \tag{5-58}$$

式中，n 为输入事件的个数。

当 x_i 仅取 0、1 二值时，结构函数可以写成

$$\phi(X)=1-\prod_{i=1}^{n}(1-x_i),\quad i=1,2,\cdots,n \tag{5-59}$$

③ n 中取 r 的结构函数。

根据“表决门”的定义：只要当输入事件发生的个数大于等于 r 时，输出事件才发生；即元、部件故障的个数 $\geqslant r$，系统才发生故障。因此，有

$$\phi(X)=\begin{cases}1, & \sum x_i \geqslant r\\ 0, & \text{其他情况}\end{cases} \tag{5-60}$$

式中，r 为使“表决门”输出事件发生的最小输入事件的个数。

(3) 通过最小割集求顶事件发生的概率。

这里以最小割集之间不相交的情况为例说明。已知故障树的全部最小割集为 K_1，K_2，…，K_{N_k}，并且假定在一个很短的时间间隔内同时发生两个或两个以上最小割集的概率为零，且各最小割集中没有重复出现的底事件，也就是假定最小割集之间是不相交的，则有顶事件 T 为

$$T=\phi(X)=\bigcup_{j=1}^{N_k} K_j(t) \tag{5-61}$$

$$P[K_j(t)]=\prod_{i\in K_j} F_i(t) \tag{5-62}$$

式中，$P[K_j(t)]$ 为在时刻 t 第 j 个最小割集发生的概率；$F_i(t)$ 为在时刻 t 第 j 个最小割集

中第 i 个部件的故障概率；N_k 为最小割集数。

因此，有

$$P(T)=F_{\mathrm{s}}(t)=P[\phi(X)]=\sum_{j=1}^{N_k}\left(\prod_{i\in K_j}F_i(t)\right) \tag{5-63}$$

式中，$P(T)$ 为顶事件发生的概率；$F_{\mathrm{s}}(t)$ 为系统不可靠度。

5.3 可靠性试验与评价

可靠性试验与评价是为了了解、评价、分析和提高产品可靠性而进行的试验的总称。产品的可靠性是设计、制造和管理出来的，但应通过试验予以考核、检验。因此，可靠性试验是可靠性工程中的一个重要环节，本节介绍可靠性试验与评价的内涵、主要内容及常用可靠性试验类型。

5.3.1 可靠性试验与评价的目的及要求

1. 可靠性试验与评价的目的

可靠性试验与评价的目的主要包括以下几个方面。

(1) 确定产品在各种应力条件下的可靠性特征及寿命分布类型，给出产品各种可靠性特征量指标，如平均寿命、故障率、可靠度等。

(2) 发现产品在设计方案、元器件、原材料、零部件和工艺方面的各种缺陷，鉴定产品的可靠性薄弱环节，为改进产品质量提供依据。

(3) 对新产品或已经投入生产的产品设计进行可靠性鉴定，判断产品设计和生产工艺是否符合可靠性要求，是否可以通过设计、生产定型鉴定，跟踪产品的故障原因，提出改进措施。

(4) 确认产品的可靠性是否符合合同或任务书要求，即是否达到了规定的指标，以供用户决定是否接受该批产品。

(5) 为评估产品的战备完好性、任务成功性、维修人力费用优化和后勤保障资源费用提供发布信息，实现资源查询与共享。

2. 可靠性试验与评价的要求

1) 试验条件

可靠性试验的条件既要考虑到受试产品的固有特性，还要考虑到影响受试产品故障出现的其他因素。如果从安全性要求出发，产品可靠性不能低于某一水平，则试验条件应考虑到给定使用条件下的最严酷情况。如果为了进行维修性的鉴定试验，则试验条件应高度接近典型的现场使用条件。如果进行两种设备的可靠性对比试验，则往往用容许范围内接近于极限的应力等，视具体试验目的而定。一般情况下，除了强化试验(特定情况下，施加应力超出了规定的产品承受的应力容许范围)，施加应力不应超出规定的容许范围(筛选及加速试验例外)。

如果必须研究产品在多种工作条件、环境条件和维修条件下的可靠性，则应设计一个能代表这些不同情况的试验剖面，即代表典型的现场使用的各种试验条件(工作条件与环境条件等)的组合顺序。在试验剖面的一个周期内，明确工作条件、环境条件、预防性维修条件存在于哪一段时间区间，它们之间的相互关系如何。

在一个试验剖面内，环境条件有时需要转换，环境条件转换的时间有时不能过短，以免产生不期望的新的应力(例如，如果温度转换过快，就会形成热冲击)。转换后的环境条件应持续一段必要的时间，使环境条件达到稳定。

2) 试验剖面

试验剖面是直接供试验用的环境参数与时间的关系图，是按照一定的规则对环境剖面进行处理后获得的。对于有多个任务剖面的产品，要把对应于多个任务剖面、环境剖面的多个试验剖面综合成一个合成试验剖面。

为了使合成试验剖面尽可能模拟现场使用的实际环境中的主要应力，应尽可能使用实测应力作为确定综合环境应力试验条件的基础。实测应力是根据产品在现场使用中执行典型任务剖面时，在产品的安装位置处测得的数据，经分析处理后得到的应力。如果得不到实测应力，则可以用相似用途的产品在相似任务剖面处于相似位置测得的数据经处理后得到“估计应力”。如果连估计应力也得不到，则可用 GJB 899 提供的参考应力。

5.3.2 可靠性试验与评价的内容

1. 可靠性试验与评价分类

可靠性试验涉及的内容相当广泛，根据试验地点、产品过程、试验目的及试验结束方式等可以分为不同种类，具体内容如下。

(1) 按试验地点可分为现场试验和实验室试验。

(2) 按产品过程可以分为设计阶段的可靠性研制试验、定型阶段的可靠性鉴定试验、生产阶段的可靠性验收试验、使用阶段的可靠性评定试验。

(3) 按照试验目的可以分为环境应力试验、可靠性增长试验、可靠性鉴定试验、可靠性验收试验、可靠性评定试验、寿命试验、环境试验。

(4) 按试验结束方式可以分为完整试验和截尾试验。

这里对常见的可靠性试验与评价方法进行介绍，主要包括环境应力筛选试验、可靠性研制试验、可靠性增长试验、可靠性鉴定试验与可靠性验收试验以及可靠性寿命试验，如图 5-14 所示。

2. 可靠性试验与评价要素

在进行可靠性试验与评价时，需要考虑以下要素。

(1) 试验条件。要考虑尽快激发出产品中存在的设计、材料和工艺方面的缺陷，因此一般采用的加速应力不能引起实际环境中没有的失效机理与故障。

(2) 试验时间。它是受试样品能否保证持续完成规定功能期限的一种度量，包括工作次数、周期和距离等，不同样品的试验时间是不同的。

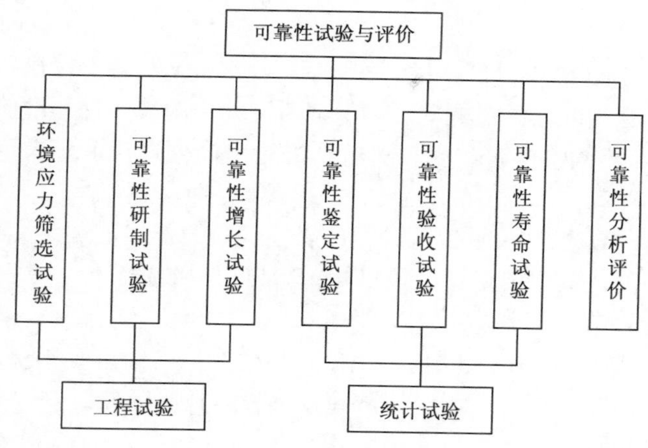

图 5-14　可靠性试验与评价的类别

(3) 故障判据。确定故障判据的原则是受试样品在规定的工作条件下运行时，任何机械、电子器件、零部件的破坏，以及样品丧失规定功能或参数超出所要求的性能指标范围，都作为故障计数，但是由于试验设备、测试仪器或工作条件的人为改变而引起的故障，则不应计入。

(4) 试验数目。可靠性试验中，样品的抽取一般应根据国家标准，并确定生产方、使用方风险及受试样品数和合格的判据。

3. 可靠性试验程度与试验结果评价程序

1) 可靠性试验程序

实际工作中，要针对产品试验的具体情况，灵活运用试验程序，有目的、有计划地实施。在具体实施时，要完成以下工作内容。

(1) 明确任务要求。要完成一个产品的可靠性试验，首先要明确提出任务单位和上级对本次可靠性试验有什么要求和规定。这些要求和规定一般是由任务单位以“试验任务书”的形式给出的。

(2) 制订试验方案。在明确任务要求的基础上，制订试验方案和试验所需物资器材预算等。在制订试验方案时，要依据任务的性质、特点、要求，全面规划，统筹安排。同一个问题往往可以有几种不同的方案和方法，要充分论证和优化。

(3) 编写试验实施计划。试验所需产品等物资到场后，应根据所安排的时间事先制订试验实施计划。实施计划和内容应包括以下几个方面：一般情况、试验前的准备工作和分工、试验进度内容、场地和试验设备设施要求等。

(4) 试验准备。实施计划下发后，按计划中的要求进行试验前的准备工作。如果有任何一项条件不满足，则试验不能开始。

(5) 试验实施。可靠性试验要严格按照确定的试验方案、试验条件、试验应力和试验周期实施，不准简化规定的试验程序，不得降低试验标准和要求，要严格遵守各项规章制度，加强试验的组织管理，正确填写试验记录，严把试验的质量关，确保试验质量和安全。

(6) 汇总试验数据，校审测试结果。试验后，收集、汇总各参试单位的测试结果与数据处理结果，然后逐一进行详细校审，以保证所测结果的真实性与准确性。

(7) 数据处理。按试验内容和要求对数据进行分析处理，求得满足统计计算的基础数据。

(8) 试验报告。可靠性试验报告是进行可靠性试验的正式记录，主要用来评估可靠性要求得到满足的程度。其主要内容一般包括试验日记、数据记录、失效记录、失效摘要报告、可靠性试验总结报告等。

(9) 结果评估。结果评估主要是对产品的可靠性合格与否进行判决，判决的依据主要是试验时间、责任故障数以及所用统计试验方案中的判决标准。

2) 试验结果评价程序

针对可靠性试验结果的评价就是根据产品的试验信息及可能性结构模型，利用概率统计方法给出产品可靠性特征值。这种评价工作可以在产品研制的任一阶段进行，但在定型时一般需要经过可靠性评价来评估产品所达到的可靠性水平。因此，它是可靠性工作必不可少的环节。

可靠性评价可按下列步骤进行。

(1) 单元可靠性评价。选择一个适当的可靠性特征量来表示某个功能单元的可靠性，如可用故障率来表示连续工作设备功能单元的可靠性特征量，根据试验结果，评价单元的可靠性。

(2) 绘制产品的功能框图及可靠性逻辑框图。根据系统所实现的功能、各功能单元之间的联系，画出系统的功能框图，再按照可靠性预计方法绘出可靠性逻辑框图。

(3) 建立可靠性计算模型。根据系统的可靠性逻辑框图构造系统的可靠性计算模型，根据各单元的可靠性来推算连续工作系统的可靠性。

5.3.3 可靠性试验与评价的方法

1. 环境应力筛选试验

1) 试验目的

环境应力筛选试验的目的是在产品出厂前，将环境应力施加到产品上，使产品的潜在缺陷加速发展成为早期故障，并加以排除，从而提高产品的可靠性。所以，环境应力筛选是一种剔除产品潜在缺陷的手段，也是一种检验工艺。

2) 试验方法

环境应力筛选通常有常规筛选、定量筛选和高加速应力筛选三种。

(1) 常规筛选。

常规筛选是指不要求筛选结果与产品可靠性目标和成本阈值建立定量关系的筛选。筛选所用的方法是凭经验确定的，仅以能筛选出早期故障为目标，如图 5-15 所示，筛选后的产品不一定到达故障率恒定阶段。根据常规筛选的结果，产品的故障率不可能到达 F 点。

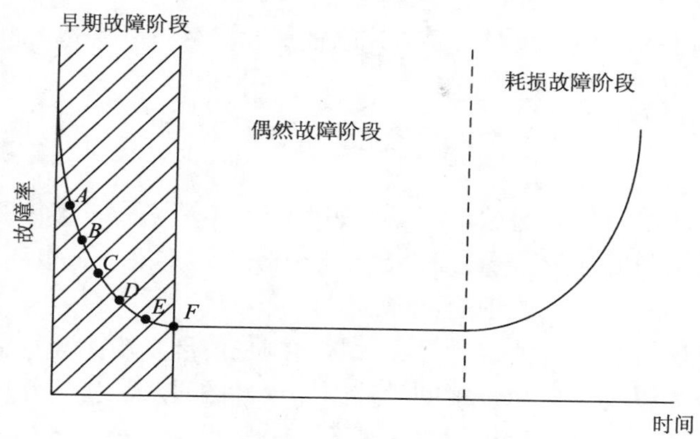

图 5-15　筛选剔除寿命期浴盆曲线早期故障部分示意图

(2) 定量筛选。

定量筛选是指要求筛选的效果和成本与产品的可靠性目标和现场的故障修理费用之间建立定量关系的筛选。定量筛选的主要变量是引入缺陷密度、筛选检出度、析出量或残留缺陷密度。引入缺陷密度取决于制造过程中从元器件和制造工艺两个方面引入产品中的潜在缺陷数量；筛选检出度取决于筛选用的应力把引入的潜在缺陷加速发展成为故障的能力和所用的检测仪表将这些故障检出的能力；析出量或残留缺陷密度则取决于引入缺陷密度和筛选检出度。

定量筛选是通过定量地选择所用应力水平和检测仪表的检测率，使通过筛选析出并能检出故障的能力(筛选检出度)达到这样的水平，正好把计算得到的制造过程引入的产品的缺陷全部剔除，从而使产品的早期故障率达到规定的定量目标值，即图 5-15 中的 F 点。定量筛选的应用不仅需要元器件和工艺的缺陷率数据正确，而且计算和调节过程繁杂，目前我国应用较少，详见 GJB/Z 34—93《电子产品定量环境应力筛选指南》。

(3) 高加速应力筛选。

高加速应力筛选(HASS)是近年来在高加速寿命试验(HALT)的基础上发展起来的一种新的筛选。这种方法的特点是使用的应力大，需要的时间短。与常规筛选和定量筛选不同，高加速应力筛选的应力要根据研制阶段应用 HALT 得到的产品工作极限和破坏极限来确定。HASS 的应力要比一般 ESS 应力大得多。HASS 只适用于研制阶段并已利用 HALT 获得工作极限和破坏极限的产品。HASS 技术在国际上虽然已开始越来越多地应用，但并没有制定相应的标准，目前我国应用得很少。

3) 试验实施

环境应力筛选方法在电子产品上的应用已较为完善。我国已制定了有关环境应力筛选的国家军用标准和指南，如 GJB 1032—90《电子产品环境应力筛选方法》、GJB/Z 34—93《电子产品定量环境应力筛选指南》。美国制定了军用标准 MIL-STD-2164《电子设备环境应力筛选方法》和军用手册 DoD-HDBK-344A《电子设备的环境应力筛选》等。

实施流程主要包括试验前准备工作、初始性能检测、环境应力筛选应力施加、最后性能检测四个阶段。进行环境应力筛选主要应当明确：①施加的环境应力类型、水平、状况及承受应力的时间；②筛选期间应监控的性能和参数；③筛选时间。

2. 可靠性研制试验

1) 试验目的

可靠性研制试验的目的是通过对产品施加适当的环境应力、工作载荷，将产品中存在的设计和工艺缺陷激发成为故障，然后经过故障分析定位后，采取纠正措施加以排除。它实际上是一个试验、分析、改进的过程。

可靠性研制试验没有明确的定量目标，且对施加的环境应力和载荷及其时间也无明确的规定，只要求通过施加应力来帮助激发产品内部的设计和工艺缺陷加以改进，以使可靠性有切实提高的产品都可以应用这一试验。需要指出的是，产品按设计图纸制成硬件后，必然经历功能、性能试验、环境试验、安全性试验，乃至电磁兼容性试验等，这些试验中必然会发现一些设计和工艺缺陷，通过对这些缺陷采取纠正措施，不仅可使产品达到了这些试验考核的目的，同时也提高了产品的可靠性，这些试验并不是可靠性研制试验，当然也可以看作可靠性研制试验的组成部分。

2) 试验方法

可靠性研制试验虽然没有明确的标准加以规范化，但是由于能与设计结合，经济有效和及时地提高产品的可靠性，已经逐步演变或发展出两个相对规范化的试验方法，即可靠性强化试验和可靠性增长摸底试验。

(1) 可靠性强化试验。

可靠性强化试验是一种采用加速应力的可靠性研制试验，也称高加速寿命试验。通过该试验，一方面可以尽可能发现产品中的设计和工艺缺陷、薄弱环节和性能参数变化的趋势，并不断采取纠正措施，使其在投入生产之前就达到设计成熟，以得到在使用中不出故障的“健壮”产品；另一方面可以找出产品耐应力的极限，其中包括工作应力极限和破坏应力极限，并确定产品的工作应力裕度和破坏应力裕度，为确定高加速应力筛选的应力水平提供依据。可靠性强化试验是一种激发试验，它在试验中通过不断提高施加于产品上的环境应力，解决了传统的可靠性模拟试验的试验时间长、效率低及费用高等问题。产品通过可靠性强化试验，能够发现存在的缺陷并加以设计改进后，可以获得更快的增长速度、更高的固有可靠性水平、更低的使用维护成本、更好的环境适应能力和更短的研制周期。

(2) 可靠性增长摸底试验。

可靠性增长摸底试验是根据我国国情开展的一种可靠性研制试验，它是一种以可靠性增长为目的但没有具体增长模型、不确定增长目标值的短时间可靠性摸底试验。其试验的目的是在模拟实际使用的综合环境应力条件下，用较短的时间、较少的费用，暴露产品的潜在缺陷，并及时采取纠正措施，使产品的可靠性得到增长。由于试验时间较短，一般不用于评估产品的可靠性，但能够为产品以后的可靠性工作提供信息。

3) 试验实施

(1) 可靠性强化试验的实施流程。

①确定受试产品。受试产品至少应有两个(除非另有规定)，并应具备产品规范要求

的功能和性能。受试产品在设计、材料、结构与布局及工艺等方面应能基本反映将来生产的产品。受试产品可以不经环境试验，直接进入可靠性强化试验，但是它必须经过全面的功能、性能试验，以确认产品已经达到技术规范规定的要求。

②确定试验时间。总试验时间包括低温步进应力试验、高温步进应力试验、快速温变循环步进应力试验、振动步进应力试验和综合应力试验的时间。具体试验时间取决于试验的实际情况。

③制定试验剖面。试验剖面包括低温步进应力、高温步进应力、快速温变循环步进应力、振动步进应力和温度加振动综合应力校核，是将产品中设计和工艺缺陷激发与检测出来的激发试验。因此，任何能暴露设计或工艺缺陷的应力都可用作高加速寿命试验的应力，常用的应力是振动、温度、温度变化速度、电压拉偏应力、电源循环和湿度。

(2) 可靠性增长摸底试验的流程。

①确定受试产品。受试产品应具备产品规范要求的功能和性能。它在设计、材料、结构和布局及工艺等方面应能基本反映将来生产的产品。受试产品应事先经过环境应力筛选。

②确定受试时间。根据我国目前产品的可靠性水平及工程经验，通常可靠性增长摸底试验时间取 100～200h 较为合适，也可根据产品的特点，确定试验时间。

③制定试验剖面。应尽量模拟产品实际使用条件制定试验剖面，包括环境条件、工作条件和使用维护条件。

(3) 实施过程注意事项。

①应尽早制订可靠性研制试验计划和方案，确定需进行可靠性研制试验的产品。根据产品特点、重要度、研制进度和经费等条件，选择恰当的方法。

②在有了产品样件后，应尽早进行可靠性研制试验，以便及时采取改进措施。

③可靠性强化试验和可靠性增长摸底试验的目的是暴露产品在设计、工艺、生产中的缺陷，而不是评估其可靠性水平。

④应建立完整的故障报告、分析和纠正措施等，以便实施闭环管理。

3. 可靠性增长试验

1) 试验目的

可靠性增长试验(Reliability Growth Test , RGT)通过对产品施加模拟实际使用环境的综合环境应力，暴露产品中潜在缺陷并采取纠正措施，使产品的可靠性达到规定的要求。

可靠性增长试验虽然是提高产品可靠性水平的一种有效手段，但因其费用高、时间较长，通常只用于关键产品、高风险或复杂的产品。所以在进行可靠性增长试验之前，应对其必要性进行仔细、慎重的分析。对于结构简单，以及标准化、系列化程度较高的产品，一般没有必要安排专门的可靠性增长试验。关键产品应是具备下述四个条件之一的产品。

(1) 对系统可靠性有重要影响的产品。

(2) 新研制的重要产品。

(3) 采购费用较高的产品。

(4) 需做重大改型才能满足使用需求的重要产品。

可靠性增长试验是一个有定量目标的试验，其试验时间较长，取决于合同(或规范)规定的可靠性要求，一般要取要求值的5～25倍。可靠性增长试验由于要进行结果评估，其环境条件必须模拟真实使用环境，需要用综合试验设备，这些都决定了开展这一试验需要花费很多的时间和经费。因此，必须在试验前进行充分的费用-效能分析和权衡。

2) 试验方法

在产品可靠性增长过程中，为了估算当前可靠性和预测将来可达到的可靠性水平，以及确定可靠性增长试验时间和增长速度，需要建立可靠性增长模型。常用的可靠性增长模型有Duane模型和AMSAA模型。Duane模型是一种经验模型，其形式简单，但缺少统计分析基础。AMSAA模型是一种基于随机过程理论的模型，便于利用统计方法对产品的可靠性增长水平进行评估。具体各模型的应用及参数估计方法参见GJB 1047—92和GJB/Z 77—95。

(1) Duane模型。

美国学者Duane经过大量试验研究发现产品的平均故障间隔时间的变化与试验时间具有如下规律：

$$\theta_{\mathrm{R}}=\theta_{\mathrm{I}}(T_{\mathrm{t}}/T_{\mathrm{I}})^{m} \tag{5-64}$$

式中，θ_{R}为产品应达到的MTBF；θ_{I}为产品研制后初步具有的MTBF；T_{I}为增长试验前预处理时间；T_{t}为产品从θ_{I}增长到θ_{R}所需时间；m为增长率。

对式(5-64)取对数，得

$$\lg\theta_{\mathrm{R}}=\lg\theta_{\mathrm{I}}+m(\lg T_{\mathrm{t}}-\lg T_{\mathrm{I}}) \tag{5-65}$$

根据式(5-65)，可以采用双对数坐标纸作图，以MTBF为纵坐标，以累积试验时间为横坐标，可以得到一条直线，则直线的斜率即增长率，这里不再赘述。

(2) AMSAA模型。

AMSAA模型是Duane模型的改进模型，它仅能用于一个试验阶段，而不能跨阶段对可靠性进行跟踪；它能用于评估在试验过程中因引进了改进措施而得到的可靠性增长，而不能用于评估由于在一个试验阶段结束时，引入改进措施而得到的可靠性增长。其数学表达式为

$$E[N(t)]=at^{b} \tag{5-66}$$

式中，$N(t)$为到累积试验时间t时所观察到的累积故障数；$E[N(t)]$为$N(t)$的数学期望；a为尺度参数；b为增长形状参数。

比较两种模型可知，Duane模型的数学表达式简单，其增长率与产品研制单位的可靠性工作水平有直接关系，可靠性增长曲线的图解说明比较直观简单，因此广泛应用于电子产品和机电产品中；AMSAA模型的前提假设是在产品的改进过程中，故障服从非齐次泊松过程，具有一定的随机特性，因此限制了AMSAA模型的应用范围，即它只能用于寿命具有指数分布的产品。

3) 试验实施

(1) 试验流程。

①制定可靠性增长试验大纲，主要包括：受试产品说明；试验设备及检测仪器的要

求；试验方案(含增长模型、增长率及增长目标等)；试验条件(环境、工作、使用维护条件)；性能、功能的检测要求；故障判据、分类和统计原则；试验进度安排；受试产品的最后处理；用于分析故障改进设计等所需时间及经费估算等。

②制定试验程序，具体实施可靠性增长试验大纲。

③进行可靠性预计，用以估计产品可靠性增长的潜力。

④进行 FMECA，以利于对试验中可能发生故障进行判断及准备纠正措施。

⑤进行环境试验和环境应力筛选。

⑥建立健全的故障报告、分析和纠正措施系统。

⑦受试产品的安装和性能测量。

⑧试验、跟踪与控制。试验过程中进行跟踪，绘制累积的增长曲线，确定实际的增长率，并与计划的增长率进行比较，以便适时调整和控制。

⑨试验结束和可靠性最后评估，以确认可靠性增长试验是否成功地实现了预期的目标。

(2)注意事项。

①可靠性增长试验可看成一种特定的可靠性研制试验，它们都是为了提高产品的固有可靠性水平。但在具体目标上两者有较大的差别，所以前者一般在研制阶段后期进行，而后者一般在研制阶段早期进行，前者的试验环境条件必须模拟真实环境，而后者的试验环境条件是任意的，可以模拟或不模拟真实环境，可以加速或不加速，可以施加单应力或组合应力或综合应力等。

②可靠性增长试验是一种有目标、有计划、有增长模型的专项试验，其试验时间长(一般为要求的 MTBF 的 5～25 倍)，试验经费高，因此一般用于关键的新技术含量高的产品。试验剖面应尽量模拟产品实际使用环境、应力等条件。

③可靠性增长试验应在设计定型前、环境鉴定试验后进行。受试产品应能反映将来生产时的技术状态并通过环境应力筛选。经订购方同意，成功的可靠性增长试验可以代替可靠性鉴定试验。

④试验本身只能暴露问题，不能提高产品的固有可靠性。只有采取改正措施，防止故障的再现，才能达到可靠性增长的目的。

⑤必须建立健全的故障报告、分析和纠正措施系统，以监控产品可靠性增长的情况。

4. 可靠性鉴定与验收试验

1)试验目的

可靠性鉴定与验收试验(Reliability Qualification Test/Reliability Acceptance Test, RQT/RAT)都属于统计验证试验，即验证产品是否达到了规定的可靠性要求。可靠性鉴定试验是为了确定产品的设计与要求的一致性，由订购方选择有代表性的产品在规定的条件下、在第三方实验室所做的试验，并以此作为批准定型的依据。可靠性验收试验是用以验证批生产产品经过批生产期间的工艺、工装、工作流程变化后的可靠性是否保持在规定的水平。

2)试验方法

当产品的寿命为指数分布、韦布尔分布、正态分布或对数正态分布等时，可采用连续型统计试验方案。实践证明，很多电子产品的寿命服从指数分布。从理论上说，一个产品由很多部分组成，无论这些组成部分的寿命是什么分布，只要产品的任一部分出了故障，即予修复再投入使用，则较长时间之后，产品的寿命基本上服从指数分布。因此，目前国内外颁发的标准试验方案都属于指数分布。本节仅介绍指数分布的试验方案，它可以分为全数试验、定时截尾试验、定数截尾试验、序贯截尾试验等几种。其中，全数试验是指对生产的每台产品都做试验，该试验方法仅在极特殊情况(如出于安全或完成任务的需要)时才采用。本节重点对其他三种试验方法进行介绍。

(1) 定时截尾试验。

定时截尾试验是指事先规定试验截尾时间，利用试验数据评估产品的可靠性特征量。按试验过程中对发生故障的产品所采取的措施，又可分为无替换和有替换两种方案。前者指产品发生故障就撤去，在整个试验过程中，随着故障产品的增加，样本随之减少。而后者则是当试验中某产品发生故障时，立即用一个新产品代替，在整个试验过程中保持样本数不变。

定时截尾试验的优点是：由于事先已确定了最大的累积试验时间，便于计划管理并能对产品的真值做估计，所以得到广泛的应用。其主要缺点是：为了做出判断，质量很好的或很差的产品都要经历很长的累积试验时间。

(2) 定数截尾试验。

定数截尾试验是指事先规定试验截尾的故障数，利用试验数据评估产品的可靠性特征量，同样也可以分为有替换和无替换两种方案。由于定数截尾试验事先不易估计所需的试验时间，所以实际应用较少。

(3) 序贯截尾试验。

序贯截尾试验是按事先拟定的接收、拒收及截尾时间线，在试验期间，对受试产品进行连续地观测，并将累积的相关试验时间和故障数与规定的接收、拒收或继续试验的判据进行比较做出决策的一种试验。该试验的主要优点是：一般情况下做出判断所要求的平均故障数和平均累积试验时间最小，因此常用于可靠性验收试验。但其缺点是：随着产品质量不同，其总的试验时间差别很大，尤其对某些产品，由于不易做出接收或拒收的判断，因此最大累积试验时间和故障数可能会超过相应的定时截尾试验方案。

3) 试验实施

(1) 制订试验大纲和工作计划。

此内容主要包括：受试产品的说明和要求；统计试验方案的选取；试验剖面设计；故障判据、分类与统计原则；试验设备和测试仪器要求；受试产品的检测项目；试验前有关工作要求；试验过程中的监测和记录要求；数据收集和处理方法；故障处理方法；试验结束方式；试验报告要求等，并据此制订试验工作计划，明确试验进度、参试人员的分工及职责、所需试验经费等。

(2) 实施试验过程。

①开始试验。检查试验箱内是否有多余物，各出线孔是否堵好。检查完毕后，封闭箱门，按试验程序中的规定启动试验设备。

②施加试验应力。按程序施加试验剖面中规定的应力。

③试验过程中的测试和监测。按试验大纲中规定的受试产品检测项目和监测、记录要求进行监测和记录。

④试验中受试产品故障的判定和分类。按试验大纲规定的故障判据、分类原则进行判定和分类。

⑤试验中故障的处理。按试验大纲规定的故障处理方法进行处理。

⑥试验结果。

(3) 试验结果的评定。

按试验大纲规定的故障判据和统计原则及数据处理方法，对产品的可靠性做点估计和区间估计。

(4) 实施过程注意事项。

①试验方案与合同中规定的最低可接受的 MTBF 值或可靠度(成功率)值应保持一致。

②在做可靠性鉴定试验前应做可靠性预计。

③对于可靠性高的产品，可靠性鉴定试验所花时间和经费是相当高的，因此一般仅对关键和重要产品进行可靠性鉴定试验。

④受试产品应从所有产品中随机地抽取。做鉴定试验时，受试产品数一般不应小于 2 台，并且事先应通过功能试验、环境试验及环境应力筛选试验。

⑤试验剖面正确与否直接影响试验结果的可信性，应根据产品的任务剖面制定环境剖面，进而制定试验剖面。该剖面应尽量模拟产品真实的环境条件(即应采用温度、湿度和随机振动的综合应力)、工作条件及现场使用时的维护程序，即在试验期间可按规定的使用维护程序进行调整、润滑、清洗等工作。

⑥寿命服从指数分布的产品，在可靠性鉴定或验收试验结束后，对受试产品进行整修，更换有故障的或性能降级的零部件，使其恢复到规定的技术状态并通过有关的验收程序后，仍可出厂交货。

5. 可靠性寿命试验

1) 试验目的

(1) 验证产品在规定条件下的首次大修期、使用寿命和储存寿命是否满足规定的要求。

(2) 发现产品中可能过早发生耗损的零部件，以确定影响产品寿命的根本原因和可能采取的纠正措施。

2) 试验方法

寿命试验(包括截尾寿命试验)方法是基本的可靠性试验方法。在正常工作条件下，常常采用寿命试验方法去估计产品的各种可靠性特征。但是这种方法对寿命特别长的产品来说，就不是一种合适的方法，因为它需要花费很长的试验时间，甚至来不及做完寿命试验，新的产品又设计出来，老产品就要被淘汰了，所以这种方法与产品的迅速发展是不相适应的。经过人们的不断研究，在寿命试验的基础上，找到了加大应力、缩短时间的加速寿命试验方法。

加速寿命试验是用加大试验应力(如热应力、电应力、机械应力等)的方法，加快产品失效，缩短试验周期，运用加速寿命模型，估计出产品在正常工作应力下的可靠性特征。

下面就加速寿命试验的思路、分类、参数估计方法及试验组织方法进行简单介绍。

(1) 加速寿命试验的思路。

高可靠性的元器件或者整机的寿命相当长，尤其是一些大规模集成电路，在长达数百万小时以上无故障。要得到此类产品的可靠性数量特征，一般意义下的截尾寿命试验便无能为力。例如，半导体器件在理论上的寿命是无限长的，但由于工艺水平及生产条件的限制，其寿命不可能无限长。在正常应力水平 S_0 条件下，其寿命还是相当长的，有的高达几十万甚至数百万小时。这样的产品在正常应力水平 S_0 条件下，是无法进行寿命试验的，有时进行数千小时的寿命试验，只有个别半导体器件发生失效，有时还会遇到没有一只失效的情况，这样就无法估计出此种半导体器件的各种可靠性特征。因此，选一些比正常应力水平 S_0 高的应力水平 $S_1, S_2, \cdots, S_k$，在这些应力下进行寿命试验，使产品尽快出现故障。

(2) 加速寿命试验的分类。

①恒定应力加速寿命试验。

它是将一定数量的样品分为几组，每组固定在一定的应力水平下进行寿命试验，要求选取各应力水平都高于正常工作条件下的应力水平。试验做到各组样品均有一定数量的产品发生失效为止

②步进应力加速寿命试验。

它是先选定一组应力水平，如 $S_1, S_2, \cdots, S_k$，它们都高于正常工作条件下的应力水平 S_0。试验开始是把一定数量的样品在应力水平 S_1 下进行试验，经过一段时间，如 t_1 小时后，把应力水平提高到 S_2，未失效的产品在 S_2 应力水平继续进行试验，如此继续下去，直到一定数量的产品发生失效。

③序进应力加速寿命试验。

产品不分组，应力不分档，应力等速升高，直到一定数量的故障发生。它所施加的应力水平将随时间等速上升。

在上述三种加速寿命试验中，以恒定应力加速寿命试验更为成熟，尽管这种试验所需时间不是最短，但比一般的寿命试验的试验时间还是缩短了不少，因此它还是经常被采用的试验方法。目前国内外许多单位已采用恒定应力加速寿命试验方法来估计产品的各种可靠性特征，并有了一批成功的实例。

3) 试验实施

(1) 试验流程。

①明确试验时机。

加速寿命试验最好在研制阶段的零件或部件上进行，以便及早确定其寿命特征并发现其薄弱环节，进行设计改进，在产品进入批量生产阶段时，加速寿命试验可以用于批量生产产品的验收试验。

②选择加速应力类型。

产品的失效是由其失效机理决定的，因此就要研究什么应力会产生什么样的失效机理，什么样的应力加大时能加快产品的失效，根据这些研究来选择什么应力可以作为加速应力。通常在加速寿命试验中所指的应力不外乎是机械应力(如压力、振动、撞击等)、

热应力(温度)、电应力(如电压、电流、功率等)。在遇到多种失效机理的情况下，就应当选择那种对产品失效机理起促进作用最大的应力作为加速应力。

③选择加速应力水平。

确定加速应力水平 $S_1<S_2< \cdots <S_k$ 的一个重要原则，就是在诸应力水平 S_i 下产品的失效机理与在正常应力水平 S_0 下产品的失效机理是相同的。因为进行加速寿命试验的目的就是在高应力水平下进行寿命试验，较快获得失效数据，估计出可靠性指标，再利用加速方程外推正常工作应力水平 S_0 下产品的可靠性指标。假如在加速应力水平 S_1, S_2，…,S_k 和正常应力水平 S_0 下产品的失效机理有本质不同，那么外推将有困难，所以在确定应力水平 $S_1, S_2, \cdots, S_k$ 时，违背这条原则将会导致加速寿命试验的失败。

④试验样品的选取与分组。

整个恒加试验由 k 组寿命试验组成，每个寿命试验都要有自己的试验样品，假如在应力水平 S_i 下，投入 n_i 个试验样品，$i=1,2,\cdots,k$，那么恒加试验所需要的样品数 $n=\sum\limits_{i=1}^{k} n_i$ 。这 n 个样品应在同一批产品中随机抽取，切忌有人为因素参与作用，将 n 个产品随机地分成 k 组，注意同一组的样品不能都在某一部分抽取。

⑤明确失效判据。

受试样品是否失效应根据产品技术规范确定的失效标准进行判断，失效判据一定要明确，如有自动监测设备，应尽量记录每个失效样品的准确失效时间。假如没有方法测出失效产品的准确失效时间，可以采用定周期测试方法，即预先确定若干个测试时间：$0=\tau_0<\tau_1<\tau_2<\cdots<\tau_l$，当 n_i 个样品在应力 S_i 下进行寿命试验到 τ_j 时，对受试样品逐个检查其有关指标，判定其是否失效，这样可以得到在测试周期 $(\tau_{j-1},\tau_j]$ 内样品失效数 l_j，而这 l_j 个失效产品的准确失效时间是无法获得的，这种情况称为定周期测试，在这种试验情况下需要解决两个问题：一是测试时间如何确定比较合理；二是在定出 τ_j 且知道在 $(\tau_{j-1},\tau_j]$ 内失效 l_j 个样品，如何估算出这 l_j 个失效样品的失效时间。

在失效时间估算方面，可以用等间隔方式估计失效样品的失效时间，即在 $(\tau_{j-1},\tau_j]$ 内第 h 个失效时间可用式(5-67)计算：

$$\tau_{jh}=\tau_{j-1}+\frac{\tau_j-\tau_{j-1}}{l_j+1}h,\quad h=1,2,\cdots,l_j \tag{5-67}$$

(2)实施过程注意事项。

①加速寿命试验的应力水平不应超过产品最大设计极限应力，且不能改变产品的失效机理。

②寿命试验所花的时间和经费都是巨大的，因此一般只有关键和重要的产品才在厂内做寿命试验。

③由于可靠性试验的剖面与寿命试验的剖面基本相似，为了节省试验时间，目前有的产品已成功地实施了与可靠性验证试验相结合的寿命试验。

④采用工程经验法进行寿命试验时应注意以下方面。

a. 受试产品应从所有产品中随机抽取，一般不少于2台。

b. 寿命试验剖面应尽量模拟产品的实际使用环境和应力。

c. 试验前应明确寿命试验的关联故障判据，为正确评估产品的寿命提供依据。

d. 经过寿命试验的产品，一般不能出厂交付。

习　题

1. 什么是可靠性分配？什么是可靠性预计？它们常用的方法有哪些？

2. 选择一种装备或部件，对它开展 FMECA。

3. FTA 的目的、特点、用途有哪些？

4. 设某元器件寿命服从指数分布，抽取其中 50 个元件进行 500h 的寿命试验，在试验周期内，分别于 t_1=110h，t_2=180h，t_3=300h，t_4=410h，t_5=480h 时各发生一个失效，失效元器件不能替换。试确定置信水平为 0.90 的平均寿命的单侧置信下限。

第 6 章 装备维修性工程

军事装备是军队战斗力的重要组成部分，而装备维修是保持、恢复乃至提高战斗力的重要因素。装备的维修历来受到军队的重视，并有效地保障了军队作战、训练和战备工作，在国防建设中发挥了重要作用。随着高新技术的发展及其在武器装备中的应用，人们不仅对维修提出了更新、更高的要求，而且提供了新的手段，使以维修工程为主的维修理论与技术得以发展。本章将主要介绍维修性的基本概念、维修工程理论与技术及其在装备实际维修中的应用。

6.1 维修性基础

除一次性使用的物品外，为了在一定时期内保证任何物品的正常使用，都或多或少地需要进行某些保养和修理工作，这些活动统称为维修活动。为使一件产品或系统保持或恢复到可用状态的所有的必需活动，如技术保养、修理、改进、更新、翻修、检查及状态诊断等都是维修活动。本节主要介绍有关维修性的一些基础概念。

6.1.1 维修性定义

维修性是装备的一种质量特性，即由设计赋予的使装备维修简便、快速、经济的固有属性。为度量产品的维修性，需对它加以明确定义，即维修性是产品在规定的条件下和规定的时间内，按规定的程序和方法进行维修时，保持或恢复其规定状态的能力。保持或恢复产品的规定状态是产品维修的目的。所以，也可以说，维修性是在规定的约束(维修条件、时间、程序与方法)下能够完成维修的可能性。规定的条件主要是指维修的机构和场地(如工厂或维修基地、专门的修理车间、修理场所以及使用现场等)及相应的人员与设备、设施、工具、备件、技术资料等资源。规定的程序与方法是指按技术文件规定采用的维修工作类型、步骤、方法。显然，能否完成维修还与维修时间有关。所以，维修性应在上述种种约束条件下来定义。

产品在规定约束条件下能否完成维修取决于产品的设计和制造，如维修部位是否容易达到、零部件能否互换、检测是否容易等。所以，维修性是产品的质量特性。这种质量特性可以用一些定性的特征来描述，也可以用一些定量的参数来表达，如平均修复性维修时间、平均预防性维修时间、平均维修时间、维修工时率等。

除硬件的维修性外，计算机软件也有维修性问题，习惯称为软件可维护性。装备的测试是维修过程的重要环节，产品是否能够及时地确定其状态并将其内部故障隔离到需要修理的位置，是维修性的重要内容。但随着装备的发展，特别是电子系统和设备的普遍应用，测试问题越来越重要、突出。在某些场合，人们把测试性能作为一种单独的特性进行研究，这将在本书的后续章节展开论述。

要特别指出，维修性同可靠性一样都是产品的固有属性，它是由设计奠定的，并由生产和管理保证的。维修性主要表示维修的难易程度，但它不仅取决于产品本身，而且取决于与维修有关的其他因素，如维修人员的素质、维修的设施、维修方式和方法以及组织管理水平等。这些因素不是产品本身的问题，但却是维修性设计中必须考虑的因素。

要使装备的维修性进入设计领域，在研制过程进行设计、分析、验证，必须有明确、具体的维修性指标、要求；否则，就不会有系统的维修性工作。这些指标、要求有定性的和定量的两类，它们是由维修性工程总目标确定的，是由具体装备的作战需求转化来的。

6.1.2　维修性分类

按照维修开展的时机、目的和方式，维修主要分为修复性维修、预防性维修、战场抢修/应急性维修和改进性维修。

1. 修复性维修

修复性维修指对发生了故障的产品进行修理，使其恢复到所规定的使用状态。人们日常生活中所谈论的维修通常就是指修复性维修。修复性维修一般包括准备、故障定位与隔离、分解、更换、结合、调准及检测等活动内容。

2. 预防性维修

预防性维修指通过对产品的系统检查、检测和发现故障征兆以防止故障发生，使其保持在规定状态所进行的全部活动，通常是未出现故障下的处理工作，包括按工作时间或日历时间有计划地进行维修，以及产品工作前后的检测工作等，以确保产品保持所规定的状态。典型的预防性维修工作类型包括润滑保养、操作人员监控、定期检查、定期拆修、定期更换及定期报废等。

3. 战场抢修/应急性维修

战场抢修指在战场环境中为了使已损坏或不能使用的装备暂时恢复到能执行任务的一种维修活动，包括装备使用中(如飞机空中飞行)和停放时受各种武器打击所造成的损伤，以及战时装备故障或人为差错造成操作实施的快速修理。

应急性维修是一种更广义范围的抢修，指在紧急情况下，采用应急手段和方法使损坏的装备快速恢复必要的功能所进行的突击性维修。战场抢修/应急性维修是一种特殊环境、特殊场合、特殊时间实施的暂时应对性维修，以快速实现必要功能、保证基本安全为目标的一类维修任务。

4. 改进性维修

改进性维修指在特别情况下，经过有关责任单位的批准，以提高装备的技术性能，或弥补设计缺陷，或适合特殊用途对装备进行的改装的改进类维修活动。改进性维修的实质是改变装备的设计状态，它是常规维修的一种延伸。

在日常的使用中，修复性维修和预防性维修是主要的维修任务。图 6-1 概括反映了

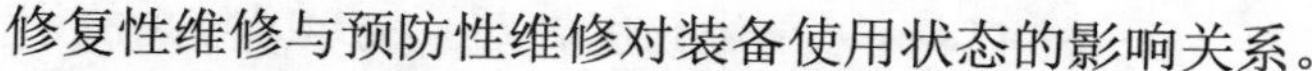
修复性维修与预防性维修对装备使用状态的影响关系。

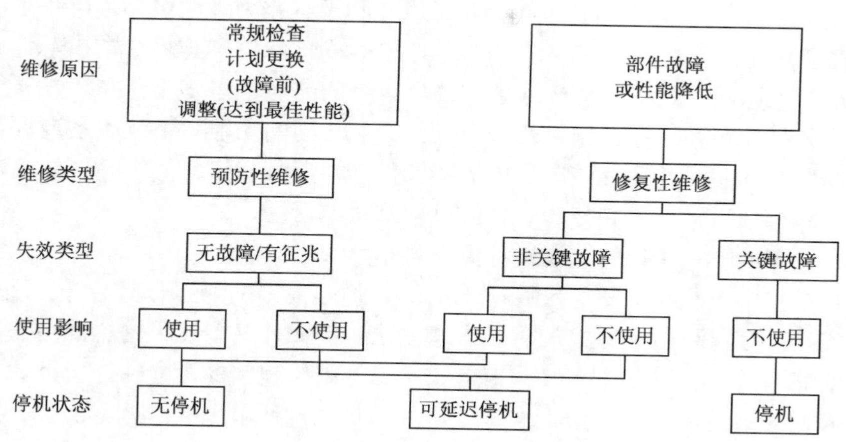

图 6-1 维修与系统工作状态

6.1.3 维修性要求

1. 维修性定性要求

定性要求是维修简便、快速、经济的具体化。定性要求有两个方面的作用：一是实现定量指标的具体技术途径或措施，按照这些要求去设计以实现定量指标；二是定量指标的补充，即有些无法用定量指标反映出来的要求，只好定性描述。需要明确的是，定性要求不是一成不变的，对于不同的装备，维修性定性要求应当有所区别和侧重。

1) 简化装备设计与维修

“简化”本来是产品设计的一般原则。装备构造复杂，会带来使用、维修复杂，随之而来的是对人员技能、设备、技术资料、备件器材等要求提高，以致造成人力、时间及其他各种保障资源消耗的增加，维修费用的增长，同时降低了装备的可用性。因此，简化装备设计、简化维修是最重要的维修性要求。

2) 具备良好的维修可达性

维修可达性，是指维修产品时，接近维修部位的难易程度。可达性好，能够迅速方便地达到维修的部位并能操作自如。通俗地说，也就是维修部位能够“看得见、够得着”或者很容易“看得见、够得着”，而不需要过多拆装、搬动。显然，良好的可达性，能够提高维修的效率，减少差错，降低维修工时和费用。

实现产品的可达性的主要措施有两个方面：一是合理地设置各部分的位置，并要有适当的维修操作空间，包括工具的使用空间；二是要提供便于观察、检测、维护和修理的通道。

3) 提高标准化和互换性程度

实现标准化不仅有利于产品的设计与制造，也有利于零部件的供应、储备和调剂，从而使产品的维修更为简便，特别是便于装备在战场快速抢修中采用换件和拆拼修理。

例如，美军 M1 坦克由于统一了接头、紧固件的规格等，维修工具由 M60 坦克的 201 件减为 79 件，这就大大减轻了后勤负担，同时也有利于维修力量的机动。互换性是指同种产品之间在实体上(几何形状、尺寸)、功能上能够彼此互相替换的性能。当两个产品在实体上、功能上相同，能用一个产品去代替另一个产品而不需要改变产品或母体的性能时，则称该产品具有互换性；如果两个产品仅具有相同的功能，那就称之为具有功能互换性或替换性的产品。互换性使产品中的零部件能够互相替换，便于换件修理，并减少了零部件的品种规格，简化和节约了备品供应及采购费用。

4) 具有完善的防差错措施及识别标记

产品在维修中，常常会发生漏装、错装或其他操作差错，轻则延误时间，影响使用；重则危及安全。因此，应采取措施防止维修差错。例如，某型飞机的燃油箱盖，由于其结构存在油滤未放平、卡圈未装好、口盖未拧紧等维修差错的可能性，曾因此而发生过数起机毁人亡的事故。因此，防止维修差错主要是从设计上采取措施，保证关键性的维修作业“错不了”“不会错”“不怕错”。除产品设计上采取防差措施外，设置识别标记也是防差错的辅助手段。识别标记就是在维修的零部件、备品、专用工具、测试器材等上面做出识别记号，以便于区别辨认，防止混乱，避免因差错而发生事故，同时也可以提高工效。

5) 保证维修安全性

维修安全性是指能避免维修人员伤亡或产品损坏的一种设计特性。维修性中所说的安全是指维修活动的安全。它比使用时的安全更复杂，涉及的问题更多。维修安全与一般操作安全既有联系又有区别。因为维修中要启动、操作装备，维修安全必须操作安全。但操作安全并不一定能保证维修安全，这是由于维修时产品往往要处于部分分解状态而又带有一定的故障，有时还需要在这种状态下进行部分的运转或通电，以便诊断和排除故障。维修人员在这种情况下工作，应保证不会引起电击以及有害气体泄漏、燃烧、爆炸、碰伤或危害环境等事故。因此，维修安全性要求是产品设计中必须考虑的一个重要问题。

6) 重视贵重件的可修复性

可修复性是当产品的零部件磨损、变形、耗损或以其他形式失效后，可以对原件进行修复，使之恢复原有功能的特性。实践证明，贵重件的修复，不仅可节省维修资源和费用，而且对提高装备可用性有着重要的作用。因此，装备设计中要重视贵重件的可修复性。

7) 符合维修中人-机-环工程的要求

人-机-环工程又称人的因素工程，主要研究如何达到人与机器有效地结合及对环境的适应和人对机器的有效利用。维修的人-机-环工程是研究在维修中人的各种因素，包括生理因素、心理因素和人体的几何尺寸与装备和环境的关系，以提高维修工作效率、质量，减轻人员疲劳等方面的问题。

2. 维修性定量要求

对于装备的维修性设计，仅有定性要求是不够的，还必须将其定量化，以便进行维修性的计算、验证和评估，并能与其他质量特性进行权衡。

1) 维修性函数

维修性主要反映在维修时间上，但由于完成每次维修的时间 T 是一个随机变量，所以必须用概率论的方法，从维修性函数出发来研究维修时间的各种统计量。下面介绍几种维修性函数及其对时间的分布。

(1) 维修度。

维修性用概率来表示，就是维修度 $M(t)$，即产品在规定的条件下和规定的时间内，按照规定的程序和方法进行维修时，保持或恢复其规定状态的概率，可表示为

$$M(t)=P\{T\leqslant t\}$$

该式表示维修度是在一定条件下，完成维修的时间 T 小于或等于规定维修时间 t 的概率。显然，$M(t)$ 是一个概率分布函数，对于不可修复系统 $M(t)$ 等于零；对于可修复系统，$M(t)$ 是规定维修时间 t 的递增函数：

$$\lim_{t\to 0}M(t)=0,\quad \lim_{t\to\infty}M(t)=1 \tag{6-1}$$

维修度可以根据理论分析求得，也可按照统计定义通过试验数据求得。根据维修度定义，有

$$M(t)=\lim_{N\to\infty}\frac{n(t)}{N} \tag{6-2}$$

式中，N 为维修的产品总(次)数；$n(t)$ 为 t 时间内完成维修的产品(次)数。

在工程实践中，试验或统计现场数据 N 为有限值，用估计量 $\hat{M}(t)$ 来近似表示 $M(t)$，则

$$\hat{M}(t)=\frac{n(t)}{N} \tag{6-3}$$

(2) 维修时间密度函数。

既然维修度 $M(t)$ 是时间 t 完成维修的概率，那么它有概率密度函数，即维修时间密度函数，可表示为

$$m(t)=\frac{\mathrm{d}M(t)}{\mathrm{d}t}=\lim_{\Delta t\to 0}\frac{M(t+\Delta t)-M(t)}{\Delta t} \tag{6-4}$$

维修时间密度函数的估计量 $\hat{M}(t)$ 可由式(6-2)得

$$\hat{m}(t)=\frac{n(t+\Delta t)-n(t)}{N\Delta t}=\frac{\Delta n(t)}{N\Delta t} \tag{6-5}$$

式中，$\Delta n(t)$ 为从 t 到 $t+\Delta t$ 时间内完成维修的产品(次)数。

维修时间密度函数表示单位时间内修复数与送修总数之比，即单位时间内产品预期被修复的概率。

(3) 修复率。

修复率或称修复速率 $\mu(t)$ 是在 t 时刻未能修复的产品，在 t 时刻后单位时间内修复的概率，可表示为

$$\mu(t)=\lim_{\substack{\Delta t\to 0\\ N\to\infty}}\frac{n(t+\Delta t)-n(t)}{[N-n(t)]\Delta t}=\lim_{\substack{\Delta t\to 0\\ N\to\infty}}\frac{\Delta n(t)}{N_s\Delta t} \tag{6-6}$$

其估计量为

$$\hat{\mu}(t)=\frac{\Delta n(t)}{N_s\Delta t} \tag{6-7}$$

式中，N_s 为 t 时刻尚未修复数(正在维修数)。

在工程实践中常用平均修复率表示 μ，即单位时间内完成维修的次数，可用规定条件下和规定时间内完成维修的总次数与维修总时间之比表示。

由式(6-7)可知

$$\hat{\mu}(t)=\frac{\Delta n(t)}{N_s\Delta t}=\frac{\Delta n(t)}{N[1-M(t)]\Delta t}=\frac{\hat{m}(t)}{1-M(t)}$$

取极限得

$$\mu(t)=\frac{m(t)}{1-M(t)} \tag{6-8}$$

修复率 $\mu(t)$ 与维修度 $M(t)$ 的关系，可由式(6-8)导出：

$$\mu(t)=\frac{m(t)}{1-M(t)}=\frac{\mathrm{d}M(t)}{\mathrm{d}t}\cdot\frac{1}{1-M(t)}$$

上式整理后两边积分，得

$$-\int_0^t\frac{\mathrm{d}[1-M(t)]}{1-M(t)}=\int_0^t\mu(t)\mathrm{d}t$$

即

$$\ln[1-M(t)]=-\int_0^t\mu(t)\mathrm{d}t$$

取反对数得

$$M(t)=1-\exp\left[-\int_0^t\mu(t)\mathrm{d}t\right] \tag{6-9}$$

2)维修时间的统计分布

实践证明，某一或某型装备的维修时间可用某种统计分布来描述。产品不同，其维修时间分布也不同，究竟是何种分布，要取维修试验数据进行分布检验。常用的维修时间分布有指数分布、正态分布和对数正态分布。

(1)指数分布。

指数分布的维修性函数为

$$M(t)=1-\mathrm{e}^{-\mu t} \tag{6-10}$$

$$m(t)=\mu\mathrm{e}^{-\mu t} \tag{6-11}$$

$$\mu(t)=\mu \tag{6-12}$$

此种分布显著的特征是：修复速率 $\mu(t)=\mu$ 为常数，表示在相同时间间隔内，产品被修复的机会(条件概率)也相同。

维修时间分布的特征量是数学期望 $E(T)$，即 $\overline{M}$ 由均值定义：

$$\overline{M}=E(t)=\int_0^{\infty}tm(t)\mathrm{d}t=\int_0^{\infty}t\mu\mathrm{e}^{-\mu t}\mathrm{d}t=\frac{1}{\mu} \tag{6-13}$$

可见，指数分布下，修复率的倒数就是平均维修时间 $\overline{M}$，对应于维修度 $M(t)$ 的维修时间 t 可由式(6-10)求得。

指数分布适用于经短时间调整或迅速换件即可修复的装备，有的电子产品的维修就适用于指数分布。同时，它是维修时间分布中最简单的分布，只要一个参数 μ 就可确定。由于它计算简便，易于数学处理，故在很多产品的系统分析中，常把维修时间近似看成指数分布。

(2)正态分布。

维修时间用正态分布描述时，即以某个维修时间为中心，大多数维修时间在其左右对称分布，时间特长和特短的较少。正态分布的维修性函数为

$$m(t)=\frac{1}{d\sqrt{2\pi}}\exp\left[-\frac{1}{2}\left(\frac{t-\overline{M}}{d}\right)^2\right] \tag{6-14}$$

$$M(t)=\frac{1}{d\sqrt{2\pi}}\int_0^t\exp\left[-\frac{1}{2}\left(\frac{t-\overline{M}}{d}\right)^2\right]\mathrm{d}t \tag{6-15}$$

式中，$\overline{M}$ 为维修时间的均值，即数学期望 $E(T)$，通常取观测值：$\overline{M}=\frac{1}{n_r}\sum_{i=1}^{n_r}t_i$，其中，$t_i$ 为第 i 次维修的时间；n_r 为维修次数；d 为维修时间标准差。

方差 $d^2=E[T-E(T)]^2$，其观测值为

$$d^2=\frac{\sum_{i=1}^{n_r}(t_i-\overline{M})}{n_r-1}$$

正态分布可用于描述单项维修活动或简单的维修作业的维修时间分布，但这种分布不适合描述较复杂的整机产品的维修时间分布。

(3)对数正态分布。

若维修时间的对数 $\ln t=Y$，遵从 $N(\theta,\sigma^2)$ 的正态分布，则称维修时间 t(随机变量)符合具有对数均值 θ 和对数方差 σ^2 的对数正态分布，其维修性函数为

$$m(t)=\frac{1}{t\sigma\sqrt{2\pi}}\exp\left[-\frac{1}{2}\left(\frac{\ln t-\theta}{\sigma}\right)^2\right] \tag{6-16}$$

$$M(t)=\frac{1}{\sigma\sqrt{2\pi}}\int_0^t\frac{1}{t}\exp\left[-\frac{1}{2}\left(\frac{\ln t-\theta}{\sigma}\right)^2\right]\mathrm{d}t \tag{6-17}$$

式中，θ 为维修时间对数的均值，其统计量用 $\overline{Y}$ 表示，即

$$\overline{Y}=\frac{1}{n_r}\sum_{i=1}^{n_r}\ln t_i$$

σ 为维修时间对数的标准差，其统计量用 S 表示，即

$$S=\sqrt{\frac{1}{n_r-1}\sum_{i=1}^{n_r}(\ln t_i-\overline{Y})^2}$$

对数正态分布时维修时间 t 的均值为

$$\overline{M}=\mathrm{e}^{\theta+\frac{1}{2}\sigma^2} \tag{6-18}$$

对数正态分布的维修时间中值为

$$\widetilde{M}=\mathrm{e}^{\theta} \tag{6-19}$$

众数 M_{m}，即 $m(t)$ 最大时的时间，用求极值的方法可得

$$M_{\mathrm{m}}=\mathrm{e}^{\theta-\sigma^2} \tag{6-20}$$

对数正态分布的对数方差为

$$D(T)=E(T^2)-E^2(T)=\mathrm{e}^{2\theta+\sigma^2}(\mathrm{e}^{\sigma^2}-1) \tag{6-21}$$

对数正态分布的维修度函数可以通过对时间取对数按正态分布计算，再取反对数。

对数正态分布是一种不对称分布，其特点是：修复时间特短的很少，大多数项目都能在平均修复时间内完成，只有少数项目维修时间拖得很长。各种较复杂的装备的修复性维修时间分布遵从对数正态分布。一些国际标准和我国的国家标准、国家军用标准在产品的维修性试验与评定中一般都按对数正态分布处理。

3) 维修性参数

(1) 维修延续时间参数。

缩短维修延续时间，是装备维修性中最主要的目标，即维修迅速性的表征。它直接影响装备的可用性、战备完好性，又与维修保障费用有关。由于装备的功能、使用条件不同，因此，可选用不同的延续时间参数。

①平均修复时间 $\overline{M}_{\mathrm{ct}}$ (Mean-Time-to-Repair，MTTR)。

平均修复时间即排除故障所需实际修复时间的平均值。其度量方法为：在一给定期间内，修复时间的总和与修复次数 N 之比：

$$\overline{M}_{\mathrm{ct}}=\frac{\sum_{i=1}^{N_r}t_i}{N} \tag{6-22}$$

当装备由 n 个可修复项目(分系统、组件或元器件等)组成时，平均修复时间为

$$\overline{M}_{\mathrm{ct}}=\frac{\sum_{i=1}^{n}\lambda_i\overline{M}_{\mathrm{ct}i}}{\sum_{i=1}^{n}\lambda_i} \tag{6-23}$$

式中，λ_i 为第 i 个可修复项目的故障率；$\overline{M}_{\mathrm{ct}i}$ 为第 i 个可修复项目故障时的平均修复时间。

②恢复功能的任务时间(Mission Time to Restore Function，MTTRF)。

恢复功能的任务时间指排除致命性故障所需实际时间的平均值。其量度方法为：在规定的任务剖面中，产品致命性故障总的修复时间与致命性故障总次数之比。它反映装备对任务成功性的要求，是任务维修性的一种量度。

MTTRF 的计算公式与 MTTR 相似，只是它仅计及任务过程中的致命性故障及其排除时间。

③最大修复时间 M_{maxct}。

在许多场合，尤其是使用部门更关心绝大多数装备能在多长时间内完成维修，这时则可用最大修复时间。最大修复时间是装备达到规定维修度所需的修复时间，即预期完成全部修复工作的某个规定百分数(通常为 95%或 90%)所需的时间，也可记为 $M_{max}(0.95)$，括号中数字即规定的百分数。当取规定百分数为 50%时，即修复时间中值。

与 MTTR 相同，最大修复时间不计及供应和行政管理延误时间。在使用此参数时，应说明其维修级别。

④预防性维修时间 M_{pt}。

预防性维修时间同样有均值、中值和最大值，其含义及计算方法与修复时间相似，只是用预防性维修频率代替故障率，用预防性维修时间代替修复时间。

平均预防性维修时间是装备每次预防性维修所需时间的平均值。平均预防性维修时间为

$$\overline{M}_{pt}=\frac{\sum_{j=1}^{m}f_{pj}\overline{M}_{ptj}}{\sum_{j=1}^{m}f_{pj}} \tag{6-24}$$

式中，f_{pj} 为第 j 项预防性维修作业的频率，通常以装备每工作小时分担的 j 项维修作业数计；$\overline{M}_{ptj}$ 为第 j 项预防性维修作业所需的平均时间；m 为预防性维修作业的项目数。

预防性维修时间不包括装备在工作的同时进行的维修作业时间，也不包含供应和行政管理延误时间。

⑤平均维修时间 $\overline{M}$。

平均维修时间是产品(装备)每次维修所需时间的平均值。此处的维修是把两类维修结合在一起考虑，即既包含修复性维修，又包含预防性维修。其度量方法为：在规定的条件下和规定的期间内，产品修复性维修和预防性维修总时间与该产品维修总次数之比。平均维修时间 $\overline{M}$ 可用式(6-25)表达：

$$\overline{M}=\frac{\lambda\overline{M}_{ct}+f_p\overline{M}_{pt}}{\lambda+f_p} \tag{6-25}$$

式中，λ 为装备的故障率，$\lambda=\sum_{i=1}^{n}\lambda_i$；$f_p$ 为装备预防性维修的频率(f_p 和 λ 应取相同的

单位)，$f_p = \sum_{j=1}^{m} f_{pj}$。

(2) 维修工时参数。

维修工时参数反映维修的人力、机时消耗，直接关系到维修力量配置和维修费用。因此，也是重要的维修性参数。常用的维修工时参数是维修性指数 M_I。维修性指数是每工作小时的平均维修工时，又称维修工时率，其计算式为

$$M_I = \frac{M_{MH}}{T_{OH}} \tag{6-26}$$

式中，M_{MH} 为装备在规定的使用期间内的维修工时数；T_{OH} 为装备在规定的使用期间内的工作小时数。

减少维修工时、节省维修人力费用是维修性要求的目标之一。因此，维修性指数也是衡量维修性的重要指标。对于各种飞机，T_{OH} 用飞行小时数。国外先进歼击机的维修性指数已由 20 世纪 60 年代的 35～50 减少到目前的每小时只需 10 个维修工时，这表明维修人力、物力消耗已大为减少。需要注意的是，M_I 不仅与维修性有关，而且与可靠性有关。提高可靠性、减少维修也可使 M_I 减小。因此，M_I 是维修性、可靠性的综合参数。

(3) 维修费用参数。

常用的维修费用参数为年平均维修费用，即装备在规定使用期间内的平均维修费用与平均工作年数的比值。根据需要也可用每工作小时的平均维修费用。这种参数实际上是维修性、可靠性的综合参数。为单独反映维修性，可用每次维修拆除更换的零部件费用及其他费用，计算出每次维修的平均费用作为装备的维修费用参数。

(4) 测试性参数。

测试性参数反映了产品是否便于测试(或自身就能完成某些测试功能)和隔离其内部故障。随着装备的现代化和复杂化，装备的测试时间已成为影响维修时间的重要因素。因此，测试性参数是一类重要的参数，常用故障检测率、故障隔离率和虚警率及测试时间描述，有关测试性的说明将在本书的后续章节进行详细论述。

4) 维修性参数选择

确定和提出维修性定量要求，先要选择好适当的参数，以表达用户的要求。同可靠性一样，维修性参数也分使用参数与合同参数。使用部门或订购方在装备论证时用使用参数、使用指标提出要求，经过与承制方协商转换为合同参数、合同指标。明确定义及条件的某些使用参数和指标也可以作为合同参数和指标。

维修性参数选择主要依据下列因素。

(1) 装备的使用需求是选择维修性参数时要考虑的首要因素。例如，常年战备值班的装备(如警戒雷达、通信装备等)要随时处于战备状态，首先应选用反映战备完好性的维修性参数。对于执行任务中停机会严重影响作战任务完成的装备(如坦克、火炮等)，应首选反映任务维修性的参数。对于维修费用高、花费人力多的装备，要注意选择反映维修人力和保障费用的参数。

(2) 装备的构造特点是选定参数的主要因素。例如，对于电子装备，故障检测和隔离是影响维修时间长短的主要因素，要注意选择有关测试性的参数；对于机械装备，维护和拆卸、更换、原件修复和预防性维修往往是影响维修时间的主要因素，要注意选择反映预防性维修和拆卸、更换、维护时间的有关参数；对于光-机-电结合的装备，检查、校正所占维修时间比例大，所以要选择控制检查、校正的维修性参数。

(3) 维修性参数的选择还要和预期的维修方案结合起来考虑。例如，某装备预期的维修方案是在部队基层级完成全部维修作业，基层级不能修复的装备就报废，则只需要反映基层级维修性要求的参数。

(4) 选择维修性参数时还必须同时考虑如何考核和验证。无法在内场考核和验证的参数只作为使用参数提出，不能作为合同参数，只有经过适当转换、考核、验证后才能作为合同参数。考核方法有试验验证、分析判断、使用验证等。当选择某一维修性参数时，就应同时确定相应的考核方法，否则所提的维修性要求没有实际效果。

6.1.4　维修性建模

1. 维修性建模的作用

与可靠性建模相似，维修性建模是维修性分析与评定的重要基础和手段。维修性建模可用于以下方面。

(1) 进行维修性分配，把系统级的维修性要求分配给系统级以下各个层次。

(2) 评价各种设计和设计方案，比较各个备选的设计构型，为维修性设计决策提供依据。

(3) 当设计变更时，进行灵敏度分析，确定系统内的某个参数发生变化时，对系统维修性、可用性和费用的影响。

维修性建模还可用于分析和评定系统的维修性指标，并为保障性分析提供输入数据。

2. 维修性模型的分类

维修性模型按其反映的内容，有狭义和广义的模型。狭义的维修性模型是指表达系统维修性与各组成单元维修性关系的模型和产品维修性与设计特征关系的模型。它们主要用于维修性分配、预计和评价。广义的维修性模型是指那些包含维修性的模型，除狭义的维修性模型外，还包括如可用度、战备完好性、系统效能、寿命周期费用等高层次模型以及有关维修的 RCM（以可靠性为中心的维修）、RLA（维修级别分析）等模型。这些模型主要用于设计或设计方案的评价、选择和权衡，或为维修性设计提供基础。本节主要介绍狭义的维修性模型。

按模型的形式不同，维修性模型可分为以下四种。

(1) 框图模型：主要是采用维修职能流程图、包含维修的功能层次框图等形式，表示出各项维修活动间的顺序和产品层次、维修的部位和工作，判明其相互影响，以便于分配、评估产品的维修性并及时采取纠正措施。

(2) 数学模型：主要是各种数学表达式，用于进行维修性分析、评估与综合权衡。

(3) 计算机仿真模型：由于维修作业的发生和持续时间的随机性，难以用一般数学模型描述，可建立系统维修性的仿真模型，通过仿真求解系统维修时间。

(4) 实体模型：用于维修性核查、演示、验证的模型，如产品或设计方案的本质或金属模型、样机等。

3. 维修性的系统框图模型

1) 维修职能流程图

为了进行维修性分析、评估以及分配，往往需要掌握维修的实施过程及各项维修活动之间的关系。用框图形式描述维修职能正是这个目的。维修职能是一个统称，它可以指实施装备维修的级别，如基层级维修、基地级维修等；也可以指在某一具体级别上实施维修的各项活动，这些活动是按时间顺序排列出来的。

维修职能流程图是提出维修的要点并找出各项职能之间相互联系的一种流程图。对某一个维修级别来说，则是从产品进入维修时起直到完成最后一项维修职能，使产品恢复到或保持其规定状态所进行活动的流程框图。

维修职能流程图随装备的层次、维修的级别不同而不同。图 6-2 是某装备系统最高层次的维修职能流程图，它表明该系统在使用期间要由操作人员进行维护。由维修机构实施的预防性维修或排除故障维修可分为三个级别，即基层级、中继级和基地级。装备一般是在某一机构维修，完成维修后再返回使用。

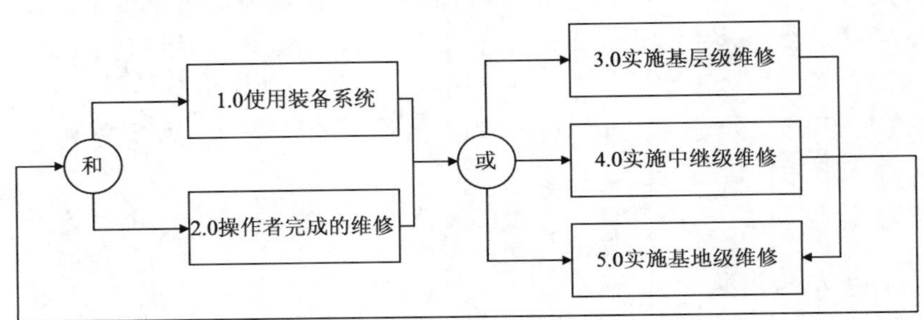

图 6-2　维修职能流程图的典型图例(系统层次流程图)

图 6-3 是装备中继级维修的一般职能流程图，它是图 6-2 中 4.0 的展开图。它表示出从接收该待修装备到修完返回使用单位(或供应部门)的一系列维修活动，包括准备活动、诊断活动和更换活动等。

维修职能流程图是一种非常有效的维修性分析工具，它可以把装备维修活动的先后顺序整理出来，形成非常直观的流程图。如果把有关的维修时间和故障率等数值标注在图上，则可以很方便地进行维修性的分配和预计以及其他分析。

2) 系统功能(包含维修)层次框图

维修职能流程图是从纵向按时序表达各项维修工作、活动的关系；而包含维修的系统功能层次框图则是从横向按组成表达系统与各部分维修工作、活动的关系，以便掌握系统与单元的维修性的关系。系统功能层次框图是表示从系统到可更换单元的各个层次所需的维修措施和维修特征的系统框图。它可以进一步说明维修职能流程图中有关装备和维修职能的细节。

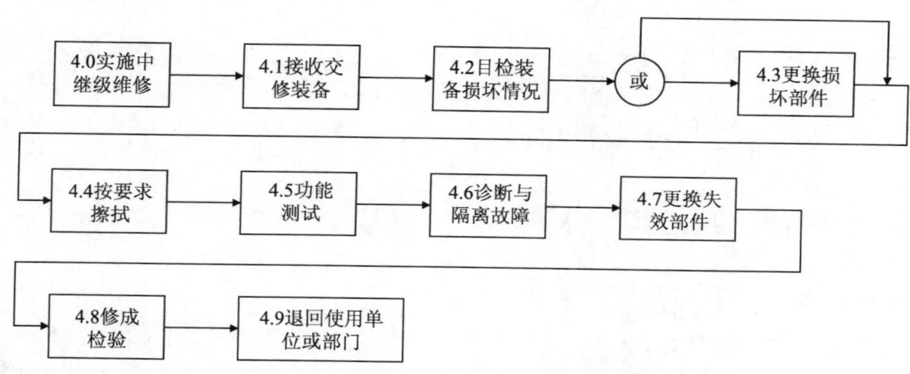

图 6-3　中继级维修的一般职能流程图

系统功能层次的分解是按其结构(工作单元)自上而下进行的，一般从系统级开始，分解到能够做到故障定位、更换故障件、进行维修或调整的层次为止。分解时应结合维修方案，在各个产品上标明与该层次有关的重要维修措施(如弃件式维修、调整或修复等)。

如果把有关的维修时间指标和故障率或预防性维修频率与框图联系在一起，就可以进行维修性预计、分配，或进行灵敏度分析或权衡研究。

4. 维修性数学模型

维修性参数很多，但维修时间是最基本的，通常由它可以导出其他的参数。维修时间的计算是维修性分配、预计及试验数据分析等活动的基础。因此，维修性数学模型主要是计算维修时间的模型。这里的维修时间是一个统称，它可以指修复维修时间，也可以指预防性维修时间，为了方便我们统称为维修时间。

由于维修时间是随机变量，它通常可以用某一统计分布形式来近似表达。所以，维修时间的计算模型可分为两类：一是分布计算模型，通过分析、计算得出维修时间的分布规律；二是特征值计算模型，用于计算维修时间的特征值，如平均值、中值、最大值等。这里仅介绍常见的维修时间模型。

1) 系统平均维修时间模型

系统平均维修时间模型通常是指系统平均维修时间与系统各组成单元维修性参数或其他系统参数之间的数学关系。例如，最常用的加权平均值公式：

$$\overline{M} = \frac{\sum_{i=1}^{n} \lambda_i \overline{M}_{cti}}{\sum_{i=1}^{n} \lambda_i} \tag{6-27}$$

就表示了一种系统各可修理单元的平均故障修复时间之间的关系，也称均值计算模型。

该模型不仅用于系统级的维修时间计算，还可以用于维修性分配的核算，也是许多维修性分配方法的原始出发点。

此外，还可以将系统的维修时间表示为研制年代、重量、产品类型、复杂程度等关系，或表示为产品可达性、标准化、互换性、测试性、人因工程等因素的关系，即

$$\overline{M}_{\mathrm{ct}} = f(x_1, x_2, \cdots, x_k) \tag{6-28}$$

式中，$x_1, x_2, \cdots, x_k$ 为所考虑的各有关因素；$f(x)$ 为系统维修性参数与所考虑的影响因素之间的函数关系。

式(6-28)所示模型的具体形式及参数通常由所统计的历史数据采用多元回归、人工神经网络等方式确定。

2) 串行作业模型(累加模型)

串行作业是指一系列作业首尾相连，前一作业完成时后一作业开始，既不重叠又不间断。在维修工作中，一次维修事件是由若干维修活动组成的，而各项维修活动是由若干项基本维修作业组成的。如果只有一个维修人员或维修组，不能同时进行几项活动或作业，就是串行作业。在这种情况下，完成一次维修或一项维修活动的时间就等于各项活动或各基本维修作业时间的累加值。

假设某项维修事件(活动)的时间为 T，完成该项维修事件(活动)需要 n 个活动(基本维修作业)，每项活动(基本维修作业)的时间为 $T_i (i = 1, 2, \cdots, n)$，它们相互独立，则

$$T = T_1 + T_2 + \cdots + T_n = \sum_{i=1}^{n} T_i \tag{6-29}$$

如果已知每项活动(基本维修作业)时间的分布函数，则可以求得总时间 T 的分布。

3) 并行作业模型

组成维修事件(活动)的各项维修活动(基本维修作业)同时开始，则为并行作业。在大型装备中常常是多人或多组同时进行维修，以缩短维修持续时间。如果各项活动或作业同时开始，那就应当使用并行作业模型。

显然，并行作业的维修持续时间等于各项活动(基本维修作业)时间的最大值：

$$T = \max(T_1, T_2, \cdots, T_n) \tag{6-30}$$

而其维修度为

$$\begin{aligned} M(t) &= P\{T \leqslant t\} = P\{\max(T_1, T_2, \cdots, T_n) \leqslant t\} \\ &= P\{T_1 \leqslant t, T_2 \leqslant t, \cdots, T_n \leqslant t\} = \prod_{i=1}^{n} M_i(t) \end{aligned} \tag{6-31}$$

4) 网络作业模型

如果组成维修事件(活动)的各项活动(基本维修作业)既不是串行关系又不是并行关系，则可用网络模型来描述，采用网络计划技术计算维修时间。网络作业模型不仅适用于装备大修时间分析或复杂装备的维修时间分析，也可用于有交叉作业的其他维修时间计算。其具体方法可参考运筹学等有关书籍。

除上述模型外，在维修性分配、预计、验证的方法和标准中往往都规定有适用的模型。在工程项目研制中主要是选择适当的模型，并进行必要的修改或补充。

6.2　维修性设计与分析

维修性设计与分析是建立和执行维修性设计准则，综合运用维修性分析、建模、分配与预计等手段将维修性定性与定量要求以及使用与保障约束转化为具体的产品设计，是维修性工作的重要组成部分，在开展维修性设计与分析工作时，需要与可靠性等其他保障特性以及保障规划相协调。本节主要介绍维修性设计与分析的相关内容。

6.2.1　维修性设计与分析的内涵

1. 维修性设计的内涵

产品设计是产品在设计、制造、装配、使用和回收整个寿命周期中的关键环节，需要综合考虑功能、可靠性、维修性及保障性等因素的影响。维修性设计是整个产品设计的重要组成部分。通常，在满足产品基本功能设计的基础上，维修性设计工作应在产品的总体布局设计、现场可更换单元(LRU)规划、定量要求的分配和预计、维修测试方案设计等方面全面展开，并与功能设计同步，相互协调迭代。

对于不同的设计阶段，维修性设计所考虑的侧重点也不同。在初始设计阶段，维修性涉及更多的是系统组成单元间的关系和采用的总体技术方案，而详细设计阶段则更加关注单元自身内部的维修性设计因素。另外，面对不同的产品层次，维修性设计的关注点和内容不尽相同。产品的维修性设计方法具体包括维修性总体布局设计、LRU 规划、维修性分配与预计、多种因素权衡等。

维修性的众多设计特征之间既可能存在促进关系，也可能存在一定的矛盾和冲突，因此设计过程中存在权衡和优化的问题，其中维修测试方法的选择是一个关键问题。在进行维修测试时，决定用某一种测试方法还是综合几种测试方法一起用，需要考虑多种因素，如电路的稳定性、费用、人员训练与技能、允许的测试时间、所需要的测试资料、进行测试的维修级别、测试程序等，这就需要进行综合权衡。

2. 维修性分析的内涵

维修性分析是一项重要的维修性工程活动。一般地，维修性分析是产品研制的系统工程活动中涉及维修性的所有分析。例如，对产品维修性参数、指标的分析，维修性要求的分配、预计，试验结果分析都属于维修性分析评价的范畴。

维修性分析作为产品设计分析的一个关键环节，所分析的是与维修性有关的项目，但分析过程中除了维修性参数，还会涉及来自可靠性工程、维修工程、人因工程等其他工程专业的参数，如故障率、维修工时、人员费用等。有时，维修性分析的项目，特别是涉及权衡研究的项目，很难与其他专业工程的分析截然分开。例如，对几个待选的维修性设计方案进行权衡研究，选取最佳方案时，分析内容至少应包括各设计方案的维修方案和保障方案以及平均维修时间、故障率、寿命周期费用等参数，而这些方案、参数则分别来自可靠性工程和维修工程。维修性分析应与保障性分析协调，实现分析数据的共享。

6.2.2 维修性设计

武器装备系统的维修性首先是通过系统的设计过程来实现的。根据系统的工作要求，建立维修性大纲和计划；确定系统的维修性定量要求和定性要求；建立维修性模型，对系统的定量指标进行维修性分析和预计；确定维修性设计准则，以便将定量和定性的维修性要求与规定的约束条件转换成详细的硬件设计和软件设计；维修性工程人员参加系统设计过程并从事维修性方面的协调工作，最后对设计的系统进行维修性设计评审，发现系统的不良维修区，并进行必要的设计更改。通过上述的维修性设计过程，能够确保所设计的系统满足合同规定的维修性要求。

1. 维修性设计与系统设计

1) 维修性设计与系统设计之间的关系

根据系统效能的要求，在整个系统设计和研制过程中，都要把维修性作为一个设计参数加以考虑，通过维修性设计使系统在维修性方面具有下列设计特征。

(1) 用最少的人员，在最短的时间内完成各项维修工作。

(2) 对维修人员培训的工作量最少，稍加培训就能完成所需的维修工作。

(3) 零备件的消耗量最少。

(4) 对测试设备和工具的种类及数量要求最少。

(5) 对系统的维修设施要求最低。

(6) 需要系统承制方的技术服务最少。

(7) 对保障工作的技术资料需求最少。

系统具有上述设计特征，可以使系统使用保障费用得到很大节省，从而可提高系统的费用效能。

维修性设计是系统设计工作中的一个重要的组成部分。虽然维修性设计有其特定的工作内容、工作程序及方法，但在系统整个设计和研制过程中，维修性设计与系统设计必须紧密配合，互相及时地输入或输出有关的设计数据和资料，并进行必要的设计协调，以保证设计出来的系统能满足规定的维修性要求，减少或避免由于技术上不协调导致设计返工而造成的人力、物力的浪费。

2) 系统设计中的维修性工作

在系统一级进行设计时，应同时协调进行的维修性工作主要有以下方面。

(1) 审查系统的技术要求、任务要求和维修保障概念，并把这些信息转换成基本的系统设计准则。

(2) 审查系统的使用功能流程图，确定重要系统功能的界面要求，并参加系统分析研究。

(3) 确立系统维修性大纲，并制定维修职能流程图，确定为满足维修职能要求所应完成的主要维修工作项目。

(4) 进行维修性分析(作为系统分析工作的一部分)，完成维修性分配。

(5) 参加系统权衡研究，准备进行权衡研究所必需的维修性数据和资料(如维修时间、维修频率、费用数据和后勤保障要求等)。

(6) 建立系统的维修性设计准则，提出适用于各分系统和设备的定性与定量的数据资料及有关信息。

(7) 监督系统的设计活动，审查与维修性特征密切相关的系统设计图纸(如设备布置安装图、系统功能流程图等)，对系统中的某些设备或项目提出有关维修性的专门要求(如需要保证某任务维修时的可达性条件、照明条件、安全性限制、环境数据等)，并提出有关维修性方面的建议。

(8) 参与对系统的正式设计评审，提出维修性方面的资料(如专题报告、权衡研究报告、建议等)。

(9) 参加综合后勤保障计划的制订，与后勤保障分析活动保持协调一致。

(10) 参加系统试验和验证活动。

(11) 审查维修性分析和对设备评定的有关资料，建立有关维修性问题的档案供管理部门使用。

2. 维修性设计准则

维修性设计准则是为了将系统的维修性要求和规定的约束条件转换为实际而有效的硬件设计和软件设计而确定的通用或专用设计原则及标准，它应该根据系统的维修概念和修复政策来确定。维修性设计准则是用于指导产品设计的技术原则和措施。只有当这些准则在系统设计中得到充分体现，使系统具有规定的维修性特征时，才能满足系统的定性和定量的维修性要求。

在装备研制初期，承制方应制定并提交一份设计准则及来源清单，并随着研制的进展不断改进和完善。拟订设计准则必须有助于设计人员选择维修性的定量设计特征，从而把最佳的维修性设计到产品中去。

在确定系统的维修性设计准则之前，必须得到维修概念和修复政策等有关信息。而维修性设计准则必须包括组件级甚至零件级，并相应地反映有关试验、保障设备、零备件、人员培训、技术资料和维修设施等大量的后勤保障要求。为了保证所设计的系统满足合同规定的维修性要求，对维修性设计准则应提出以下基本要求。

(1) 减少由维修造成的不工作时间。维修概括地可分为预防性维修和修复性维修两大类，由维修造成的不能工作时间也可分为以上两类。为减少维修时间，还应注意提高维修时的可达性，减少修复后的调整和检查工作。

(2) 维修简便。维修简便就是给维修工作提供方便，最主要的是在系统维修时应提供适当的可达性、工作部位和操作空间。对系统的检查点、检查窗口、润滑点、维护点等的设置都应符合这些要求。

(3) 减少维修费用。维修费用主要由维修工时和器材消耗两部分组成。维修工时包含维修的人力和时间两个主要因素，它反映了对人力工资的支付。为了减少器材消耗，在设计时，应对系统提出可修性的要求。因此，在考虑系统、设备和机件的设计方案时，应根据过去的经验，将它们设计成在出现故障时，能够以最简便、最经济的方式进行维修，这对于减少维修费用将起到很重要的作用。

(4) 减少维修差错。系统在维修过程中经常可能发生差错，有无必要的防差错措施是系统维修性好坏的一个重要标志。因为差错不同于故障，没有明显的量变过程，发生后就处于不正常状态，而且平时以隐蔽的形式存在，一旦该机件参与工作，就会突然暴露出来而造成严重后果。这就要从设计入手，从设计上想办法，这样才能有效地减少产生人为差错的可能性。

(5) 提高维修的安全性。维修的安全性包括针对系统本身的安全性和针对维修人员的安全性。因此，在设计中对那些在维修过程中共有潜在危险的机件和系统部位，从设计上采取相应的安全保证措施，会给维修工作带来很大好处。

3. 维修性分配

1) 维修性分配的理解

维修性分配是指为了把产品的维修性定量要求按照给定的准则分配给各组成部分而进行的工作。

(1) 维修性分配的目的。

在装备研制或改进中，有了系统总的维修性指标，还要把它分配到各功能层次的各部分，以便明确各部分的维修性指标，这就是维修性分配。其具体目的如下：

①为系统或设备的各部分（各个低层次产品）研制者提供维修性设计指标，以保证系统或装备最终符合规定的维修性要求；

②通过维修性分配，明确各承制方或供应方的产品维修性指标，以便于系统承制方对其实施管理。

维修性分配在确定了装备系统的维修性指标以后，应在设计的初始阶段完成初步的分配工作，即将维修性指标分配到系统的各功能部分，并在详细设计过程中对分配进行反复修正，其广度和深度取决于装备的复杂程度与设计过程，并受其他性能（如可靠性等）的影响。

(2) 维修性分配的时机与条件。

维修性分配是一个由上而下、由粗到细的过程，应尽早开始，以便为维修性设计提供依据，并在设计过程中不断深化、反复修正。维修性分配需具备如下条件：

①已经提出装备维修性要求并载入合同；

②已经初步确定装备的系统功能层次和维修方案；

③已经完成可靠性初步分配，或与可靠性分配同时进行。

(3) 维修性分配的准则。

维修性分配应遵循如下准则：

①对于新的设计，分配应以涉及的每个功能层次上各部分的相对复杂性为基础，在许多场合，也可按各部分的故障率进行分配；

②若设计是从以往的设计演变而来或有相似产品，则分配应以过去的经验或相似产品的数据为基础；

③分配是否合理应以技术可行性、费用、进度等约束条件为依据。

2) 维修性分配的主要步骤

维修性分配的主要步骤如下。

(1) 确定系统在各种维修等级需要行使的维修职能，制定维修职能流程图。维修职能流程图是用来描述系统在各种维修等级上从进入维修到修复为止，有关修复性维修和预防性维修的要点及相互间联系。利用维修职能流程图可以有效地避免在维修性分析和分配中遗漏应有的职能和工作，便于对系统维修方案进行补充和改进。

(2) 确定系统各功能层次的组成部分，制定系统功能层次框图。系统功能层次的分解，是按其下属的各种物理层次从上到下进行，直至能够做到故障定位、更换组件、进行修理或调整的层次。

(3) 确定系统各功能层次项目的修复性维修的频率(故障率)和预防性维修的频率。系统各项目的修复性维修的频率就是该项目的故障率，可以通过可靠性分析取得，预防性维修的频率则根据使系统的可用度最大、总费用最少的原则来考虑。

(4) 确定系统各项目的维修工作时间。系统各项目的维修工作时间可根据所选用的维修性指标来确定，可采用平均时间或中位时间或最大维修时间表示。将已经规定的维修性定量指标或约束条件对系统以下的各层次的细目进行分配。在整个分析过程中，使用的指标要一致。分配的深入和详尽程度随设计的进程而不同，对于系统每一个功能层次的细目，可将各指标列在维修职能流程图上和系统功能层次框图中，也可列入便于累加处理的其他表格中。

(5) 维修性分配的可行性研究。将系统功能层次各个项目分配的数据加以综合，以便确定其是否达到了规定的维修性定量指标。当综合的结果表明未能达到规定的维修性定量指标时，必须进一步分析设计方案，进行必要的综合权衡研究，提出设计修改的要求，进行维修性改进分配。当达到指标时，认为分配工作已基本完成。

3) 维修性分配的方法

如前所述，系统(上层次产品)与其各部分(下层次产品，以下称单元)的维修性参数 $\overline{M}_{\rm ct}$、$\overline{M}_{\rm pt}$、$M_{\max\rm ct}$、$M_{\rm I}$ 等都为加权和的形式，如平均修复时间为

$$\overline{M}_{\rm ct}=\frac{\sum_{i=1}^{n}\lambda_i\overline{M}_{{\rm ct}i}}{\sum_{i=1}^{n}\lambda_i} \tag{6-32}$$

其他参数的表达式也类似，以下均用 $\overline{M}_{\rm ct}$ 来讨论。式(6-32)是指标分配必须满足的基本公式。但是，满足此式的解集 $\{\overline{M}_{{\rm ct}i}\}$ 是多值的，需要根据维修性分配的条件及准则来确定所需的解。这样，就有各种不同的分配方法。

(1) 等值分配法。

取各单元的指标相等，即

$$\overline{M}_{\rm ct1}=\overline{M}_{\rm ct2}=\cdots=\overline{M}_{{\rm ct}i}=\cdots=\overline{M}_{{\rm ct}n} \tag{6-33}$$

这是一种最简单的分配方法，其适用的条件是：组成上层次产品的各单元的复杂程度、故障率及预想的维修难易程度大致相同。等值分配法也可用在缺少可靠性、维修性信息

时，进行初步的分配。

(2) 按故障率分配法。

取各单元的平均修复时间 $\overline{M}_{cti}$ 与其故障率成反比，即

$$\lambda_1\overline{M}_{ct1} = \lambda_2\overline{M}_{ct2} = \cdots = \lambda_n\overline{M}_{ctn}$$

代入式(6-32)，得

$$\overline{M}_{ct} = \frac{n\lambda_i\overline{M}_{cti}}{\sum\lambda_i}$$

$$\overline{M}_{cti} = \frac{\overline{M}_{ct}\sum\lambda_i}{n\lambda_i} \tag{6-34}$$

当各单元的故障率 λ_i 已知时，可求得各单元的指标 $\overline{M}_{cti}$。显然，单元的故障率越高，分配的修复时间则越短；反之则越长。这样，可以比较有效地达到规定的可用性和战备完好性目标。

(3) 按相对复杂性分配法。

在分配指标时，要考虑其实现的可能性，通常是考虑各单元的复杂性。一般地，产品结构越简单，其可靠性越好，维修也越简便迅速，可用性越好；反之，结构越复杂，可用性则难以满足要求。因此，可先按相对复杂程度分配各单元的可用度，即取一个复杂性因子 C_i，定义为预计第 i 单元的元件数与系统(上层次)的元件总数的比值，则第 i 单元的可用度分配值为

$$A_i = A_s^{C_i} \tag{6-35}$$

式中，A_s 为系统的可用度值：

$$A_s = \prod A_i$$

由式(6-35)计算出单元的可用度后，代入式(6-36)，即可计算出单元修复时间：

$$\overline{M}_{cti} = \frac{1-A_i}{\lambda_i A_i} = \frac{1}{\lambda_i}\left(\frac{1}{A_i}-1\right)$$

或

$$\overline{M}_{cti} = \frac{1}{\lambda_i}(A_s^{-C_i}-1) \tag{6-36}$$

(4) 相似产品分配法。

装备设计总是有继承性的，因此可借用已有的相似产品维修性信息，作为新研制或改进产品维修性分配的依据。

已知相似产品的维修性数据，计算新(改进)产品的维修性指标，可用式(6-37)表示：

$$\overline{M}_{cti} = \frac{\overline{M'}_{cti}}{\overline{M'}_{ct}}\overline{M}_{ct} \tag{6-37}$$

式中，$\overline{M'}_{ct}$ 和 $\overline{M'}_{cti}$ 分别表示相似装备(系统)和它的第 i 个单元的平均修复时间。

(5) 加权分配法。

国家军用标准中提供了适用于机电、电子设备的加权因子参考值。这些加权因子，

实际上是从各因素对单元维修性指标的影响来考虑的。加权因子越大，对减少维修时间越不利。

加权分配法，除了考虑分系统的复杂度以外，还要考虑各分系统可能采用的故障检测方法、故障隔离方法和故障修复方法等不同情况来分配 MTTR 指标。例如，对故障自动检测、自动隔离与人工寻找故障的两个分系统，不言而喻，对前者容许分配较小的 MTTR，而后者则应分配较大的 MTTR。又如，需要更换部件进行故障修复时，对于插拔式和焊接式两种部件，插拔式部件分配的 MTTR 就小一些，而焊接式部件就要大一些。这些因素用各分系统的维修性加权因子 K_i 来表示，K_i 又可细分为若干个具体因子 K_{ij}，令

$$K_i = \sum K_{ij} \tag{6-38}$$

K_{ij} 一般具有四种因子，即故障检测与故障隔离因子、可达性因子、可更换性因子和调整因子。但必须指出，只有不断积累各种设备的有关数据，才能得到更符合实际情况的维修性因子及其加权因子。

串联系统 MTTR 的分配公式为

$$\mathrm{MTTR}_i = \frac{K_i \sum \lambda_i}{\lambda_i \sum K_i}\mathrm{MTTR}_\mathrm{s} \tag{6-39}$$

(6) 按故障率和设计特性的综合加权分配法。

本方法适用于已有可靠性数据和设计方案等资料时的维修性分配，其模型为

$$\mathrm{MTTR}_i = \beta_i \mathrm{MTTR}_\mathrm{s} \tag{6-40}$$

式中，β_i 为修复时间综合加权系数。

$$\beta_i = \frac{\lambda K_i}{\lambda_i K} \tag{6-41}$$

$$K = \frac{1}{n}\sum_{i=1}^{n} K_i \tag{6-42}$$

式中，K 为各单元加权因子平均值；K_i 为单元 i 的维修性加权因子。K_i 与产品的故障检测和隔离方式、可达性、可互换性和测试性等因素有关，维修越差，K_i 越大。加权因子数值需根据装备结构类型，统计分析得出，可查阅相关资料。

$$K_i = \sum_{j=1}^{m} K_{ij} \tag{6-43}$$

式中，K_{ij} 为单元 i 的第 j 项加权因子；m 为加权因子项数。

上述各种分配方法应根据系统不同的研制阶段和掌握的系统维修性数据情况来选用。在方案论证阶段和初步设计阶段，系统的许多设计特点还不是很明确，有关的维修性数据掌握得也比较少，则可以考虑采用等值分配法或按故障率分配法。当系统研制进行到详细设计阶段，系统的设计特点，特别是与维修性有关的设计特点已基本确定，且掌握的有关维修性方面的数据信息更多时，用加权分配法可能更为适宜。

4. 维修性预计

1) 维修性预计的目的和参数

维修性预计是为了估计产品在给定工作条件下的维修性水平而进行的工作。

(1) 维修性预计的目的。

在装备研制或改进过程中，进行了维修性设计，但是否能达到规定的要求，是否需要进行进一步的改进，这就要开展维修性预计。所以，维修性预计的目的是：预先估计产品的维修性参数值，了解其是否满足规定的维修性指标，以便对维修性工作实施监控。

预计是一种分析性的工作，它可以在装备试验之前、制造之前，乃至详细的设计完成之前，对其可能达到的维修性水平做出估计。尽管这种估计往往带有很大的误差，不是验证的依据，却赢得了研制过程宝贵的时间，以便研制者早日做出决策，避免设计的盲目性。

(2) 维修性预计的参数。

维修性预计的参数应同规定的维修性指标相一致。最经常预计的是平均修复时间。根据需要也可预计最大修复时间、工时率或预防性维修时间。

维修性预计的参数通常是系统级或设备级的，以便与合同规定和使用要求相比较。而要预计出系统或设备的维修性参数，必须先求得其组成单元的维修时间或工时，以及维修频率。在此基础上，运用累加或加权和等模型，求得系统或设备的维修时间或工时均值、最大值。

2) 维修性预计的程序

对于不同的维修性预计方法，其工作程序略有区别，但一般要遵循以下程序。

(1) 收集资料。预计是以产品设计或设计方案为依据的。因此，做维修性预计首先要收集并熟悉所预计产品设计或设计方案的资料。

(2) 维修职能与功能分析。与维修性分配相似，在预计前要在分析上述资料的基础上，进行系统维修职能与功能层次分析，建立框图模型。

(3) 确定设计特征与维修性参数值的关系。维修性预计要由产品设计或设计方案估计其维修性参数。这就必须了解维修性参数值与设计特征的关系，这种关系可以用图表、公式、计算机软件数据库等形式表示。

(4) 预计维修性参数值。选用适当的预计方法预计维修性参数值。

3) 维修性预计的常规方法

维修性预计的方法有很多种，本节介绍的是适用范围较广的一些方法。

(1) 推断法。

推断法是广泛应用的现代预测技术。其中，最常用的就是回归预测，即利用类似维修性参数回归分析模型，预计维修性参数值。显然这种推断方法是一种粗略的早期预计技术，因为不需要多少具体的产品信息，所以在研制早期(如战技指标论证或方案探索中)仍有一定的应用价值。

(2) 单元对比法。

任何装备的研制都会有某种程度的继承性，在组成系统或设备的单元中，总会有些是使用过的产品。因此，可以从研制的装备中找到一个可知其维修时间的单元，以此作为基准，通过与基准单元进行对比，估计各单元的维修时间，进而确定系统或设备的维修时间。这就是单元对比法的思路。

①适用范围。

由于单元对比法不需要更多的具体设计信息，它适用于各类产品方案阶段的早期预计。单元对比法既可预计修复性维修参数，又可预计预防性维修参数。预计的基本参数是平均修复时间 $\overline{M}_{\text{ct}}$、平均预防性维修时间 $\overline{M}_{\text{pt}}$ 和平均维修时间 $\overline{M}$。

②预计需要的资料。

a. 在规定维修级别可单独拆卸的可更换单元的清单；

b. 各个可更换单元的相对复杂程度；

c. 各个可更换单元的各项维修作业时间的相对量值；

d. 各个预防性维修单元的维修频率相对量值。

③预计模型。

a. 平均修复时间 $\overline{M}_{\text{ct}}$：

$$\overline{M}_{\text{ct}} = \overline{M}_{\text{ct0}} \frac{\sum_{i=1}^{n} h_{\text{c}i} k_i}{\sum_{i=1}^{n} k_i} \tag{6-44}$$

式中，$\overline{M}_{\text{ct0}}$ 为基准可更换单元的平均修复时间；$h_{\text{c}i}$ 为第 i 个可更换单元的相对修复时间系数；k_i 为第 i 个可更换单元的相对故障率系数，即

$$k_i = \frac{\lambda_i}{\lambda_0} \tag{6-45}$$

式中，λ_i 与 λ_0 分别为第 i 个单元和基准单元的故障率。在预计过程中，k_i 并不需要由 λ_i 与 λ_0 计算，可由比较 i 单元与基准单元设计特性加以估计。

b. 平均预防性维修时间 $\overline{M}_{\text{pt}}$：

$$\overline{M}_{\text{pt}} = \overline{M}_{\text{pt0}} \frac{\sum_{i=1}^{m} h_{\text{p}i} l_i}{\sum_{i=1}^{m} l_i} \tag{6-46}$$

式中，$\overline{M}_{\text{pt0}}$ 为基准单元的平均预防性维修时间；$h_{\text{p}i}$ 为第 i 个预防性维修单元的相对维修时间系数；l_i 为第 i 个预防性维修单元相对于基准单元的预防性维修频率系数，即

$$l_i = \frac{f_i}{f_0} \tag{6-47}$$

同样地，l_i 依据单元设计特性的比较进行估计。

c. 平均维修时间 $\overline{M}$：

$$\overline{M} = \frac{\overline{M}_{ct0}\sum h_{ci}k_i + f_0\overline{M}_{pt0}\sum l_i h_{pi} / \lambda_0}{\sum k_i + f_0\sum l_i / \lambda_0} \tag{6-48}$$

d. 相对维修时间系数 h_i。

第 i 单元的相对维修时间系数或预防性维修时间系数 h_{ci} 或 h_{pi}（以下用 h_i 代表）是一个由比较得到的数值。为了便于比较，本程序把维修事件分为四项活动：故障定位隔离；拆卸组装；更换、安装可更换单元；调准检验。对每项活动分别进行比较，故 h_i 也分为四项：

$$h_i = h_{i1} + h_{i2} + h_{i3} + h_{i4} \tag{6-49}$$

h_{ij} 由第 i 个单元第 j 项维修活动时间（t_{ij}）相对于基准单元相应时间（t_{0j}）之比确定：

$$h_{ij} = h_{0j}\frac{t_{ij}}{t_{0j}} \tag{6-50}$$

式中，h_{0j} 为基准单元第 j 项维修活动时间所占其整个维修时间的比值。显然，$h_i = h_{i1} + h_{i2} + h_{i3} + h_{i4} = 1$。

3) 维修性预计时间累计法

维修性预计时间累计法是一种比较细致的预计方法，故单独把该方法进行分析讨论。它根据历史经验或现成的数据、图表，对照装备的设计或设计方案和维修保障条件，确定每个维修项目、每项维修工作或维修活动乃至每项基本维修作业所需的时间或工时，然后综合累加或求均值，最后预计出装备的维修性参量。

面对一个系统或一台设备，要直接估计出其维修性参数值是不现实的。但可以把它分解开来，把每个单元出故障后的维修过程也分解开来，针对某个单元某项活动或作业，估计其时间或工时则比较现实。然后对各项作业、各个单元的时间或工时进行综合，估计出系统或设备的参数等。这就是时间累计法的思路或过程，可用如图 6-4 所示。

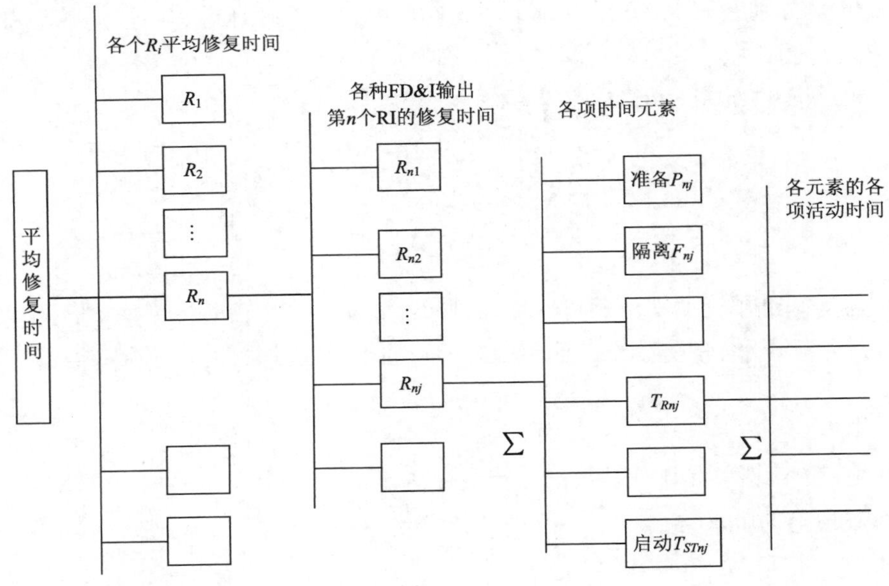

图 6-4　时间累计法模型

(1)维修对象的分解。把系统或设备分解，直到规定维修级别的或更换单元(RI)。每个 RI 的故障率 λ_n 可由可靠性预计历史资料得到。

(2)RI 的故障分析。一个 RI 发生故障，其故障模式可能有几种，故障检测与隔离(FD&I)的方式及其输出(即 FD&I 时得到的信号、迹象、仪表读数、打印输出等)也就不尽相同，FD&I 所需时间以及整个修复时间也就会不一样。因此，要按 FD&I 输出将单元故障区分开，并确定每种 FD&I 输出下的故障率 λ_{nj} 及修复时间 R_{nj} (n 代表第 n 个单元，j 代表第 j 种 FD&I 输出)。

(3)维修时间的分解。一次维修可能包含 8 种维修活动，其时间即修复时间元素 T_m (m 表示第 m 项活动时间)。

(4)维修活动的分解。一项维修活动可能是由若干个基本维修作业(动作)组成的。因此，可以选择常见的基本维修作业，通过试验或现场统计数据确定其时间(工时)，作为维修性预计的依据。

在上述过程中，运用的数学模型基本上是两类：累加模型和均值模型。累加模型用于串行作业，在不考虑并行作业的情况下由基本维修作业时间合成为维修活动时间 T_{mnj}，维修活动时间合成为各 RI 在各 FD&I 输出下的平均修复时间 R_{nj}。均值模型用于求系统平均修复时间。

6.2.3 维修性分析

1. 维修性分析的意义及目的

维修性分析是一项非常重要、非常广泛的维修性工作。一般地，它应当包含研制、生产、使用中涉及维修性的所有分析工作。从参数、指标的分析论证，指标的分配、预计，设计方案的分析权衡，到具体设计特征的分析检验，试验结果的分析等都可称为维修性分析。本节所说的维修性分析是狭义的，即将从承制方的各种研究报告和工程报告中得到的数据与从订购方得到的信息转化为具体的设计而进行的分析活动。这也就是 GJB 368A—94《装备维修性通用大纲》中的维修性分析的概念。

维修性分析的目的可以归纳为以下几个方面。

1)为制定维修性设计准则提供依据

有了维修性指标和定性要求并且分配到各层次的产品，要把它转化为设计，必须制定设计准则。装备的设计准则是指导设计的详细的技术文件，也是评审设计的依据。它包括系统及其各部分设计的具体要求、技术途径。而维修性分析是确定维修性设计准则的前提条件。只有对产品的维修性定量要求和设计约束进行分析，才能恰当地确定维修性设计准则。例如，分配到某产品的基层级平均修复时间不得大于 10min，根据这一要求，对该产品满足功能要求可能的设计构型和基层级的修理能力进行分析，选择适用的设计准则。在这里，平均修复时间不大于 10min，意味着在基层级不允许有详细的、较长时间的故障诊断和修复活动，这就要求与故障检测、隔离以及校准有关的设计特征或手段必须设计在装备内，并通过故障显示器直接进行故障隔离，然后由基层级人员进行换件修理。为了满足 10min 的平均修复时间要求，产品的换件必须简便迅速，故对该产品的可更换单元适宜采用快速紧固件固定。经过这些分析可确定该产品的设计准则如下。

(1) 采用机内测试装置进行故障定位、隔离及指示。

(2) 该产品的各功能单元应为可拆卸的模块。

(3) 各模块应采用快速解脱的紧固件固定。

2) 进行备选方案的权衡研究，为设计决策创造条件

有关维修性设计的权衡研究是维修性分析中经常进行的一项活动。当某一产品的维修性设计存在两种或两种以上设计方案时，就需要对这些方案以满足平均修复时间或有关的维修性指标为约束条件，以寿命周期费用或其他决策变量为主要目标进行权衡研究，其目的是选择能满足维修性要求的费用-效能最佳的设计。

3) 评估并证实设计是否符合维修性设计要求

验证装备的维修性水平，当然要靠维修实践。但在研制过程中当装备实体还未形成时，就要估计维修性，以便做出设计决策。这就是维修性分析的另一个主要目的，即对设计满足定性和定量维修性要求的情况进行评估。定量的维修性要求一般是通过维修性预计来评估的。这里分析的侧重点是对定性要求的分析，例如，对于产品的互换性、标准化程度，各通道口的尺寸、可达范围、操作空间等，分析是以 FMEA 结果为基础对系统的图纸资料或电子样机进行评审而实施的。

4) 为确定维修策略和维修保障资源提供数据

装备的维修保障要从其维修性特征出发了解产品的维修性特征。这就要进行分析，制订维修保障计划和确定维修保障资源需求，并将其结果制成清单，它的内容是下一步进行保障性分析、确定维修保障计划和维修保障资源的重要输入信息。

2. 维修性分析的内容

装备研制过程中，维修性分析的作用可用图 6-5 表示。

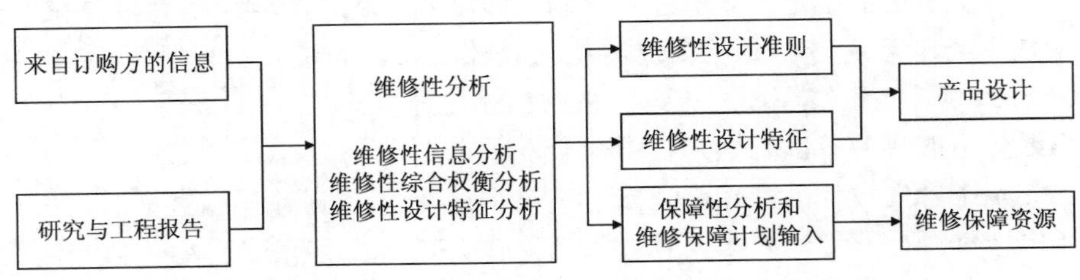

图 6-5　维修性分析的地位与作用示意图

从图 6-5 可以看出，整个维修性分析工作的输入信息是来自订购方和承制方两方面的信息。来自订购方的信息主要是通过各种合同文件、战技指标、论证报告等提供的维修性要求和各种使用与维修保障方案要求的约束条件。这些信息是装备设计的出发点和依据。承制方的信息来自各项研究与工程活动的结果，特别是各项研究与工程报告。其中，最为重要的是可靠性分析、人因工程研究、系统安全性分析、费用分析、前阶段的保障性分析等。这些信息往往提供了产品设计的约束或权衡、决策的依据。此外，产品的设计方案，特别是有关维修性(包含测试性)的设计特征，也是维修性分析的重要输入

信息。

维修性分析的内容或对象很广泛，其中最主要的是维修性信息分析、维修性综合权衡分析和维修性设计特征分析。

1）维修性信息分析

维修性信息的一个主要来源是 FMEA（包含损坏模式及影响分析），它确定了装备故障和损伤及其影响，并提供如何维修的信息。在此基础上，结合装备的具体结构，可以确定产品维修的具体活动和作业。这些信息既可用于评估维修的难度、估计所需时间和所需的各种人-财-物-力资源，对维修性做出评价，又可为保障性分析、确定维修保障计划和资源提供依据。

2）维修性综合权衡分析

维修性综合权衡分析涉及的内容很广，主要包括以下方面。

（1）维修性指标分配中的权衡可使各部分维修性指标的分配合理可行。

（2）维修性与可靠性、保障性等特性的权衡是同一产品几个特性指标之间的权衡。例如，实现规定的使用可用性指标，可以有不同的可靠性、维修性和保障性指标的组合。这就需要在其间进行权衡分析，这种分析可以使用可用度和保障资源为约束，以费用为目标进行。

（3）设计特性与保障资源的权衡，如实现产品的维修性要求，可能采取改进维修性（可达性、识别标记、模块化、BIT 等）的途径，也可采用改进维修资源（如增加或改进专用工具或仪器甚至设施）。究竟采用哪种途径，需要进行权衡分析，既要考虑总的费用，又要考虑部队的机动能力和生存性等因素，做出合理的选择。

3）维修性设计特征分析

维修性设计中的重要问题是关于人体、视力和工具是否可达到检测、维修部位并能方便地进行操作，包括单元、零部件的拆卸和安装等。产品的结构、组装、连接、外形尺寸，以及测试点的设置、可更换单元的划分等设计特征是解决这些问题的关键。要从维修性以及相关的人因工程要求角度对这些设计特征进行分析、考察，决定其是否可行。分析中要考虑人及其肢体、工具所占的空间和活动范围，视力范围及遮挡关系，以及人的用力限度等多种因素；同时要考虑结构的可靠性、测试性和操作的安全性，特别是战损修复的方便性等。这种分析往往需要采用设计特征可视化的途径。

3. 维修性分析的技术与方法

维修性分析采用定性分析与定量分析相结合的方法。分析的目的不同、项目不同，维修性分析所使用的技术和方法也不同。下面简要讨论维修性分析中常用的技术与方法。应该说明的是，这些方法并不都是维修性分析所特有的，它也可能用在其他工程专业中。

1）利用维修性模型

关于维修性模型在前面的内容中已有较详细的介绍，在设计过程中特别是涉及有关维修性的分配和预计、维修性设计方案的权衡决策、维修性指标的优化时都需要使用维修性模型。通过维修性模型，可以把复杂的实际装备的维修和维修性问题简化为维修职能流程图、系统功能层次框图或数学关系式，从而简化分析的过程并进行定量分析。另外，通过把维修性模型同费用模型、系统战备完好性模型以及其他保障分析的模型结合起来，还可以确定某个维修性参数(如平均修复时间、规定维修度的最大修复时间、故障检测率、故障隔离率等)的变化对整个系统的费用、维修性或维修保障带来的影响，从而为设计和保障决策提供依据。

2) 设计特征可视化分析

在设计特征的维修性分析中，考察、评价产品设计和维修保障资源时，如果设计人员能够直观地看见产品构型和维修人员、工具以及维修作业的动作过程，而不是“凭空想象”，必将提高分析的效果和效益。这也就是“可视化”维修性分析的意义所在。维修性设计特征的可视化区别于在实体模型、样机上的演示或实际操作，它不过分依赖实体模型或样机，而是利用计算机软、硬件平台建立产品的“电子样机”和实体模型，通过三维图形、图像以及动画技术来模拟维修操作或过程，并能根据需要进行各种活动的演示。实现维修性分析可视化，是推进维修性理论与技术在工程设计领域的进一步应用的迫切需要，也是十余年来计算机辅助设计技术、计算机辅助工程技术、维修性技术和人体建模技术等高新技术迅速发展和相互结合的产物。

3) 寿命周期费用分析

寿命周期费用是系统论证、方案设计乃至整个研制过程中最主要的决策参数之一，也是最为敏感的决策参数，几乎任何一次研制过程中的决策都会对寿命周期费用产生影响，与该参数发生联系。装备的维修性设计既影响设计与制造费用，又影响维修保障费用。例如，提高产品的可达性和诊断能力，可能要开通道、加快开启的窗口、使用快速紧固件和 BIT 等，必然会增加设计和制造费用，但可减少维修时间、人力及保障设备，从而减少维修费用。此时决策的主要变量就是维修时间和寿命周期费用。所以，费用分析是维修性分析中用到的重要技术。需要建模求得费用值来完成的工作有：说明所分析项目对费用的影响；维修性分配；提出经济、有效的维修性设计和测试分系统设计；为保障性分析准备输入数据。

4) 风险分析

在维修性分析中，需要估计分析与决策可能有的偏差会带来的结果(危害)，并将其风险减小到最低限度。需要对分析与决策的风险做出估计，同时权衡分析和设计决策中所使用的某些参数，如 MTBF、故障率、价格等可能是通过预测和估计方法得到的。由于这些决策参量的不确定性，分析的结果也可能出现不确定性。例如，通过权衡研究，认为某一设计方案是可行的，但由于分析过程中所使用的数据是不精确的，这种设计方案很可能在装备投入使用后出现意想不到的问题。有时即使分析时所用的数据是精确的，但由于设计或使用条件的更改，数据会发生变化，原有的分析结果和设计决策是否合理也会产生问题。为了搞清输入数据的变化对分析结果的影响，就需要进行风险分析。

在维修性分析中，估计风险、确定风险界限常采用以下手段。

(1) 灵敏度分析。通过灵敏度分析，可以研究各个输入参数在什么范围内变化可以不影响维修性分析的结果，超出这个范围后会出现什么样的结果。另外，通过这项分析还可以搞清增加一个或几个约束后，维修性分析的结果会发生什么样的变化。

(2) 置信区间分析。对维修性分析中所涉及的估计参数(如 MTBF、故障率等)应用统计学方法给出其置信区间，该区间表示所估计的参数以某种把握程度包含在该区间内。给出参数的区间估计比给出其点估计能提供更有效的信息，从而更容易确定使用该参数所带来的风险。

5) 对比分析法

任何一种新的装备都是在原有装备的基础上发展起来的，它们之间会不同程度地存在着继承性和相似性。对比分析法就是利用新老装备之间或不同装备某些部分之间存在的相似性，用老装备或其他装备或其部分的维修性来对照、评价新装备维修性特征的一种方法。这种方法被广泛地应用于维修性分配、预计、设计特征的分析中。对比分析法所选择的装备或部分最好是应用实际数据做过维修性分析、试验的相似装备或部分。

应用对比分析法时，既要考虑到产品之间的相似性与继承性，又要考虑到新产品的先进性，其可靠性与维修性水平会有一定的提高。因此，对相似装备的维修性值应加以修正。

6.3 维修性试验与评价

维修性试验与评价是装备研制、生产和使用阶段所进行的各种试验与评价工作的一部分，是极为重要的维修性工作。本节将介绍它的基本原理和方法。

6.3.1 维修性试验与评价概述

1. 维修性试验与评价的目的与作用

维修性试验与评价贯穿于装备全寿命过程，在各阶段其目的和作用显然有区别。但一般地，维修性试验与评价的目的是考核、验证和发现缺陷。

1) 考核、验证产品维修性

从根本上说，产品的维修性应当用实际使用中的维修实践来进行考核、评价，以确定产品维修性的实际水平。然而，这种考核评价又不可能都在完全真实的使用条件下，通过整个寿命周期的维修实践来完成。这就要在研制过程和生产过程中采用统计试验的方法，及时做出产品维修性是否符合要求的判定，使承制方对其产品维修性“心中有数”，使订购方决定是否接受该产品。事实上，维修性的考核、验证，对承制方是一种“压力”，没有验证就没有压力。

2) 发现和鉴别维修性设计缺陷，提供改进的依据

在研制阶段、生产阶段和使用阶段的维修性试验中，将发现并鉴别设计维修性方面的缺陷，为改进设计提供依据。特别是在研制过程中，通过各种形式的维修性核查，及早发现问题，提出改进意见，采取措施进行纠正，将使产品的维修性得到不断增长，最终达到规定要求。所以，维修性试验与评价是完善产品维修性的必要措施。

3) 对有关维修保障要素进行评价

在进行维修性试验的同时，对维修保障要素(包括人员及其训练、维修技术文件、备件、工具、设备、设施和计算机资源等)也是一次考核，并可能发现这些要素存在的不足，

为改进和完善保障要素提供实在的依据。

2. 维修性试验与评价的时机和种类

为了提高试验的效率和节省试验经费，并确保试验结果的准确性，研制、生产中的维修性试验与评价一般应与功能试验及可靠性试验结合进行，必要时也可单独进行。

根据维修性试验与评价的时机、目的和要求，通常将系统级维修性试验与评价分为核查、验证和评价。系统级以下层次产品的维修性试验与评价如何划分，应根据产品具体情况确定。

1) 维修性核查

维修性核查是研制过程中的工程试验，即承制方为实现装备的维修性要求，自签订装备研制合同之日起，贯穿于从零部件、元器件到组件、分系统、系统的整个研制过程中，不断进行的维修性试验与评价工作。

维修性核查的目的是检查与修正进行维修性分析与验证所用的模型及数据，鉴别设计缺陷，以便采取纠正措施，使维修性不断增长，保证满足规定的维修性要求和便于以后的验证。根据这样的目的和试验的时机，核查的方法比较灵活，应最大限度地利用在研制过程中各种试验(如功能、样机模型、合格鉴定和可靠性等试验)进行的维修作业所得到的数据，并采用较少的和置信度较低的(粗略的)维修性试验。在研制早期还可采用木质或金属模型进行演示、测算，应用这些数据、资料进行分析，找出维修性的薄弱环节，采取改进措施，提高维修性。

2) 维修性验证

维修性验证是一种正规的、严格的、检验性的试验评定，即为确定装备是否达到了规定的维修性要求，由指定的试验机构进行的或由订购方与承制方联合进行的试验与评价工作。维修性验证通常在设计定型、生产定型阶段进行。在生产阶段进行装备验收时，如有必要也要进行维修性验证。

维修性验证的目的是全面考核装备是否达到规定的维修性要求。维修性验证的结果应作为批准装备定型的依据。因此，验证试验的环境条件，应尽量与装备实际使用维修环境一致或十分类似。试验中维修所使用的工具、保障设备、设施、备件、技术文件，应与正式使用时的保障计划规定一致，以保证验证结果可信。维修性验证的指定试验机构一般是专门的装备试验基地或试验场，也可以是经订购方和承制方商定的具备条件的研究所、生产厂家或其他合适的单位。参加验证试验的维修人员应当是由专门试验机构的或订购方的现场维修人员，或经验和技能与实际使用保障中的维修人员同等程度的人员。这些人员应经承制方适当训练，其数量和技术水平应符合规定的保障计划的要求。

3) 维修性评价

维修性评价是指使用部门(订购方)在承制方的配合下，为确定装备在实际使用、维修及保障条件下的维修性所进行的试验与评价工作，通常在部队试用时或(和)在装备使用阶段进行。

维修性评价的目的是确定装备在部署以后的实际使用与维修保障条件下的维修性水平，观察实际维修保障条件对该装备维修性的影响，检查维修性验证中所暴露的维修性缺陷的纠正情况。除重点评价实际条件下基层级和中继级维修的维修性外，当有基地级维修性要求时，还应评价基地级维修的维修性(装备在基地级维修的维修性在核查、验证阶段是不评价的)。评价的对象即所用的实体应为已部署的装备(硬件、软件)或与其等效的样机。需要考核的维修作业应是实际使用中遇到的维修工作，一般不需要进行专门的故障模拟及维修。这就是说，维修性评价主要是靠统计实际维修数据，了解部队维修状况进行的。

维修性评价是一项很重要的工作。例如，我国海军曾对核潜艇、导弹等装备进行过维修性评价；装甲兵结合维修改革对 59 式坦克进行了维修性评价，它们都取得了较好的效果，其成果为现役装备的合理使用、维修，新型装备的维修性指标的论证与确定，以及研制工作提供了基础。

6.3.2　维修性试验与评价的一般程序

维修性试验与评价按程序分为准备阶段和实施阶段。准备阶段的工作如下。

(1) 制订试验计划。

(2) 选择统计试验方法。

(3) 确定受试品。

(4) 培训试验维修人员。

(5) 准备试验环境和试验设备及保障设备等资源。

实施阶段的工作如下。

(1) 确定试验样本量。

(2) 选择与分配维修作业样本。

(3) 故障的模拟与排除，即进行修复性维修试验。

(4) 预防性维修试验。

(5) 收集、分析与处理维修试验数据和试验结果的评价。

(6) 编写试验与评价报告等。

下面对几个主要工作进行介绍。

1. 统计试验方法的选择

维修性核查和评价中，主要是利用各种试验或现场数据，或采用某些演示方法等；而维修性定量指标的试验验证则属于统计试验，要用正规的统计试验方法。在 GJB 2072—94《维修性试验与评定》中规定了 11 种方法可供选择。选择时，应根据合同中要求的维修性参数、风险率、维修时间分布假设以及试验经费和进度要求等因素综合考虑，在保证满足不超过订购风险的条件下，尽量选择样本量小、试验费用少、试验时间短的方法。由订购方和承制方商定，或由承制方提出经订购方同意。除上述国家军用标准规定的 11 种方法外，也可以选用有关国标中规定的适用方法，但都应经订购方同意。

2. 试验样本量的确定

维修性统计试验中要进行维修作业，每次维修算一个样本。只有足够的样本，才能反映总体的维修性水平。如果样本量过小，会失去统计意义，使订购方和承制方的风险都增大。样本量应按所选试验方法中的公式计算确定，也可参考所推荐的样本量。某些试验方案在计算样本量时还应对维修时间分布的方差做出估计。

3. 选择与分配维修作业样本

1) 维修作业样本的选择

为保证试验所做的统计学决策(接受或拒绝)具有代表性，所选择的维修作业最好与实际使用中所进行的维修作业一致。对于修复性维修试验，可用以下两种方法产生维修作业。

(1) 自然故障所产生的维修作业。

装备在功能试验、可靠性试验、环境试验或其他试验及使用中发生的故障，均称为自然故障。一般地说，这种自然故障发生的次数以及影响的程度是符合实际的，最具代表性。因此，由自然故障产生的维修作业，如果次数足以满足所采用的试验方法中的样本量要求，应优先采用作为维修性试验样本。如果对上述自然故障产生的维修作业在实施时是符合试验条件要求的，当时所记录的维修时间也可以作为有效的数据用于维修性验证时的数据进行分析和判决。

(2) 模拟故障产生的维修作业。

当自然故障所进行的维修作业次数不足时，可以通过对模拟故障所进行的维修作业次数补足。为了缩短试验时间，经承制方和订购方商定也可采用全部由模拟故障所进行的维修作业作为样本。

预防性维修应按维修大纲规定的项目、工作类型及其间隔期确定试验样本。

2) 维修作业样本的分配方法

当采用自然故障所进行的维修作业次数满足规定的试验样本量时，显然不需要进行分配。当采用模拟故障时，在什么部位、排除什么故障，需要合理地分配到各有关的零部件上，以保证能验证整机的维修性。

维修作业样本的分配以装备的复杂性、可靠性为基础。如果采用固定样本量试验法检验维修性指标，可运用按比例分层抽样法进行维修作业分配。如果采用可变样本量的序贯试验法进行检验，则应采用按故障分摊率的简单随机抽样法。故障分摊率是指单元故障率与装备(产品)总故障率之比。用它乘以样本量 N 即单元的维修作业样本数。

4. 模拟与排除故障

1) 故障的模拟

一般采用人为方法进行故障的模拟。对不同类型装备可采用不同的模拟故障或注入故障方法，应根据故障模式及其原因分析选择。常用的模拟故障方法有以下几种。

(1) 用故障件代替正常件，模拟零件的失效或损坏。

(2) 接入附加的或拆除不易察觉的零、元件，模拟安装错误和零、元件丢失。

(3) 故意造成零、元件失调变位。

模拟故障应尽可能真实、接近自然故障。基层级维修以常见故障模式为主。可能危害人员和装备安全的故障不得模拟(必要时应经过批准，并采取有效的防护措施)。模拟故障过程中，参加试验的维修人员应当回避。

2) 故障的排除

由经过训练的维修人员排除故障，并由专人记录维修时间。完成故障检测、隔离、拆卸、换件或修复原件、安装、调试及检验等一系列维修活动，称为完成一次维修作业。在故障排除的过程中必须注意以下方面。

(1) 只能使用根据维修方案规定的维修级别所配备的备件、附件、工具、检测仪器和设备，不能使用超过规定的范围或使用上一维修级别所专有的设备。

(2) 按照本级维修技术文件规定的修理程序和方法。

(3) 人工或利用外部测试仪器查寻故障及其他作业所花费的时间均应计入维修时间中。

6.3.3　维修性试验与评价的方法

本节主要讨论两种常用的验证方法。

1. 维修时间平均值和最大修复时间的检验

该方法是一种统计试验方法，它以中心极限定理为依据，在大样本($n \geqslant 30$)的基础上进行统计判决。

1) 使用条件

(1) 检验修复时间、预防性维修时间、维修时间和平均值时，其时间分布和方差都未知；检验最大修复时间时，假设维修时间服从对数正态分布，其方差未知。

(2) 维修时间定量指标的不可接受值 $\overline{M}_{\mathrm{ct}}$、$\overline{M}_{\mathrm{mct}}$、$\overline{M}_{\mathrm{pt}}$、$\overline{M}_{\mathrm{p/c}}$、$\overline{M}_{\max \mathrm{ct}}$ 应按合同规定，对 $\overline{M}_{\max \mathrm{ct}}$ 还应明确规定其百分位(维修度) p。

(3) 只控制订购方的风险 β，其值由合同规定。

2) 试验与统计计算

样本量最小为 30，实际样本量应根据受试品的种类，经订购方同意后确定。验证预防性维修参数及指标时，需另加 30 个预防性维修作业样本。维修作业样本应根据一定的程序选择，试验并记录每一维修作业的持续时间，计算统计量：均值和方差。

(1) 检验修复时间时，取样本均值：

$$\overline{X}_{\mathrm{ct}} = \frac{\sum_{i=1}^{n_{\mathrm{c}}} X_{\mathrm{ct}i}}{n_{\mathrm{c}}} \tag{6-51}$$

修复时间样本方差：

$$\hat{d}_{\mathrm{ct}}^2 = \frac{1}{n_{\mathrm{c}} - 1} \sum_{i=1}^{n_{\mathrm{c}}} (\overline{X}_{\mathrm{ct}i} - \overline{X}_{\mathrm{ct}})^2 \tag{6-52}$$

式中，$\overline{X}_{\mathrm{ct}i}$ 为第 i 次修复性维修时间；n_{c} 为修复性维修的样本量，即修复性维修作业次数。

(2) 检验预防性维修时间时，取样本均值：

$$\overline{X}_{\mathrm{pt}}=\frac{\sum_{i=1}^{n_{\mathrm{p}}}X_{\mathrm{pt}i}}{n_{\mathrm{p}}} \tag{6-53}$$

预防性维修时间样本方差：

$$\hat{d}_{\mathrm{pt}}^{2}=\frac{1}{n_{\mathrm{p}}-1}\sum_{i=1}^{n_{\mathrm{c}}}(\overline{X}_{\mathrm{pt}i}-\overline{X}_{\mathrm{pt}})^{2} \tag{6-54}$$

式中，$\overline{X}_{\mathrm{pt}i}$ 为第 i 次预防性维修时间；n_{p} 为预防性维修的样本量，即预防性维修作业次数。

(3) 检验维修时间时，取样本均值：

$$\overline{X}_{\mathrm{p/c}}=\frac{f_{\mathrm{c}}\overline{X}_{\mathrm{ct}}+f_{\mathrm{p}}\overline{X}_{\mathrm{pt}}}{f_{\mathrm{c}}+f_{\mathrm{p}}} \tag{6-55}$$

维修时间样本方差：

$$\hat{d}_{\mathrm{p/c}}^{2}=\frac{n_{\mathrm{p}}(f_{\mathrm{c}}d_{\mathrm{ct}})^{2}+n_{\mathrm{c}}(f_{\mathrm{p}}d_{\mathrm{pt}})^{2}}{n_{\mathrm{p}}n_{\mathrm{c}}(f_{\mathrm{c}}+f_{\mathrm{p}})} \tag{6-56}$$

式中，f_{c} 为在规定的期间内发生的修复性维修作业预期数；f_{p} 为在规定的期间内发生的预防性维修作业预期数。

(4) 检验最大修复时间时，取样本值：

$$X_{\max\mathrm{ct}}=\exp\left[\frac{\sum_{i=1}^{n_{\mathrm{c}}}\ln X_{\mathrm{ct}i}}{n_{\mathrm{c}}}+\psi\sqrt{\frac{\sum_{i=1}^{n_{\mathrm{c}}}(\ln X_{\mathrm{ct}i})^{2}-\left(\sum_{i=1}^{n_{\mathrm{c}}}\ln X_{\mathrm{ct}i}\right)^{2}/n_{\mathrm{c}}}{n_{\mathrm{c}}-1}}\right] \tag{6-57}$$

式中，$\psi=Z_{p}-Z_{\beta}\sqrt{1/n_{\mathrm{c}}+Z_{p}^{2}/[2(n_{\mathrm{c}}-1)]}$，当 n_{c} 很大时，$\psi=Z_{p}$；Z_{p} 为对应下侧概率百分位 p 的正态分布分位数，见表 6-1。

表 6-1 标准正态分布分位数表

p	0.01	0.05	0.10	0.15	0.20	0.30	0.40	0.50	0.60	0.70	0.80	0.85	0.90	0.95	0.99
Z_p	−2.33	−1.65	−1.28	−1.04	−0.84	−0.52	−0.25	0	0.25	0.52	0.84	1.04	1.28	1.65	2.3

3) 判决规则

为了对产品维修性是否符合指标要求做出判决，需要建立判决规则。这就要运用假设检验的原理。以平均修复时间的检验来说，要求产品的修复时间均值不大于合同规定的指标 $\overline{X}_{\mathrm{ct}}$。平均修复时间的接受域为

$$\overline{X}_{\mathrm{ct}} \leqslant \overline{M}_{\mathrm{ct}} - Z_{1-\beta}\frac{\hat{d}_{\mathrm{ct}}}{\sqrt{n_{\mathrm{c}}}} \tag{6-58}$$

满足此条件，平均修复时间符合要求，应予接受；否则拒绝。与此类似，平均预防性维修时间或平均维修时间的接受域为

$$\overline{X}_{\mathrm{pt}} \leqslant \overline{M}_{\mathrm{pt}} - Z_{1-\beta}\frac{\hat{d}_{\mathrm{pt}}}{\sqrt{n_{\mathrm{p}}}} \tag{6-59}$$

$$\overline{X}_{\mathrm{p/c}} \leqslant \overline{M}_{\mathrm{p/c}} - Z_{1-\beta}\sqrt{\frac{n_{\mathrm{p}}(f_{\mathrm{c}}\hat{d}_{\mathrm{ct}})^2 + n_{\mathrm{c}}(f_{\mathrm{p}}d_{\mathrm{pt}})^2}{n_{\mathrm{c}}n_{\mathrm{p}}(f_{\mathrm{c}}+f_{\mathrm{p}})^2}} \tag{6-60}$$

对最大修复时间的可接受域为

$$X_{\max\mathrm{ct}} \leqslant M_{\max\mathrm{ct}} \tag{6-61}$$

2. 预防性维修时间的专门试验

该方法是主要用于检验平均预防性维修时间 $\overline{M}_{\mathrm{pt}}$ 和最大预防性维修时间 $M_{\max\mathrm{ct}}$ 以及要求完成全部预防性维修任务的一种特定方法。

1) 使用条件

本试验方法的使用条件，不考虑对维修时间分布的假设，只要规定了平均预防性维修时间的可接受值或最大预防性维修时间的百分位和可接受值，即可进行检验。因此，该方法的应用范围广，只要能统计全部预防性维修任务的都可使用此方法。

2) 维修作业的选择与统计计算

样本量应包括规定的期限内的全部预防性维修作业。这个规定期限应专门定义，如是一年或一个使用循环或一个大修间隔期，由订购方和承制方商定。在规定期限内的全部预防性维修作业，如应包括其间的每次日维护、周维护、年预防性维修或其他种类预防性维修作业时间 $X_{\mathrm{pt}j}$ 以及每种维修作业的频数 $f_{\mathrm{p}j}$。

(1) 计算平均预防性维修时间的样本均值。

$$X_{\mathrm{pt}} = \frac{\sum_{j=1}^{m} f_{\mathrm{p}j}X_{\mathrm{pt}j}}{\sum_{j=1}^{m} f_{\mathrm{pt}j}} \tag{6-62}$$

式中，m 为全部预防性维修的种类数。

(2) 确定在规定百分位上的最大预防性维修时间 $X_{\max\mathrm{pt}}$。

将已进行的 n 个预防性维修作业时间 $X_{\mathrm{pt}j}$ 按量值最短到最长的顺序排列。统计在规定的百分位上的 $X_{\max\mathrm{pt}}$。例如，规定百分位为 90%，当 n 等于 35 时，应选取排列在第 32 位(因为 $90\% \times 35 = 31.5 \approx 32$)上的维修时间作为 $X_{\max\mathrm{pt}}$。

(3) 判决规则。

对于 $\overline{M}_{\mathrm{pt}}$，若

$$X_{\mathrm{pt}} \leqslant \overline{M}_{\mathrm{pt}} \tag{6-63}$$

则符合要求而接受，否则拒绝。

对于$X_{\max\mathrm{pt}}$，若

$$X_{\max\mathrm{ct}} \leqslant M_{\max\mathrm{ct}}$$

则符合要求而接受，否则拒绝。

习　题

1. 什么叫维修性？维修性与可靠性有什么异同？
2. 维修性的常用参数有哪些？
3. 修复(速)率与维修度有什么关系？
4. 什么是维修性模型？常用模型有哪些种类？
5. 试绘制所学装备或其部分的系统功能层次框图。
6. 软件可维修性的内容和要求有哪些？
7. 已知某装备的修复(速)率$\mu = 0.03/\mathrm{min}$，求其修复时间$t = 3\mathrm{min}$的维修度$M(t)$。
8. 某装备的平均修复时间$t = 30\mathrm{min}$，方差$\sigma^2 = 0.6$，维修时间服从正态分布，求维修度为95%的修复时间。

第 7 章　装备测试性工程

现代武器系统大量采用高新技术，结构日趋复杂。在作战效能得到很大提高的同时，装备状态检查及故障检测难度也日益增加，检测时间长、故障诊断难度大和使用保障费用高等问题凸显。测试性作为装备的一种通用质量特性，是系统和设备的一种便于测试和诊断的重要设计特性，越来越受到重视。测试性技术的广泛应用，实现了装备内部故障的自动检测、诊断和隔离，有效地提高了系统故障的诊断能力，实现了装备的状态维修，提高了装备保障水平，大大降低了装备的全寿命周期费用。

7.1　测试性基础

7.1.1　测试性定义与内涵

1. 测试性定义

对于测试性的定义，国内外相关标准和文献各种有不同的表述，最广泛认可的定义是：测试性(Testability)是指产品能及时准确地确定其状态(可工作、不可工作或性能下降)，并隔离其内部故障的一种设计特性(GJB 2547A—2012，GJB 3385—1998，MIL-HDBK-2165)。

2. 测试性内涵

测试性是一种设计特性，是需要在装备设计中予以考虑并实现的特性。同可靠性、维修性、保障性等通用质量特性一样，测试性是装备的固有设计特性。装备一旦设计生产出来，本身就具备了可测试性。

测试性的目标之一是能够确定出产品的状态或者运行状态，如可工作、性能下降、不可工作等。测试性的目标之二是对产品故障进行隔离。对内部故障，能够将故障定位到产品内部的可更换单元上，且检测方便；对外部检测，有足够的检测点和检测通道，接口简单、兼容性好。

7.1.2　测试性参数

测试性参数主要包括故障检测率、严重故障检测率、故障隔离率、虚警率、平均虚警间隔时间、平均故障检测时间、平均故障隔离时间等。

1. 故障检测率

故障检测率(FDR)定义为：在规定的时间内，用规定的方法正确检测到的故障数与被测单元发生的故障总数之比，用百分数表示。其数学模型可表示为

$$\gamma_{FD} = \frac{N_D}{N_T} \times 100\% \tag{7-1}$$

式中，N_T 为故障总数，或在工作时间 T 内发生的实际故障数；N_D 为正确检测到的故障数。式(7-1)用于验证和使用数据统计。

对于某些系统和设备，故障率(λ)为常数，式(7-1)可改写为

$$\gamma_{FD} = \frac{\lambda_D}{\lambda} \times 100\% = \frac{\sum \lambda_{D_i}}{\sum \lambda_i} \times 100\% \tag{7-2}$$

式中，λ_D 为被检测出的故障模式的总故障率；λ 为所有故障模式的总故障率；λ_i 为第 i 个故障模式的故障率；λ_{D_i} 为第 i 个被检测出故障模式的故障率。式(7-2)是用于测试性分析的数学模型。

2. 严重故障检测率

严重故障检测率(CFDR)定义为：在规定的时间内，用规定的方法正确检测到的严重故障数与被测单元发生的关键故障总数之比，用百分数表示。其数学模型为

$$\gamma_{CFD} = \frac{N_{CD}}{N_{CT}} \times 100\% \tag{7-3}$$

用于某些系统及设备的分析及预计模型为

$$\gamma_{CFD} = \frac{\sum \lambda_{CD_i}}{\sum \lambda_{C_i}} \times 100\% \tag{7-4}$$

式中，N_{CD} 为在规定的工作时间 T 内，用规定的方法正确地检测到的严重故障数；N_{CT} 为在工作时间 T 内发生的严重故障总数；λ_{CD_i} 为第 i 个可检测到的严重故障模式的故障率；λ_{C_i} 为第 i 个可能发生的严重故障模式的故障率。

3. 故障隔离率

故障隔离率(FIR)定义为：在规定的时间内，用规定的方法正确隔离到不大于规定的可更换单元数的故障数与同一时间内检测到的故障数之比，用百分数表示。其数学模型为

$$\gamma_{FI} = \frac{N_L}{N_D} \times 100\% \tag{7-5}$$

式中，N_L 为在规定条件下用规定方法正确隔离到小于等于 L 个可更换单元的故障数；N_D 为在规定条件下用规定方法正确检测到的故障数。

L 表示隔离的分辨能力，也称故障隔离的模糊度。

当 L=1 时为确定性隔离，要求直接将故障确定到需要更换，以排除故障的那一个单元；

当 L>1 时为不确定性隔离，即检测设备只能将故障隔离到 1～L 个单元，到底是哪个单元还需确定。

同样，对一些复杂装备，在进行测试性分析和预计时，可采用数学模型：

$$\gamma_{\mathrm{FI}}=\frac{\lambda_L}{\lambda_{\mathrm{D}}}\times 100\%=\frac{\sum\lambda_{L_i}}{\sum\lambda_{\mathrm{D}}}\times 100\% \tag{7-6}$$

式中，λ_{D} 为被检测出的所有故障模式的故障率之和；λ_L 为可隔离到小于等于 L 个可更换单元的故障模式的故障率之和；λ_{L_i} 为可隔离到小于等于 L 个可更换单元的故障中，第 i 个故障模式的故障率。

4. 虚警率

虚警率(FAR)定义为：在规定的工作时间，发生的虚警数与同一时间内的故障指示总数之比，用百分数表示。其数学模型为

$$\gamma_{\mathrm{FA}}=\frac{N_{\mathrm{FA}}}{N}\times 100\%=\frac{N_{\mathrm{FA}}}{N_{\mathrm{F}}+N_{\mathrm{FA}}}\times 100\% \tag{7-7}$$

式中，N_{FA} 为虚警次数；N_{F} 为真实故障指示次数；N 为指示(报警)总次数。

用于某些系统及设备的 FAR 分析及预计数学模型可表示为

$$\gamma_{\mathrm{FA}}=\frac{\lambda_{\mathrm{FA}}}{\lambda_{\mathrm{D}}+\lambda_{\mathrm{FA}}}\times 100\% \tag{7-8}$$

式中，λ_{FA} 为虚警发生的频率，包括会导致虚警的故障率和未防止的虚警事件的频率之和；λ_{D} 为被检测到的故障模式的故障率总和。

5. 平均虚警间隔时间

平均虚警间隔时间(MTBFA)定义为：在规定工作时间内产品运行总时间与虚警总次数之比。其数学模型为

$$T_{\mathrm{BFA}}=\frac{T}{N_{\mathrm{FA}}} \tag{7-9}$$

式中，T 为产品运行总时间；N_{FA} 为虚警总次数。

在航空装备中，常使用平均虚警间隔飞行小时(MFHBFA)作为平均虚警间隔时间的使用参数。

6. 平均故障检测时间

平均故障检测时间(MFDT)是指从开始故障检测到给出故障指示所经历时间的平均值。其数学模型可表示为

$$T_{\mathrm{FD}}=\frac{\sum t_{\mathrm{FD}i}}{N_{\mathrm{FD}}} \tag{7-10}$$

式中，$t_{\mathrm{FD}i}$ 为检测并指示第 i 个故障所需时间；N_{FD} 为检测出的故障数。

7. 平均故障隔离时间

平均故障隔离时间(MFIT)定义为：从开始隔离故障到完成故障隔离所经历时间的平均值。其数学模型可表示为

$$T_{\mathrm{FI}} = \frac{\sum t_{\mathrm{FI}i}}{N_{\mathrm{FI}}} \tag{7-11}$$

式中，$t_{\mathrm{FI}i}$ 为隔离第 i 个故障所用时间；N_{FI} 为隔离的故障数。

7.1.3 测试性要求

1. 测试性要求的内容

测试性要求包括测试性定性要求和定量要求，通常在战术技术指标论证阶段将测试性定性要求写入有关文件中，提醒承制方，测试性设计是系统设计工作的重要组成部分。在工程研制阶段之前应确定那些必须满足的最基本的测试性要求，包括定性与定量要求、目标值和门限值，并进行转换，以便使测试性指标成为在系统设计和保障系统研制过程中，承制方可以控制的测试性参数。

1) 测试性定性要求

测试性定性要求是为简便、迅速、准确、经济地确定产品状态和诊断故障而对产品设计及其他方面提出的非量化要求，一般包括：合理划分功能与结构的要求；测试点的要求；嵌入式诊断(故障监测、BIT、中央测试系统等)要求；故障信息(故障指示、报告、记录、传输及存储等)要求；有关外部诊断测试、兼容性及维修能力要求等。

总体来说，测试性定性要求应该是在消耗最少资源的情况下，使装备获得所需要的检测能力，实现检测诊断简便、迅速、准确。

2) 测试性定量要求

测试性定量要求是以测试性参数描述，其量值称为测试性指标，测试性参数指标主要有以下三类。

(1) 性能参数：反映测试子系统(包括 BIT、测试点、外部测试设备或它们的组合)故障诊断能力的指标，主要有故障检测率、故障隔离率。

(2) 时间参数：反映测试子系统运行快速性的指标，主要有故障检测时间、故障隔离时间。

(3) 限制性参数：对测试子系统设计的约束条件，主要有虚警率等。

2. 测试性要求的确定

测试性工作应在装备型号研制一开始就要考虑，并贯穿于研制的各阶段。测试性要求一般应在战技指标论证阶段和方案论证与确认阶段确定。

测试性要求确定的具体过程如下。

(1) 确定使用需求和保障需求。

根据作战想定确定使用需求和保障需求。使用需求通常包括系统安全性、出动率、

任务完成成功概率等；保障需求通常包括每工作一个大修周期维修工时、维修方案等。

(2) 确定测试性需求。

根据确定的使用需求和保障需求，可以进一步转换确定如下的三类测试性需求：决策、约束和功能。

①确定决策需求：利用诊断提供的信息进行决策支持。应考虑所有的任务、安全性和维修决策，确保覆盖所有的诊断信息需求。任务决策可能有任务前、任务启动、任务过程、任务恢复等决策，安全性可能有任务中安全关键项目或者功能等决策，维修有任务前、任务后、计划维修、系统功能恢复等决策。

②确定诊断约束：确定诊断是否存在确定的限制，如移动性、正确性、体积和质量等限制条件。

③确定需要诊断的功能：确定哪些系统功能需要进行诊断，以提供匹配的诊断信息用于决策。

(3) 整合成为测试性要求。

①确定必需的测试性要求。对每个系统功能，确定其所需的具体诊断信息(诊断事件)，形成测试性要求。

②剪裁测试性要求来满足系统需求，对测试性要求进行准确的描述。测试性要求可以表示为：每个功能和它的决策 / 事件组合形成一个单独的要求，每个功能单独的测试性要求可以包括一组决策 / 事件清单，或者采用功能和事件列表交叉方式。

(4) 测试性要求的分配。

①确定测试性组成要素。确定用于获取诊断信息的资源，如 BIT、保障设备诊断、人工测试的测试性要素，确定这些要素在上层产品层次的配置。

②将测试性要求向下传递。根据上层产品层次的配置，确定下层产品层次的测试性要求。

③确定物理项目的测试性要求，建立具有诊断能力项目的详细测试性要求。

7.2　测试性设计与分析

测试性设计是以提高测试性为目的而进行的设计，其过程是在系统设计初期考虑测试性要求，通过调整系统结构将方便进行测试的测试性机制引入产品中，提供获取测试对象内部测试信息的渠道。

测试性设计是实现装备测试性要求的关键，只有将测试性设计到产品中，产品才具有要求的测试性水平。

7.2.1　测试性设计与分析内涵

1. 测试性设计与分析目标

测试性设计与分析的目标是完成以下测试功能：性能监测、故障检测、故障隔离、虚警抑制、故障预测。其中，故障预测是对现有测试性设计目标的重要扩展。

(1) 性能监测：指在不中断产品工作的情况下，对选定性能参数进行连续性或周期性的观测，以确定产品是否在规定的极限范围内工作的过程。通过性能监测，可以实时监测产品中关键的性能或功能特性参数，并随时报告给操作者，以便分析判断性能是否下降，必要时发出告警。

(2) 故障检测：指发现故障存在的过程。通过故障检测，可以确定产品是否存在故障。

(3) 故障隔离：指把故障定位到实施修理所要更换的产品组成单元的过程。通过故障隔离，可以确定出产品具体故障可更换单元。

(4) 虚警抑制：指对故障检测和故障隔离中的虚假指示进行抑制和消除的过程。通过虚警抑制，可以降低虚警率，给出准确的故障指示。

(5) 故障预测：指收集分析产品的运行状态数据并预测故障何时发生的过程。通过故障预测，可以得到产品及部件的故障前工作时间或剩余寿命，以便及时采取有效处理措施，如提前更换故障部件等。

2. 测试性设计与分析准则

测试性设计与分析准则是在产品研制工作中，系统制定的设计人员在产品的测试性设计中应遵循和实现的各项技术原则。

测试性设计与分析准则的制定通常依据订购方的规定和要求文件(包括型号研制总要求、合同、研制任务书、详细设计说明性文件等)、已有的或相似产品的设计准则、具体产品测试性设计的总结性文件等。

7.2.2　测试性设计

1. 测试性设计技术

测试性设计遵循既定的设计目标、原则和设计流程，以机内测试技术、故障诊断技术和总线测试技术为支撑，开展测试性机内设计、外部测试设计和总线设计等，将测试性设计落实到产品中，达到要求的测试性水平。本节以机内测试性设计与外部测试性设计为例进行介绍。

1) 机内测试性设计

机内测试(BIT)指系统或设备内部提供的检测和隔离故障的自动测试能力。BIT 设计内容分为 BITS 总体设计、中央管理器设计、单元 BIT 设计三大部分，如图 7-1 所示。

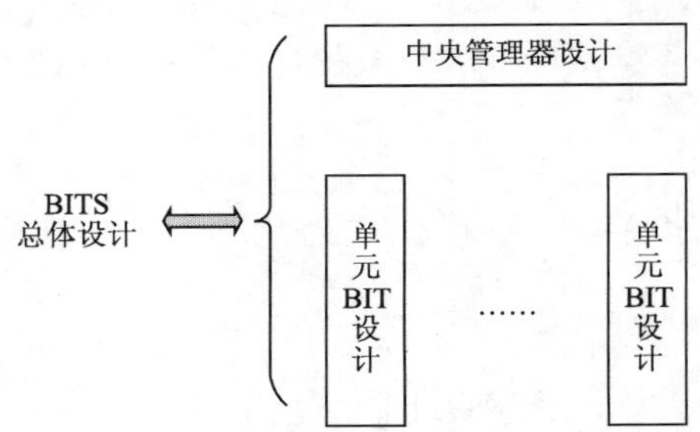

图 7-1　BIT 设计内容组成示意图

BITS 总体设计是指站在整个系统的角度，考虑总体的功能、工作模式、结构布局和信息处理等方面的设计；中央管理器设计是对 BITS 中的多个产品 BIT 进行综合管理，实际应用的中央管理器常分解为多个不同级别的测试管理器进行设计；单元 BIT 设计泛指中央管理器之外的各级 BIT 详细设计。

在明确 BIT 设计的定性和定量要求基础上，进行 BIT 总体设计、测试管理器设计和单元 BIT 设计，设计流程如图 7-2 所示。

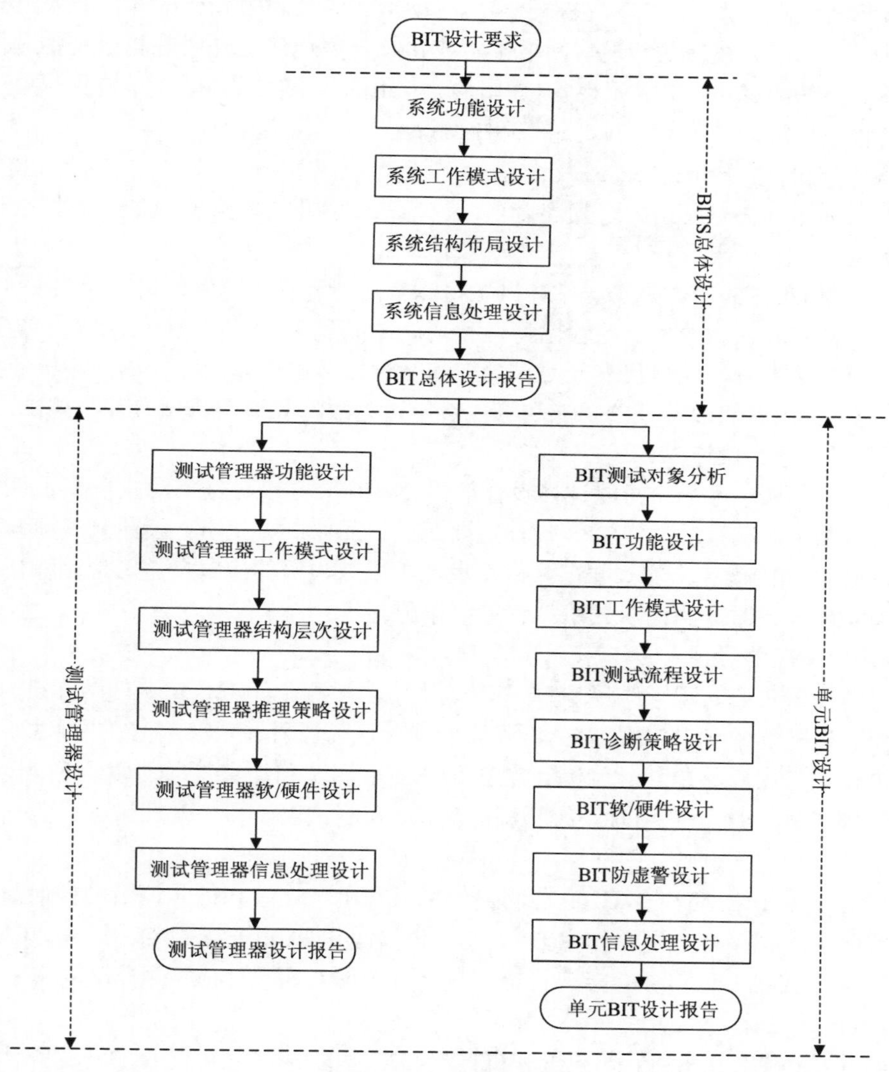

图 7-2　BIT 设计流程

2) 外部测试性设计

外部测试指的是在系统外部通过测试仪器、工具和设备进行的检测和隔离故障的测试，包括外部自动测试、人工测试和远程测试。外部自动测试通常是借助 ATE 完成的。

ATE 是用于自动完成对被测单元(UUT)故障诊断、功能参数分析，以及评价性能下降的测试设备，通常是在计算机控制下完成分析评价并给出判断结果，使人员的介入减到最少。ATE 与 UUT 是分离的，一般是把 UUT 送到有 ATE 之处，或者把 ATE 送到 UUT 集中维修的地方。实现 ATE 故障诊断的关键之一是测试程序集，包括在 ATE 上启动并对 UUT 进行测试所需要的测试程序、接口适配器、操作顺序和指令等软件、硬件和说明资料。人工测试是指以维修人员为主进行的故障诊断测试。BIT 和 ATE 往往不能达到 100% 的故障检测与隔离能力，经常有些难于实现自动检测的故障模式或部件需要人工测试。远程测试是指利用无线通信和现代网络技术在系统一定距离之外通过测试设备进行的检测和隔离故障的测试。外部测试设备(通用的、专用的和 ATE 等)需要与被测对象连接起来获得其状态信息才能进行测试、诊断和预测。

(1)测试点的选择和设置。

测试点是测试 UUT 用的电气连接点，包括信号测量、输入测试激励和控制信号的各种连接点。

要想知道 UUT 的工作是否正常，只要检测其功能和输出特性即可。而当 UUT 存在故障时，要检测其各组成单元的输出特性和功能才能隔离 / 定位故障。所以，初选测量参数和对应测试点时，应将代表 UUT 功能和特性的输出选作故障检测用测量参数和测试点，而 UUT 内各组成单元的功能和特性输出选为故障隔离用测试参数与测试点。

(2)测试程序集设计。

TPS 虽然不属于产品本身测试性设计的内容，但 TPS 设计结果对实现测试性的外部测试要求有很大影响。考虑到 TPS 设计主要是由产品研制方负责，因此测试性设计人员了解和掌握 TPS 的设计内容，并在测试性设计中采取积极的应对措施，是对综合诊断理念的贯彻和体现，对提高诊断效率具有重要作用。

(3)接口适配器设计。

接口适配器主要实现 ATE 系统通用测试接口向被测单元特定接口的转换。根据 UUT 测试需要，适配器中可以实现 ATE 资源的配置，可以加入针对特定 UUT 测试所需的信号调理电路或专用开关单元。为满足 ATE 系统的自测试和计量校准需要，还可设计专用的自检与校准适配器实现 ATE 系统资源自测试、互测试以及在外部计量标准源支持下的校准标定。

接口适配器是为 ATE 和 UUT 之间提供机械与电气连接和信号调节的任何装置。现代工程实践强调把接口适配器作为 UUT 与 ATE 之间的接口要求。实际上，如果 UUT 的测试设备不是 ATE，也需要有接口设计，只是其范围和规模比 ATE 要求的小。

(4)兼容性设计。

兼容性是指 UUT 在功能、电气和机械上与期望的 ATE 接口配合的一种设计特性。它将保证诊断 UUT 所需要的信息能够畅通可靠地传递给 ATE 或其他 ETE，并有效地进行故障检测与隔离。当然要实现这一点，只有 UUT 的兼容性好还不够，还要有测试程序、接口适配器及有关说明文件的支持。兼容性设计的目的是识别不兼容问题并采取必要措施，减少专用接口适配器设计工作，确定特殊的测试及接口要求，使 UUT 与 ATE 或 ETE 完全兼容。电子设备的脱机 ATE 应是一个集中式的自动测试(保障)系统，提供

UUT 所需要的激励、控制和测量能力。

2. 测试性分配

系统的测试性设计指标(测试性定量要求)是由订购方提出的，承制方进行测试性设计时需要将系统测试性指标逐级分配到规定的产品层次，如分系统、LRU/LRM 或 SRU 等。测试性分配的目的就是明确各层次产品的测试性设计指标，并将分配的指标纳入相应的产品设计要求或设计规范，作为测试性设计和验收的依据。只有各层次产品的设计均达到了分配的测试性指标，才能保证整个系统的设计达到规定的测试性要求。

测试性分配工作主要是在方案阶段和初步(初样)设计阶段进行，还可能需要有一个修正和迭代的过程。

1)测试性分配的内容

测试性分配的内容主要是 FDR 指标的分配、FIR 指标的分配、FAR 或 MTBFA 要求值的分配。故障检测时间一般由设计者依据故障模式影响分析确定，影响使用安全性的关键的故障检测时间规定应不超过 1s，其他的不超过 1 min 等，所以故障检测时间不需要进行分配。故障隔离时间是故障平均修理时间的组成部分，维修性分配中已考虑，也不需要再另行分配。有关测试资源的配置，是依据诊断方案要求确定的，这里不再考虑测试资源分配问题。

测试性分配工作的主要任务是选用适当的方法将系统的 FDR 和 FIR 指标，以及虚警的定量要求，分配给需要规定测试性指标的产品层次，纳入其设计规范，以便进行测试性设计的技术管理与评价。

2)测试性分配的原则

产品分为多个层次，如系统、分系统、LRU、SRU 等，测试性分配是从整体到局部、从上到下的指标分解过程。各层次产品之间的指标分配过程相同，分配工作可能需要有一个修正和迭代的过程，以使整体和部分协调一致，指标分配更合理。

进行测试性分配时应注意遵从以下几项原则和要求。

(1)选用适当方法将系统 FDR、FIR 指标分配给系统的各组成单元，其量值一般应大于 0 小于 1，极值是等于 0 或等于 1。

(2)进行 FDR、FIR 指标分配时一般应考虑有关影响因素，如故障率、故障影响(或重要度)、平均故障修复时间、实现自动测试的费用等。

(3)依据分配给各组成单元的 FDR、FIR 指标综合后得到系统的测试性指标，应大于(至少等于)原来要求的系统测试性指标。

(4)分配的是自动测试设计的 FDR 与 FIR 的指标，应用所有测试方法(包括人工测试)进行测试时，产品故障检测与隔离能力应达到 100%。

(5)有关虚警定量要求分配问题，因为涉及不确定因素较多，未有简单工程适用方法时，可以用等约束条件方法确定分配值。

3)测试性分配的方法

故障检测与隔离能力要求用故障检测率和隔离率的量值表示，即 FDR 和 FIR 指标。进行指标分配时需要建立系统的功能层次图(明确分配指标的产品层次关系)和分配用的数学模型(上层产品与下层产品指标间的关系)。FDR 和 FIR 指标分配有几种较为实用的方法可以选用，即等值分配法、按故障率分配法、综合加权分配法等。

(1)等值分配法。

在系统各组成单元特性差别不大且没有故障率数据的情况下，可直接规定系统各组成单元的测试性指标等于系统要求指标，即等值分配法。

等值分配法可以用式(7-12)简单表示：

$$\gamma_{ai}=\gamma_{sr},\quad i=1,2,\cdots,n \tag{7-12}$$

式中，γ_{sr}为规定的 FDR、FIR 系统指标；γ_{ai}为第 i 个组成单元的 FDR、FIR 分配指标；n 为系统组成单元数。

该方法未考虑与分配有关的各种影响因素和约束条件，直接规定系统各组成单元的指标γ_{ai}等于系统要求指标γ_{sr}即可，不需要做更多的分配工作。考虑到存在不确定因素，也可以适当提高 BIT 费用较低的组成单元的指标，以确保达到规定的系统测试性要求。

(2)按故障率分配法。

按故障率分配法只考虑故障率影响，简单实用。具体分配方法和步骤如下。

①画出系统功能层次图，说明系统指标分配的产品层次。

②分析各层次产品的组成单元特性，取得故障率数据和系统要求指标。

③用下面数学模型计算各组成单元的 FDR 和 FIR 分配值：

$$\gamma_{FDi}=1-\frac{\lambda_s\left(1-\gamma_{FDS}\right)}{n\lambda_i} \tag{7-13}$$

式中，γ_{FDi}为第 i 个组成单元的 FDR 分配值；γ_{FDS}为系统 FDR 要求值；λ_s为系统故障率；λ_i为第 i 个组成单元故障率；n 为系统组成单元个数。

$$\gamma_{FIi}=1-\frac{\lambda_{DS}\left(1-\gamma_{FIS}\right)}{n\lambda_{Di}} \tag{7-14}$$

式中，γ_{FIi}为第 i 个组成单元的 FIR 分配值；γ_{FIS}为系统 FIR 要求值；λ_{DS}为系统可检测的故障率($\lambda_{DS}=\lambda_s\gamma_{FDS}$)；$\lambda_{Di}$为第 i 个组成单元可检测的故障率($\lambda_{Di}=\lambda_i\gamma_{FDi}$)；$n$ 为系统组成单元个数。

④确定各组成单元的分配值。测试性指标一般为两位百分数，而计算的分配值为多位小数，所以应将第三位小数进位，取两位即可。

⑤指标的调整与验算。若考虑存在未考虑的影响因素、个别组成单元特殊要求和给系统设计留有余量，则需要对分配指标值进行必要的调整。这时要用式(7-15)、式(7-16)进行验算，以保证依据各组成单元分配值进行综合后得到系统的 FDR、FIR 参数值大于原要求值。

$$\gamma_{FDS}=\sum_{i=1}^{n}\lambda_i\gamma_{FDi}\Big/\sum_{i=1}^{n}\lambda_i \tag{7-15}$$

$$\gamma_{FIS}=\sum_{i=1}^{n}\lambda_{Di}\gamma_{FIi}\Big/\sum_{i=1}^{n}\lambda_{Di} \tag{7-16}$$

(3)综合加权分配法。

综合加权分配法是一种考虑多种影响因素的测试性分配方法，它要求分析多种影响分配的系统各组成单元的特性，根据有关工程分析数据或专家评分，确定各个影响因素对各组成单元的影响系数和加权系数，然后按照有关数学模型计算出各组成单元的分配值。

综合加权分配法的步骤如下。

①把系统划分为定义清楚的子系统、设备、LRU 和 SRU，画出系统功能层次图，层次图的详细程度取决于指标分配到哪一级。

②从可靠性、维修性设计与分析和有关资料中，获得有关测试性分配需要考虑的各影响因素的数据，如故障率、故障影响、平均故障修理时间和费用数据等。

③按照系统的构成情况和诊断方案要求等，通过工程分析、专家知识和以前类似产品的经验，确定各组成单元的影响系数，如故障率影响系数(k_λ)、故障影响系数(k_F)、MTTR 影响系数(k_M)、费用影响系数(k_C)等。

④确定第 L 个组成单元的综合影响系数。

a. 不考虑各影响因素的权重时，第 i 个组成单元的综合影响系数 K_i 为

$$K_i = k_{\lambda i} + k_{Fi} + k_{Mi} + k_{Ci} \tag{7-17}$$

式中，$k_{\lambda i}$ 为第 i 个组成单元的故障率影响系数；k_{Fi} 为第 i 个组成单元的故障影响系数；k_{Mi} 为第 i 个组成单元的 MTTR 影响系数；k_{Ci} 为第 i 个组成单元的费用影响系数。

b. 考虑各影响因素的权重时，第 i 个组成单元的综合影响系数 K_i 为

$$K_i = \alpha_\lambda k_{\lambda i} + \alpha_F k_{Fi} + \alpha_M k_{Mi} + \alpha_C k_{Ci} \tag{7-18}$$

式中，α_λ 为故障率因素权值；α_F 为故障影响因素权值；α_M 为 MTTR 影响因素权值；α_C 为费用影响因素权值。

各影响因素的加权值由测试性分配者依据各影响因素的重要性确定，各影响因素权值之和应等于 1。

当不考虑某项影响因素(如故障影响因素)时，可删去相应系数项。只考虑一个故障率影响因素时，即按故障率分配法。

⑤计算第 i 个组成单元的分配值。第 i 个组成单元的指标分配值用如下数学模型计算：

$$\gamma_{FDi} = 1 - \frac{\lambda_s(1-\gamma_{FDS})}{K_i \sum_{i=1}^{n} \frac{\lambda_i}{K_i}} \tag{7-19}$$

$$\gamma_{FIi} = 1 - \frac{\lambda_{DS}(1-\gamma_{FIS})}{K_i \sum_{i=1}^{n} \frac{\lambda_{Di}}{K_i}} \tag{7-20}$$

式中，γ_{FDi}、γ_{FIi} 分别为第 i 个组成单元的 FDR、FIR 分配值；γ_{FDS}、γ_{FIS} 为系统 FDR、FIR 的要求值；K_i 为第 i 个组成单元的综合影响系数；λ_s 为系统故障率；λ_i 为第 i 个组成单元的故障率；λ_{DS} 为系统检测的故障率；λ_{Di} 为第 i 个组成单元可检测的故障率；n

为系统组成单元个数。

⑥调整和检验。计算出来的各组成单元的指标分配值是多位小数，取两位即可。考虑存在不确定因素，可进行必要的调整和验算，保证综合后的系统指标大于原要求值。

在综合加权分配法中不考虑各影响因素权重时，是综合分配法。只考虑一种影响因素时，如故障率，即成为按故障率分配法，也可以考虑两种影响因素，如故障率和费用，同样也可以进行分配。

确定各影响系数的方法。

①确定各影响系数的定量方法。

将要考虑的各影响因素进行归一化处理并去掉量纲，以便综合统一考虑。

a. 故障率影响系数 k_λ。用各组成单元的故障率 λ_i 来表示，故障率影响系数 k_λ 用式(7-21)确定：

$$k_\lambda = \lambda_i \Big/ \sum \lambda_i \tag{7-21}$$

b. 故障影响系数 k_{F}。考虑故障影响的方法之一是用影响安全和任务的故障模式数 F_i 来表示，按故障模式影响及危害度分析结果计算各组成单元的Ⅰ类和Ⅱ类故障数占系统故障模式总数的比例大小，按此比例确定 k_{F} 值。

$$k_{\mathrm{F}} = F_i \Big/ \sum F_i \tag{7-22}$$

c. MTTR 影响系数 k_{M}。用平均故障修复时间 M_i 来表示，它与分配值成反比。用式(7-23)确定 k_{M} 值：

$$k_{\mathrm{M}} = a_i \Big/ \sum a_i \tag{7-23}$$

式中，$a_i = 1/M_i$。

d. 费用影响系数 k_{C}。用设计实现自动测试的费用 C_i 表示，与分配值成反比。用式(7-24)确定 k_{C} 值：

$$k_{\mathrm{C}} = b_i \Big/ \sum b_i \tag{7-24}$$

式中，$b_i = 1/C_i$。

②确定各影响系数的评分方法。

当没有各影响因素的具体数据时，可以采用评分方法确定各影响因素的系数。

k_λ 为故障率影响系数，故障率较高的组成单元应取较大的 k_λ 值，将分配给较高的自动测试设计指标。

k_{F} 为故障影响系数，故障影响大的组成单元应取较大的 k_{F} 值，将分配给较高的自动测试设计指标。

k_{M} 为 MTTR 影响系数，要求的 MTTR 值小的组成单元，其 k_{M} 应取较大的值，因此只有分配给较高的自动测试指标才有可能达到维修性要求。

k_{C} 为费用影响系数，实现故障检测与隔离费用较低的，k_{C} 取较大的值，将分配给较高的指标，以便用较低的费用达到规定要求。

依据系统特性分析结果，各组成单元特性之间相互比较，参考表 7-1 对各影响因素进行评分。

表 7-1　确定各影响系数的评分方法

影响评分	10～9	8～7	6～5	4～3	2～1
故障率（k_λ）	故障率最高	故障率较高	故障率中等	故障率较低	故障率最低
故障影响（k_F）	故障影响安全	故障可能影响安全	故障影响任务	故障可能影响任务	故障影响维修
故障率（k_M）	MTTR 最短	MTTR 较短	MTTR 中等	MTTR 较长	MTTR 最长
故障率（k_C）	费用最少	费用较少	费用中等	费用较多	费用最多

3. 测试性预计

测试性预计是用于估计所设计产品是否符合规定测试性要求的一种方法。测试性预计有助于确定设计中的薄弱环节，并为权衡不同设计方案提供依据。测试性预计应该在研制阶段的早期进行，这将有助于对设计进行评审和为安排改进措施的先后顺序提供依据。随着设计的进展，在获得更为详细的信息后，应进行更为详细的测试性预计。

1) 测试性预计的内容

测试性预计是根据测试性设计资料，通过工程分析和计算来估计测试性与诊断参数可能达到的量值，并与规定的指标要求进行比较。测试性预计的主要目的是通过估计测试性指标是否满足规定要求，来评价和确认已进行的测试性设计工作，找出不足，改进设计。测试性预计工作一般是按系统的组成，由下往上、由局部到总体的顺序来进行，即先分析估计各元件或故障模式的检测与隔离情况，或者部件故障能检测与隔离的百分数，再估计 SRU 的故障检测与隔离的百分数，最后预计 LRU 和系统的故障检测率与隔离率等指标。测试性预计一般应给出下列参数的量值：①故障检测率 γ_{FD}；②故障隔离率 γ_{FI}；③虚警率(虚警百分数) γ_{FA}；④故障检测时间 T_{FD}；⑤故障隔离时间 T_{FI}。

其中，最主要的是 FDR 和 FIR 的预计，若可能，则还估计测试费用。由于虚警率涉及很多不确定因素，目前还没有有效的方法进行预计，在后面的预计中，仅对 BIT 故障率进行了预计。此外，为了确认对 BIT 采取了防虚警措施，在 BIT 描述表格中增加了对防虚警措施的说明项。故障检测和隔离时间的预计主要是检查是否符合使用要求、安全要求和 MTTR 要求。

2) 测试性预计的原则

测试性预计工作主要是在详细设计阶段进行。因为在此阶段诊断方案已定，BIT 工作模式、故障检测与隔离方法等也已经确定，考虑了测试点的设置和防止虚警措施，进行了 BIT 软硬件设计和对外接口设计，所以需要估计这些设计是否可达到规定的设计指标，以便采取必要的改进措施。

与测试性分配类似，测试性预计也不是一次预计就一劳永逸了。实际上，在确定系统测试性指标时，就要考虑各组成部分可能达到的指标，以及类似产品的经验等，对系统可能达到的指标进行粗略的估计，这就是最初的第一次测试性预计。在详细设计阶段可以获得系统更多、更真实的数据，预计的结果可以作为评价是否达到设计要求的初步依据。随着设计工作的进展，应及时修正有关设计数据，预计结果才能更接近实际情况。当系统设计有较大修改时，应重新进行测试性预计。所以，测试性预计也是一个不断细化和改进的估计所能达到指标的过程。

3) 测试性预计的流程

测试性预计主要包括系统测试性预计、LRU 测试性分析预计、SRU 测试性分析预计，以及其他参数的预计问题。

测试性预计的主要工作步骤如下。

(1) 对象层次结构与组成分析。结合对象的功能，分析系统的结构和组成信息。

(2) 取得故障模式和故障率数据及 BIT 预计结果。各功能块的故障模式和故障率数据是测试性分析预计的基础，可从 FMECA 和可靠性预计资料中得到这些数据。如果没有这些资料，应先进行可靠性预计和 FMEA 工作，然后根据 BIT 的预计结果，得到 BIT 可以检测和隔离有关故障模式的故障率数据。如果未进行单独的 BIT 预计工作，那么应进行必要的分析和预计，以便取得必要的数据。

(3) 故障分析及建立外部测试描述表。分析系统的各种外部测试手段的测试范围、算法和流程等，并了解其工作原理和它们所测试的范围、启动和结束条件、故障显示记录情况等；根据对各种测试方法的分析，建立系统级、LRU 级、SRU 级的测试描述表，用于在测试性预计时确定故障模式能够被哪些测试发现和隔离。

(4) 获得 FMECA 资料和可靠性预计数据，以便列出所有的故障模式，掌握故障影响情况、功能单元或部件的故障率，以及故障模式发生频数比。如果未进行 FMECA 和可靠性预计，应补做。至少应进行 FMEA，并通过可靠性分析得到有关故障率数据。

(5) 故障检测、隔离分析及填写测试性预计工作单。根据前面分析的结果，识别每个故障模式(或功能单元/部件)外部测试能否检测，哪一种故障模式可以检测，分析外部测试检测出的故障模式(功能单元/部件)能否被隔离，可隔离到几个可更换单元(LRU 或 SRU)上，并把数据填入测试预计工作单。

(6) 计算故障检测率和故障隔离率。为求得系统总的外部测试故障检测率和隔离率，根据各级系统的工作单，可以先分别计算 LRU、系统总的可检测故障率、隔离故障率、BIT 故障率和总故障率，然后用 FDR 和 FIR 的公式求出 LRU、系统的预计指标。

(7) 预计结果，综合分析，并编写预计报告。分析所得的预计结果，并根据要求编写测试性预计报告。

7.2.3 测试性分析

故障模式与测试方法分析是在 FMECA 的基础上，结合故障的相关信息在系统级别、LRU 级别、SRU 级别依次开展测试性分析，分析内容主要包括故障模式、测量参数/测试点、测试方法的选择以及故障是否隔离等。在进行分析的过程中应该注意以下问题。

(1) 有测试性设计要求的系统、LRU 和 SRU 均应进行故障模式与测试方法分析，以获取产品的测试性设计信息，支持测试性建模、详细设计和测试性预计等。

(2) 故障模式与测试方法分析工作是一个逐步深入和细化的过程，在不同研制阶段分析的重点有所不同。

①在方案和初步(初样)设计阶段，针对系统(或 LRU/LRM)级产品进行初步分析，重点是产品的功能故障模式及其组成单元的功能故障模式和适用的检测方法。

②在详细(正样)设计阶段，除修正前面的初步测试性分析之外，针对 LRU 和 SRU 级产品进行详细分析，重点是 LRU 和 SRU 的功能故障模式、影响和选用的检测方法。在分析过程中，应尽可能获取相关故障影响及故障率数据。

③在详细(正样)设计阶段，在故障模式与测试常规分析的基础上，完成各层次产品的测试程序设计。

④在详细测试性预计时，应进行产品各组成部件的故障模式、测试方法及检测与隔离结果的分析。

(3) 可参照 GJB/Z 1391—2006 和相关文件提供的程序与方法，进行功能和硬件的故障模式与测试方法分析，注意加强故障模式的检测参数、测试点、检测与隔离方法的分析，如 BIT、自动测试和人工测试等方法开展详细分析。

(4) 进行故障模式与测试方法分析，应注意与 FMECA 及维修性信息分析相结合，引用相关分析结果，避免重复工作。

(5) 故障模式与测试方法分析的结果应填入相应的表格并给出必要的说明。

1. 分析内容

故障模式与测试方法分析的分析内容如图 7-3 所示。

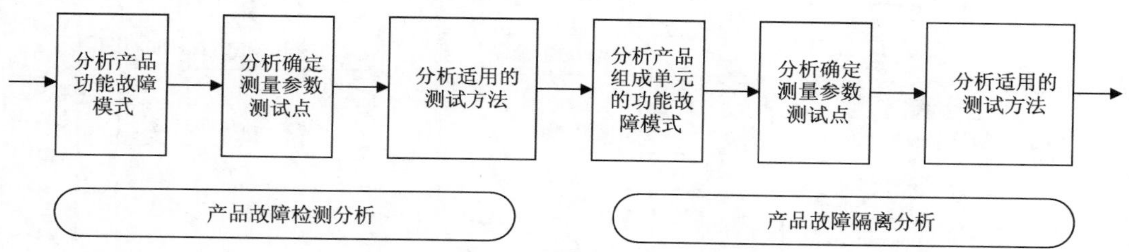

图 7-3　故障模式与测试方法分析的分析内容

故障模式与测试方法分析的分析内容包括产品故障检测分析和产品故障隔离分析两部分。产品故障检测分析和产品故障隔离分析的分析内容均包含以下三个方面。

(1) 根据产品/系统的组成和 FMECA 结果，确定被分析产品的功能故障模式。故障模式的确定是一个逐步细化的过程，在不同的设计阶段分析的侧重点也不同。在方案和初步设计阶段，重点是进行系统级产品的故障模式分析工作；在详细设计阶段，重点是进行 LRU 和 SRU 的故障模式分析工作；在详细测试性预计阶段，重点是进行产品组成部件的故障模式分析工作。

(2) 在确定故障模式之后，应该进一步分析确定测量参数和测试点。所提供的测试点应能进行定量测试、性能监控、故障隔离、校准或调整，通过确定合理的测试参数和测试点，实现对故障模式的有效检测和隔离。在满足故障检测与隔离要求的条件下，测试点的数量应尽可能少。

(3) 在分析确定测量参数测试点的基础上，应进一步分析适用的测试方法。针对不同的测试对象、不同的维修级别，应选用最经济有效的方法及手段检测和隔离故障，具体的测试方法包括 BIT、自动测试设备和人工测试等。

2. 实施流程

故障模式与测试方法分析的实施流程如图 7-4 所示。

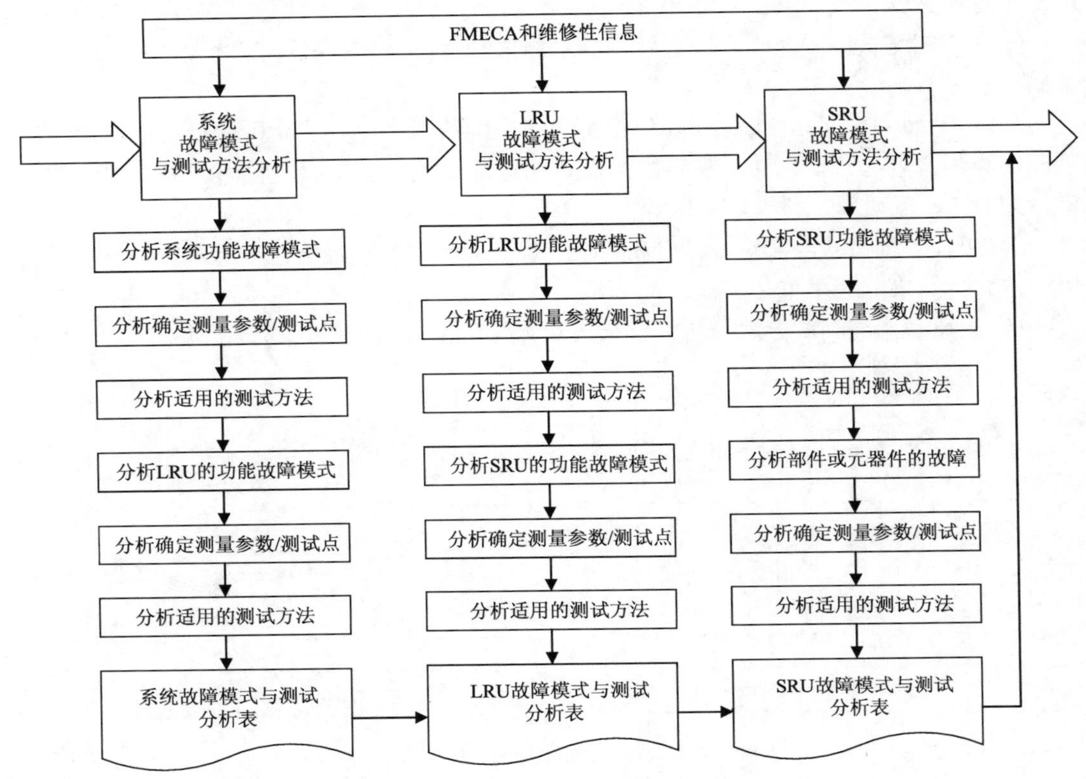

图 7-4　故障模式与测试方法分析的实施流程

故障模式与测试方法分析的实施流程主要包括系统故障模式与测试方法分析、LRU 故障模式与测试方法分析、SRU 故障模式与测试方法分析等。在进行分析的过程中，应首先进行系统故障模式与测试方法分析，在此基础上进行 LRU 故障模式与测试方法分析，最后进行 SRU 故障模式与测试方法分析。在进行系统故障模式与测试方法分析时，除了要对系统本身的故障模式与测试进行分析，还要对组成系统的各个 LRU 进行分析；同样，在对 LRU 进行分析时，也要对组成 LRU 的各个 SRU 进行相应的分析；在对 SRU 进行分析时，要对组成 SRU 的部件或元器件的故障进行分析。在分析的过程中注意利用 FMECA 和维修性的相关信息，避免重复工作。

3. 基于相关性模型的测试性设计分析

相关性模型的概念最早出现于 20 世纪 50 年代，由美国 DSI 公司的创始人 De Paul 从 60 年代开始首先将此理论应用于武器装备的诊断开发。相关性模型是一种以相关性推理为基础，按照故障如何被发现的过程来设计故障检测和隔离的方法。由于可以直接用于解决故障检测和隔离问题，相关性模型在测试性与诊断设计、系统工程、维修性、可靠性等领域得到广泛应用。在 GJB 2547A—1995 中将建立测试性模型作为一项工作项目，并举例了测试性图示模型和数学模型及多信号流图模型，对于开展基于相关性模型的测试性设计分析提供了支持。在全测试环境人工智能交换与服务(IEEE1232)标准中定义了基于相关性的诊断推理模型(DIM)与诊断树模型(FTM)，提供了一种便于计算机处理的相关性模型语言。目前，支持基于相关性模型的测试性设计分析的商业化工具软件主要有 TEAMS、eXpress。

基于相关性模型的测试性设计分析工作的主要内容见图 7-5。

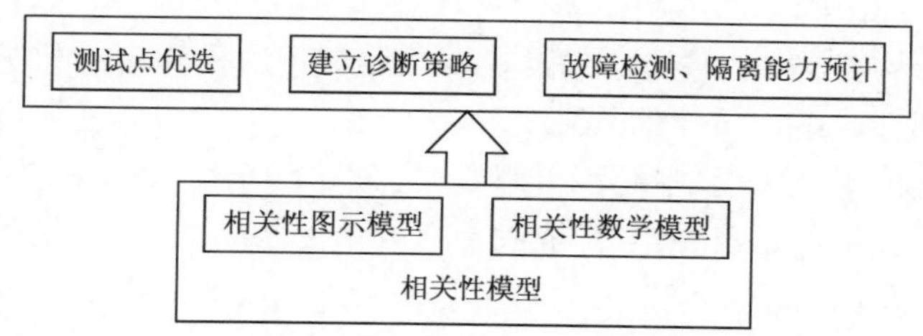

图 7-5　基于相关性模型的测试性设计分析工作的主要内容

基于相关性的模型有相关性图示模型和相关性数学模型。相关性图示模型可以直观地展现单元与测试之间的关系；相关性数学模型用矩阵方式描述了单元与测试间的相关性。进行基于相关性模型的设计与分析时，一般是在建立相关性数学模型的基础上，进行简化及测试点优选，并最后得到诊断策略，包括诊断树与故障字典。通过相关性建模和分析，可以预计出诊断策略的故障检测率、故障隔离率。

当预计结果不满足测试性要求时，可以通过调整 / 增补测试点，或者对系统的功能和结构进行重新划分等方式进行设计优化。最后，利用诊断策略可以直接建立用于 BIT 或 ATE 的诊断算法，或者用于人工测试的诊断流程。

基于相关性模型的测试性设计分析工作可以在系统的初步设计阶段开展，随着设计的深入，应该逐步迭代该项工作，不断细化模型，以反映系统的变化。

1) 相关性模型概念

相关性模型是表达单元(或单元故障)与测试相关性逻辑关系的模型，包括相关性图示模型和相关性数学模型两种形式。

(1) 假设。

①被测对象仅有两种状态：正常状态，即 UUT 无故障可以正常工作；故障状态，即 UUT 不能正常工作。

②在任何时刻，当 UUT 处于故障状态时，认为只有一个组成单元(或部件)发生了故障，即单故障假设。即使 UUT 同时存在两个以上的故障(概率很小)，实际诊断时也是一个一个地隔离较为简便。

③被测对象的状态完全取决于其各组成单元的状态。某一组成单元发生了故障，在信息流可达的各个测试点上，测量有效性都是一样的。

(2) 定义。

①测试和测试点：为确定被测对象的状态并隔离故障所进行的测量与观测的过程称为测试。测试过程中可能需要有激励和控制，观测其响应，如果其响应是所期望的，则认为正常，否则认为故障。进行测试时，可以获得所需状态信息的任何物理位置称为测试点。一个测试可以利用一个和数个测试点，一个测试点也可被一个或多个测试利用。为便于理解，开始时可以认为一个测试就使用一个测试点，则测试点就代表了测试，用T_i(或t_i)表示测试或测试点。

②被测对象组成单元和故障类：被测对象的组成部件，无论其大小和复杂程度，只要是故障隔离的对象，修复时要更换的，就称为组成单元。实际上，诊断分析真正关心的是组成单元发生的故障，所以组成单元可以用所有故障来代表，它们具有相同或相近的表现特征，称为故障类。为便于理解，在以后测试点选择和诊断顺序分析中用F_i表示组成单元、组成部件或组成单元的故障类。

③相关性：被测对象的组成单元和测试点之间、两个组成单元之间或两个测试点之间存在的逻辑关系。例如，测试点T_j依赖于组成单元F_i，则F_i发生故障，就意味着T_j测试结果应是不正常的。反过来，如果T_j测试通过了，则证明F_i是正常的，这就表明T_j与F_i是相关的。仅表明某一个测试点与其输入组成单元(1 个或 n 个)以及直接输入该组成单元的任何测试点(1 个或几个)的逻辑关系，称为一阶相关性。如果表明了被测对象的各个测试点与各个组成单元之间的逻辑关系，则称为高阶相关性模型。

(3) 相关性图示模型。

相关性的图形表示方法是在 UUT 功能和结构合理划分之后，在功能框图的基础上，清楚标明功能信息流方向和各组成部件相互连接关系，并标注清楚初选测试点的位置和编号，以此表明各组成部件与各测试点的相关性关系，如图 7-6 所示。其中，方框代表各个功能单元，圆圈代表测试点，箭头表明功能信息传递的方向。

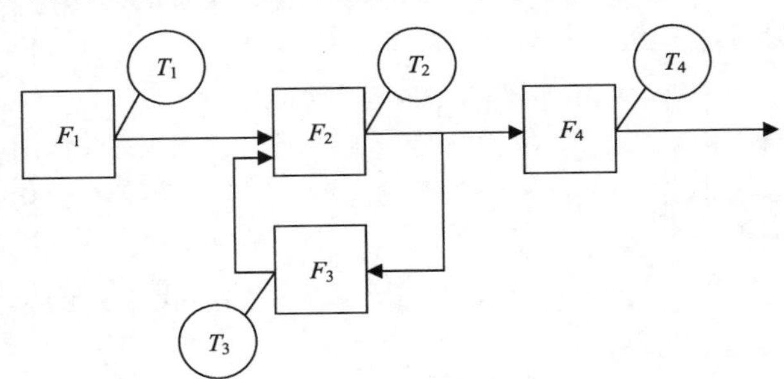

图 7-6　相关性图示模型

(4) 相关性数学模型。

UUT 的相关性数学模型可以用下述矩阵来表示：

$$D_{m\times n}=\begin{bmatrix} d_{11} & d_{12} & \cdots & d_{1n} \\ d_{21} & d_{22} & \cdots & d_{2n} \\ \vdots & \vdots & & \vdots \\ d_{m1} & d_{m2} & \cdots & d_{mn} \end{bmatrix} \tag{7-25}$$

其中，第 i 行矩阵

$$F_i = \left[d_{i1} d_{i2} \cdots d_{in} \right] \tag{7-26}$$

表示第 i 个组成单元(或部件)故障在各测试点上的反应信息，它表明了 F_i 和各个测试点 $T_j\ (j=1,2,\cdots,n)$ 的相关性。而第 j 列矩阵

$$T_j = \left[d_{1j} d_{2j} \cdots d_{mj} \right] \tag{7-27}$$

表示第 j 个测试点可测得各组成部件的故障信息。它表明了 T_j 与各组部件 $F_i\ (i=1,2,\cdots,m)$ 的相关性。其中，

$$d_{ij} = \begin{cases} 1, & \text{当}T_j\text{可测得}F_i\text{故障时}(T_j\text{与}F_i\text{相关}) \\ 0, & \text{当}T_j\text{不能测得}F_i\text{故障时}(T_j\text{与}F_i\text{不相关}) \end{cases} \tag{7-28}$$

UUT 的相关性数学模型也称 D 矩阵模型。相关性数学模型的示例如图 7-7 所示。

$$\begin{array}{c} \\ F_1 \\ F_2 \\ F_3 \\ F_4 \end{array} \begin{array}{c} \begin{array}{cccc} T_1 & T_2 & T_3 & T_4 \end{array} \\ \begin{bmatrix} 1 & 1 & 1 & 1 \\ 0 & 1 & 1 & 1 \\ 0 & 1 & 1 & 1 \\ 0 & 0 & 0 & 1 \end{bmatrix} \end{array}$$

图 7-7　相关性数学模型

2) 相关性建模分析方法

(1) 建立相关性图示模型。

相关性图示模型是建立 D 矩阵模型的基础，此模型是在功能框图的基础上建立的。图 7-8 为某一简单 UUT 的功能框图，根据此功能框图，结合可用测试点，即可直接绘制出相关性图示模型。

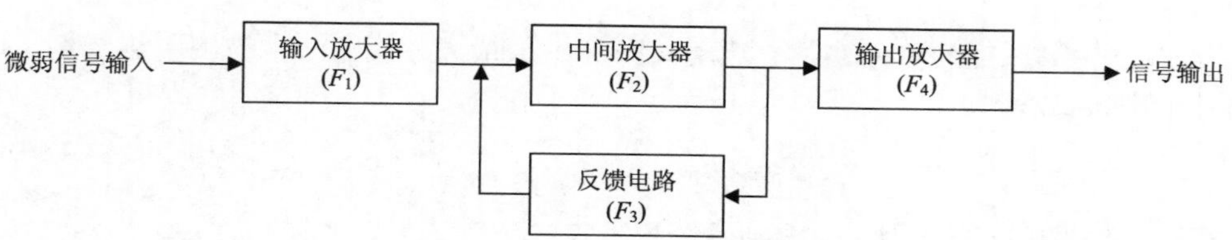

图 7-8　某一简单 UUT 的功能框图

(2) 建立 D 矩阵模型。

如图 7-9(a) 所示的 UUT，根据功能信息流方向，逐个分析各组成部件 F_i 的故障信息在多测试点 T_j 上的反映，即可得到对应的 D 矩阵模型，如图 7-9(b) 所示。

(3) 优选测试点。

①直接选用方法。

在建立了 UUT 的 D 矩阵模型之后，就可以优选故障检测用测试点、故障隔离用测试点了。

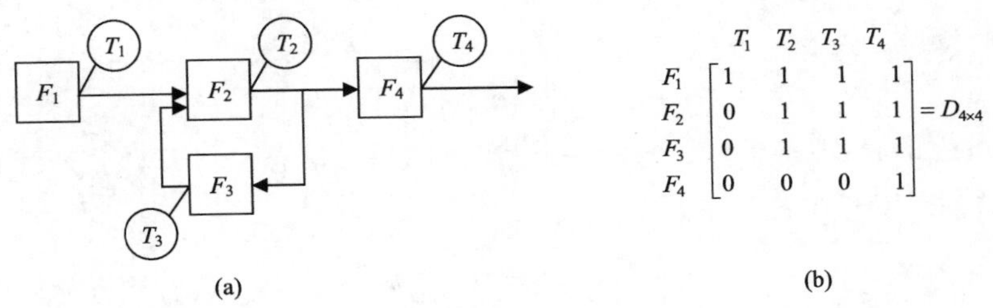

图 7-9　相关性模型

a. 简化 D 矩阵模型识别模糊组。

为了简化以后的计算工作量，并识别冗余测试点和故障隔离的模糊组，在建立了 UUT 的 D 矩阵模型之后，应首先进行简化。

比较 D 矩阵模型的各列，如果有 $T_k = T_l$，且 $k \neq l$，则对应的测试点 T_k 和 T_l 是互为冗余的，只选用其中容易实现的和测试费用少的一个即可，并在 D 矩阵模型中去掉未选测试点对应的列。

比较 D 矩阵模型中各行，如果有 $F_x = F_y$，且 $x \neq y$，则其对应的故障类(或可更换的组成部件)是不可区分的，可作为一个故障隔离模糊组处理，并在 D 矩阵模型中合并这些相等的行为一行。

这样就得到简化后的 D 矩阵模型，也得到了故障隔离的模糊组。出现冗余测试点和模糊组的原因是 UUT 的测试性框图中存在着多于一个输出的组成单元和(或)存在着反馈回路。

b. 选择检测用测试点。

假设 UUT 简化后的 D 矩阵模型为 $D = [d_{ij}]_{m\times n}$，则第 j 个测试点的故障检测权值(表示提供检测有用信息多少的相对度量) W_{FD} 可用式(7-29)计算：

$$W_{\mathrm{FD}j} = \sum_{i=1}^{m} d_{ij} \tag{7-29}$$

计算出各测试点的 W_{FD} 之后，选用其中 W_{FD} 值最大者为第一个检测用测试点。其对应的列矩阵为

$$T_j = \begin{bmatrix} d_{1j} & d_{2j} & \cdots & d_{mj} \end{bmatrix}^{\mathrm{T}} \tag{7-30}$$

用 T_j 把矩阵 D 一分为二，得到两个子矩阵：

$$D_p^0 = [d]_{a\times j} \tag{7-31}$$

$$D_p^1 = [d]_{(m-a)\times j} \tag{7-32}$$

式中，D_p^0 为 T_j 中等于 0 的元素所对应的行构成的子矩阵；D_p^1 为 T_j 中等于 1 的元素所对应的行构成的子矩阵；a 为 T_j 中等于 0 元素的个数；p 为下标，为选用测试点的序号。

选出第一个检测试点后，$p=1$。如果 D_1^0 的行数不等于零($a \neq 0$)，则对 D_1^0 再计算 W_{FD} 值，选其中 W_{FD} 最大者为第二个检测用测试点，并再次用其对应的列矩阵分割 D_1^0。重复上述过程，直到选用检测用测试点对应的列矩阵中不再有为 0 的元素。有为 0 的元素，

就意味着其对应的 UUT 组成单元(或故障类)还未检测到。没有为 0 的元素存在，就表明所有组成单元都可检测到，故障检测用测试点的选择过程完成。

如果在选择检测用测试点的过程中，出现 W_{FD} 最大值对应多个测试点，可从中选择一个容易实现的测试点。

c. 选择故障隔离用测试点。

仍假设 UUT 简化后的 D 矩阵模型为 $D=[d_{ij}]_{m\times n}$，则第 j 个测试点的故障隔离权值(提供故障隔离有用信息的相对度量) W_{FI} 可用式(7-33)计算：

$$W_{\mathrm{FI}j}=\sum_{k=1}^{Z}(N_j^1N_j^0)_k \tag{7-33}$$

式中，N_j^1 为列矩阵 T_j 中元素为 1 的个数；N_j^0 为列矩阵 T_j 中元素为 0 的个数；Z 为矩阵数，$Z\leqslant 2^P$，P 为已选为故障隔离用测试点数。

计算出各测试点的 W_{FI} 之后，选用 W_{FI} 最大者对应的测试点 T_j 为故障隔离用测试点。其对应的列矩阵为

$$T_j=\begin{bmatrix}d_{1j} & d_{2j} & \cdots & d_{mj}\end{bmatrix}^{\mathrm{T}}$$

用 T_j 把矩阵 D 一分为二，得

$$D_p^0=\left[d\right]_{a\times j}$$

$$D_p^1=\left[d\right]_{(m-a)\times j}$$

式中，D_p^0 为 T_j 中 0 元素对应行所构成的子矩阵，p 为所选测试点序号；D_p^1 为 T_j 中 1 元素对应行所构成的子矩阵；a 为 T_j 中等于 0 的元素个数。

开始时只有一个矩阵，当选出第一个故障隔离用测试点后，p=1。分割矩阵后 Z=2。对矩阵 D_1^0 和 D_1^1 计算 W_{FI} 值，选用 W_{FI} 大者为第二个故障隔离用测试点，再分割子矩阵，这时，p=2，子矩阵数 $Z=2^2=4$。重复上述过程，直到各子矩阵变为只有一行，就完成了故障隔离用测试点的选择过程。

当出现最大 W_{FI} 值不止一个时，应优先选用故障检测已选用、测试时间短或费用低的测试点。

②考虑可靠性和费用的选用方法。

在优选测试点、制定诊断策略、计算平均诊断测试步骤时，都没有考虑 UUT 各组成单元的可靠性影响和设置测试点进行测试的费用影响。或者说，认为各组成单元的可靠性是一样的，测试点及其相关费用是相等的，可暂不考虑可靠性和费用影响。但实际上这是不真实的，只要有可能就应尽量考虑有关影响。

a. 可靠性影响。

一般情况下，UUT 各组成单元的可靠性是不完全相同的，可靠性低的组成单元发生故障的可能性较大，应优先检测，赋予较大的检测与隔离权值。UUT 及其各组成单元的可靠性数据(故障率或故障概率)可从可靠性设计分析资料中获得。优选测试点和制定诊断策略时，计算故障检测与隔离权值(W_{FD} 和 W_{FI})除基于相关性之外，还要考虑相对故障率高低或故障概率大小。

（Ⅰ）检测与隔离权值的计算。各测试点的故障检测权值 W_{FD} 为

$$W_{\text{FD}j}=\sum_{i=1}^{m}\alpha_i d_{ij},\quad j=1,2,\cdots,n \tag{7-34}$$

$$\alpha_i=\lambda_i/\sum_{i=1}^{m}\lambda_i \tag{7-35}$$

式中，$W_{\text{FD}j}$ 为第 j 个测试点检测权值；α_i 为第 i 个组成单元的故障发生频数比；d_{ij} 为 UUT 的 D 矩阵模型中第 i 行第 j 列元素；λ_i 为第 i 个组成单元的故障率；m 为待分析的相关矩阵行数。

各测试点的故障隔离权值为

$$W_{\text{FI}j}=\sum_{k=1}^{Z}\left\{\left(\sum_{i=1}^{m}\alpha_i d_{ij}\right)_k\left[\sum_{i=1}^{m}\alpha_i(1-d_{ij})\right]_k\right\} \tag{7-36}$$

式中，$W_{\text{FI}j}$ 为第 j 个测试点的隔离权值；Z 为分析的矩阵数。

（Ⅱ）诊断信息量的计算。在 D 矩阵模型中，加入代表 UUT 无故障的一行，这时矩阵的行数就是故障诊断要区分的 UUT 状态数，包括无故障状态和各故障状态。检测与隔离用测试点的选择可以一起考虑，优先选用提供诊断信息量大的测试点分割 D 矩阵模型，制定诊断策略。测试点的诊断信息量为

$$I\left(t_j\right)=-\sum_{k=1}^{Z}P_k(A\log_2 A+B\log_2 B)_k \tag{7-37}$$

$$\begin{cases}P_k=\sum_{i=1}^{m}P_i\\ A=\sum_{i=1}^{m}P_i d_{ij}/P_k\\ B=\sum_{i=1}^{m}P_i(1-d_{ij})/P_k\end{cases} \tag{7-38}$$

式中，$I\left(t_j\right)$ 为第 j 个测试点的信息量；P_i 为矩阵中各状态发生的概率；d_{ij} 为矩阵中第 i 行第 j 列的元素；m 为分析矩阵的行数；Z 为分析的矩阵数。

在实际工程应用中计算 $W_{\text{FI}j}$ 和 $I\left(t_j\right)$ 时，为简化分析，可以省去公式中的第一个求和符号。这样选用的测试点可能会有所不同，但影响不是太大。

（Ⅲ）故障诊断平均测试步骤数与检测能力。故障诊断平均测试步骤数（N_{T}）为

$$N_{\text{T}}=\sum_{i=1}^{m_0}p_i k_i \tag{7-39}$$

式中，k_i 为诊断树第 i 个分支节点数；m_0 为诊断树分支数；p_i 为 UUT 第 i 个状态（诊断树的树叶）发生概率。

故障检测率（FDR）和隔离率（FIR）分别为

$$\gamma_{\mathrm{FD}} = \sum \lambda_{\mathrm{FD}_i} / \sum \lambda_i \tag{7-40}$$

$$\gamma_{\mathrm{FI}} = \sum \lambda_{\mathrm{FI}i} / \sum \lambda_{\mathrm{FD}i} \tag{7-41}$$

式中，$\lambda_{\mathrm{FD}i}$ 为第 i 个检测的组成单元的故障率；$\lambda_{\mathrm{FI}i}$ 为第 i 个隔离的组成单元的故障率。

b. 费用影响。

与测试相关的费用应考虑测试点设计费、研制费和实施测试费用等。对测试点的选用顺序而言，在其他条件相同的情况下，应优先选用综合费用少的测试点。所以，在计算测试点的权值 W_{FD} 和 W_{FI} 时应考虑与综合费用成反比的影响因素。

如果用 C_j 表示第 j 个测试点的各项相关费用之和，则第 j 个测试点的权值为

$$W_{\mathrm{FD}j} = \frac{1}{\alpha_{\mathrm{c}j}} \sum_{i=1}^{m} \alpha_i d_{ij} \tag{7-42}$$

$$W_{\mathrm{FI}j} = \frac{1}{\alpha_{\mathrm{c}j}} \left(\sum_{i=1}^{m} \alpha_i d_{ij} \right) \left(\sum_{i=1}^{m} \alpha_i (1 - d_{ij}) \right) \tag{7-43}$$

$$I\left(t_j\right) = \frac{1}{\alpha_{\mathrm{c}j}} P_k (A \log_2 A + B \log_2 B) \tag{7-44}$$

$$\alpha_{\mathrm{c}j} = C_j / \sum_{j=1}^{n} C_j \tag{7-45}$$

式中，C_j 为第 j 个测试点的相关费用之和；$\alpha_{\mathrm{c}j}$ 为第 j 个测试点的相对费用比；n 为候选测试点个数。

故障诊断平均测试步骤数 N_{D} 是评价诊断树的参数之一，N_{D} 越小越好。同样，诊断树的平均测试费用也是其评价参数。诊断树的平均测试费用为

$$C_{\mathrm{D}} = \sum_{i=1}^{m_0} P_i \left(\sum_{j=1}^{K_i} C_j \right)_i \tag{7-46}$$

式中，C_{D} 为 UUT 诊断树的平均测试费用；P_i 为诊断树各“树叶”(即诊断输出)的发生概率，对应“无故障”分支，为 UUT 无故障概率，其他为故障概率；m_0 为诊断树分支数；C_j 为第 i 个分支上第 j 个节点的测试费用；K_i 为第 i 个分支的节点数。

由式(7-46)可知，诊断树的平均测试费用等于各分支费用之和，而分支费用等于其各节点测试费用之和乘以对应“树叶”发生的概率。

其他费用计算公式为

$$C_{\mathrm{D}} = \sum_{j=1}^{K} C_j \left(\sum_{i=1}^{m_j} P_i \right)_j \tag{7-47}$$

式中，K 为诊断树节点总数(包括根节点)；m_j 为第 j 个节点所包含的“树叶”(待分割的)数目。

由式(7-47)可知，诊断树的平均测试费用等于各节点测试费用乘以该节点要分割的“树叶”发生概率之和的总和。这两个诊断树的平均测试费用计算公式是等效的。

(4) 建立诊断树和故障字典。

①诊断树。

诊断树即故障检测和隔离时的测试顺序的树状表示，它是 UUT 测试性 / BIT 详细设计分析的基础，同时也为 UUT 外部诊断测试提供技术支持。它既可用于产品设计阶段，也可用于使用阶段维修时的故障诊断。

建立诊断树以测试点的优选结果为基础，先检测后隔离，以测试点选出的先后顺序制定诊断树。具体方法是根据测试点优选结果，用选出的测试点进行测试，按测试结果是正常或不正常确定下一步测试，具体过程如下。

故障检测顺序如下。

第一步：通过第一个检测用测试点(FD 用 TP_1)测试 UUT，分割其 D 矩阵模型。

a. 若结果为正常，且 0 元素对应子矩阵 D_1^0 不存在，则无故障。

b. 若结果为正常，且 0 元素对应子矩阵 D_1^0 存在，则要第二个 FD 用 TP_2 测试 D_1^0。

第二步：通过第二个 FD 用 TP_2 测试 D_1^0。

a. 结果正常且 D_2^0 不存在，则无故障。

b. 若结果正常且 D_2^0 存在，则需用下一个测试点测试。

第三步：通过下一个 FD 用 TP 测试，直到 D_p^0 不存在(所选出的 FD 用 TP 用完)。

第四步：若任一步检测结果为不正常，则应转至故障隔离程序。

故障隔离顺序如下。

第一步：用第一个隔离用测试点(FI 用 TP)测试 UUT，按其结果(正常或不正常)把 UUT 的 D 矩阵模型划分成 D_1^0 和 D_1^1。

a. 若测试结果为正常，则可判定 D_1^1 无故障，故障在 D_1^0 中，需要用第二个 FI 用 TP 测试 D_1^0。

b. 若测试结果为不正常，则可判定 D_1^0 无故障，而 D_1^1 存在故障，需要用第二个 FI 用 TP 测试 D_1^1。

第二步：用第二个 FI 用 TP 测试剩余有故障部分(有故障的子矩阵)，再次划分为两部分 D_2^0 和 D_2^1。

a. 若测试结果为正常，则故障在 D_2^0 中，需用下一个 FI 用 TP 继续测试 D_2^0。

b. 若测试结果为不正常，则故障在 D_2^1 中，需用下一个 FI 用 TP 继续对 D_2^1 测试。

第三步：用下一个 FI 用 TP 测试有故障的子矩阵 D_p^0 (或 D_p^1)，并把它一分为二，重复上述过程直到划分后的子矩阵成为单行(对应 UUT 的一个组成单元或一个模糊组)。

在测试过程中，任何一步隔离测试，把原矩阵分割成两个子矩阵后，若某个子矩阵已成为单一行了，则对该子矩阵就不用测试了。对另一个不是单行的子矩阵应继续测试。

建立故障诊断树。上述故障检测与故障隔离的分析结果，可以用简单形象的图形表示出来。从第一个 FD 用测试点开始，按其测试结果正常和不正常画出两个分支。

正常(以 0 表示)分支，继续用第二个 FD 用 TP 测试，再画出两个分支，其中不正常分支通过 FI 用 TP 测试，转入隔离分支。而其中正常分支继续通过 FD 用 TP 测试，直到用完 FD 用 TP，判定 UUT 有无故障，就画出了检测顺序图。

不正常(以 1 表示)分支，用第一个 FI 用 TP 测试，按其结果为 0 和 1 画出两个分支。再分别通过第二个 FI 用 TP 测试，画出两个分支。这样连续地画分支直到用完所选出的 FI 用 TP，各分支末端为 UUT 单个组成单元或模糊组，就画出了隔离顺序图。

将检测顺序图与隔离顺序图画在一起，第一个测试点为根，引出的两个分支为树权，接着每个分支再用第二个测试点，各自再引出两个分支。这样，直到树权末端为无故障、单个组成单元或模糊组(即“树叶”)。这样就构成了 UUT 的故障诊断树。

②故障字典。

在优选出测试点之后，UUT 无故障时在各测试点的测试结果与有故障时不一样，不同的故障的测试结果也不同。把 UUT 的各种故障与其在各测试点上的测试结果列成表格就是故障字典。使用前面介绍的测试点优选方法很容易建立故障字典，即 D 矩阵模型(简化后)中，去掉未选用测试点所对应的列就成为该 UUT 的故障字典了。为了便于故障检测，有时加上“无故障”时所对应的测试结果。

诊断树用于分步测试检测和隔离故障，而故障字典用于在采集各测试点信息后，综合判断 UUT 是否有故障或哪个组成单元发生故障。

(5)诊断能力计算。

根据测试点优选结果和画出的诊断树，可统计分析得出的测试性参数有：选用测试点数、模糊组、FDR、FIR、故障诊断平均测试步骤数等，这也属于初步的测试性预计。

①选用测试点数和模糊组。

根据测试点优选过程和 D 矩阵模型，很容易统计出故障检测和隔离用测试点数目，以及比初选结果节省了几个测试点。

②FDR、FIR(未考虑可靠性因素，实为组成单元覆盖率)：

$$\gamma_{\mathrm{FD}} = \frac{U_{\mathrm{FD}}}{U_{\mathrm{T}}} \times 100\% \tag{7-48}$$

$$\gamma_{\mathrm{FI}} = \frac{U_{\mathrm{FI}}}{U_{\mathrm{FD}}} \times 100\% \tag{7-49}$$

式中，U_{FD} 为选用测试点能检测的 UUT 组成单元数；U_{FI} 为选用测试点能隔离的 UUT 组成单元数；U_{T} 为 UUT 组成单元总数。

③故障诊断平均测试步骤数。

故障诊断(包括检测与隔离)测试步骤的计算以诊断树为基础。树中的测试点为节点，从“树根”到“树叶”为分支。各个分支上的节点数就代表找到对应“树叶”(无故障、部件或模糊组故障)时所需的测试步骤数。所以，UUT 的故障诊断平均测试步骤数为

$$N_{\mathrm{T}} = \frac{1}{m_0}\sum_{i=1}^{m_0} k_i \tag{7-50}$$

式中，N_{T} 为故障诊断平均测试步骤数；k_i 为第 i 个分支上的节点数；m_0 为诊断树的分支数目。

7.3　测试性验证与评价

在产品设计研制过程中，为了确认测试性设计与分析的正确性、识别设计缺陷、检查研制的产品是否完全实现了测试性设计要求，需要进行测试性试验与评价，完成测试性的验证。

7.3.1　验证目的和内容

1. 验证的目的

测试性验证与评价的目的主要有如下几点。

(1) 研制阶段进行测试性核查与验证试验的主要目的如下。

①核查、确定诊断方案的可行性。

②检验产品测试性设计的有效性。

③发现测试性设计缺陷，采取改进措施。

④初步评估产品的有关测试性是否可能达到要求。

⑤实现研制阶段的测试性增长。通过多次试验与改进过程，不断发现测试性设计缺陷，进行测试性设计改进，使测试性增长到指定水平。

⑥鉴定或者验证产品的测试性水平。在产品研制阶段，为确定产品的测试性水平与测试性设计要求的一致性，通过试验对产品测试性参数水平进行鉴定或验证，判定是否满足规定的测试性设计要求。

⑦验收产品的测试性水平。在产品生产阶段，为确定交付产品的测试性水平与测试性设计要求的一致性，通过试验对产品测试性参数水平进行鉴定或验证，判定是否满足规定的测试性设计要求。

(2) 使用阶段进行测试性使用评价的主要目的如下。

①收集试验阶段的测试性信息，为测试性评价、改进和新研制产品提供支持。

②评价产品实际达到的测试性水平。

③必要时，提供改进产品测试性的建议。

④实现使用阶段的测试性增长。

2. 验证的内容

测试性验证要考核的内容包括技术合同或技术规范中规定的有关产品测试性设计的定量要求与定性要求。

1) 定量考核的内容

目前一般只规定 FDR、FIR、FAR 的指标，未规定故障检测与隔离时间、CND 比例、RTOK 比例的指标。所以，测试性验证时定量考核的重点是 FDR、FIR、FAR 三个指标，考核的内容包括以下方面。

(1) BIT 检测和隔离故障的能力。

(2)测试设备及有关的测试程序集的检测与隔离故障的能力。

(3)虚警率或平均虚警间隔时间要求的符合性。

(4)故障检测和隔离时间要求的符合性等。

2)定性考核的内容

定性考核的内容是技术合同中规定的测试性要求中未定量的全部内容。具体考核的内容包括以下方面。

(1)产品划分与性能监控要求、故障指示与存储要求、有关中央测试系统配置要求。

(2)BIT 工作模式设置、BIT 指示与脱机测试结果之间的相互关系。

(3)测试点设置、原位检测要求。

(4)被测产品与所用外部测试设备的兼容性。

(5)有关故障字典、检测步骤、人工查找故障等技术文件的适用性和充分性。

(6)外部测试设备配置及自动化程度的符合性。

(7)利用所有测试资源的综合测试能力要求等。

7.3.2　测试性试验

1. 试验的目的、分类与作用

测试性试验，即为提高产品的测试性水平，评价其是否满足测试性要求而进行的各种试验的总称。测试性试验是在产品研制、生产和使用阶段对产品的测试性进行设计、增长、验证和评价的一种重要手段。其目的是有效地验证产品的测试性设计是否达到产品规范的要求，确认产品使用中的测试性是否满足规定的要求，及时发现产品在测试性设计方面的各种缺陷，使测试性不断增长。测试性试验的作用主要体现在两个方面，即暴露缺陷和考核指标。

一个产品无论经过多么精密的测试性设计，也不可完全避免测试性缺陷的存在。因此，需要通过一系列的测试性试验，将缺陷尽可能地诱发出来，予以纠正改进，使测试性水平达到规定的要求。虽然测试性试验会增加产品的研制费用，但从费效比来权衡还是值得的。

测试性试验的分类方式可以有很多种，常见的有以下几种。

(1)根据试验手段和试验对象之间的关系，测试性试验可以分为测试性直接试验和测试性间接试验。直接试验，即直接在产品上进行试验。间接试验，即使用模型代替实物的试验，包括测试性模型试验、测试性仿真试验、测试性半实物仿真试验等。

(2)根据试验场所的不同，测试性试验可以分为测试性实验室(内场)试验和测试性现场(外场)试验。

(3)根据试验目的不同，测试性试验可以分为增长类测试性试验和评价类测试性试验。增长类测试性试验的目的主要是通过试验和使用，识别测试性缺陷，采取改进措施，使故障诊断能力得到增长，该类试验贯穿于系统寿命周期的各个阶段。评价类测试性试验的目的是评价产品的测试性水平，而不是暴露产品的测试性缺陷。

(4)根据试验基于的理论，测试性试验可分为基于相似理论的测试性试验、基于概率论的测试性试验和基于确定论的测试性试验等。

(5) 根据全寿命周期内试验开展的时机、目的和要求，测试性试验可以分为测试性设计核查、测试性研制试验、测试性验证试验以及测试性分析评价、测试性使用评价。

上述各种不同的分类方式之间并不是全无关联的，事实上，它们都是以测试性试验的目的和作用为基础，从不同的方面在工程实际中贯彻测试性试验的思想。只有掌握了这种思想，才能够透过各种不同的分类方式，抓住测试性试验的本质。考虑到根据全寿命周期内试验开展的时机、目的和要求，这种分类方式代表着测试性试验的合理性、广泛性、可操作性以及与其他试验的紧密结合性。

试验内容按全寿命周期内开展的试验展开，主要有测试性设计核查、测试性研制试验、测试性验证试验以及测试性分析评价、测试性使用评价等内容。

2. 测试性试验流程

测试性试验的工作流程如图 7-10 所示。

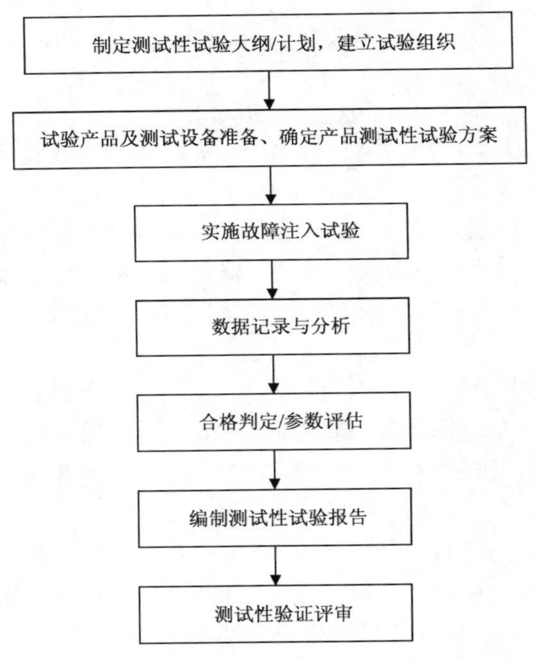

图 7-10　测试性试验的工作流程

应在合同中明确规定订购方参加验证评审的时间与范围。按确定的测试性试验计划进行验证试验，如果要改变需经订购方批准。试验组的组成与职责一般应符合以下要求。

(1) 试验组的组成。试验组一般分为两个小组，即验证评价小组和测试维修小组。验证评价小组内应有订购方的代表参加。测试维修小组由熟悉被试产品维修的人员组成，如果全部为承制方的人员，则他们应具有与产品部署使用后的测试维修人员相当的资格和技能水平；如果全部用订购方的测试维修人员，则他们应事先经过适当的培训。

(2) 试验组的职责。验证评价小组负责安排试验、监控试验和处理试验数据；测试维修小组负责具体实施所要求的故障注入、检测与维修活动。每个试验组人员的具体职责应在试验计划中规定。

试验开始前，应结合具体产品情况，由承制方与订购方协商确定有关处理下列各项的基本规则。

(1) 试验过程中产品自然发生的故障，是否计入故障样本数(一般可记入)。

(2) 由于仪器的不正确安装与操作而引起的产品故障，是否计入故障样本数(一般可记入验证 BIT 的样本数)。

(3) 从属故障是否计入故障样本数。

(4) 确认虚警的方法。

(5) 在完成具体故障检测或隔离时，发现事先规定使用的测试设备不合适时，应采取的措施。

(6) 由于技术手册中提供了不恰当、不准确或不充分的信息，从而导致故障检测或隔离失败情况的处理。

(7) 验证结论为“不通过”时应采取的后续措施。

7.3.3　测试性使用评价

测试性使用评价是装备在使用期间一项非常重要的测试性工作，其主要目的在实际使用条件下确认产品的测试性水平，评价其是否满足使用要求。使用期间测试性信息收集是测试性评价、测试性改进的基础和前提。使用期间测试性信息收集的内容、分析的方法等应充分考虑测试性评价与改进对信息的需求。测试性使用评价的结果和在评价中发现的问题也是进行测试性改进的重要依据。

1. 使用评价的必要性

测试性核查和验证试验是产品研制期间的测试性试验与评价，是针对产品现测试性设计要求进行的检验工作，是产品研制过程中的一个重要环节，是必不可少的。核查与验证试验的结论是阶段性的评价，还不能代表产品在使用环境中的真实的测试性水平，主要原因如下。

(1) 测试性设计需要通过试验发现问题，采取改进措施，通过现场试用进行必要的调整来提高故障检测与隔离能力、减少虚警。在产品研制试验时，这种测试性增长过程尚未开始。

(2) 产品故障模式很多，不可能都注入；故障率数据不准确，影响了抽样注入故障的随机性；由于封装和避免损坏部件等原因，有许多故障模式不能注入或模拟。这些因素降低了验证试验的准确性。

(3) 验证试验的环境条件包括受试产品与其他系统的相互关系和影响等，不可能与实际工作条件完全相同。

由于存在上述实际问题，即使合理地注入了大量故障，试验也只能提供有限地反映实际测试有效性的数据。国外有关资料表明，尽管注入故障试验结果满足规定的测试性要求，但现场初期使用时故障检测与隔离能力却低得多。所以现有测试性验证方法适用于检验所研制产品实现测试性设计要求的程度，发现设计缺陷，评价可否转入下一个研制阶段(定型、试用)。验证试验是测试性增长过程中的重要环节，是测试性阶段评价的手段。除此之外，还需要收集使用期间的测试性信息，才能评估产品的真实测试性水平，并继续实现测试性增长。

2. 使用评价的内容与管理

1) 使用评价的内容

测试性使用评价是装备在使用期间一项非常重要的测试性工作，其主要目的是在实际使用条件下确认产品测试性水平，评价其是否满足使用要求。使用期间测试性信息收集是测试性评价、测试性改进的基础和前提。使用期间测试性信息收集的内容、分析的方法等应充分考虑测试性评价与改进对信息的需求。测试性评价的结果和在评价中发现的问题也是进行测试性改进的重要依据。归纳测试性使用评价的目的和作用有以下几点。

(1) 利用使用过程中收集的测试性信息、评价系统和设备的实际测试性水平，确定是否满足使用要求。

(2) 当发现存在测试性缺陷或不能满足使用要求时，提出测试性改进的要求和建议，以便于组织实施改进措施，提高装备的测试性水平。

(3) 为装备的使用、检测和维修提供管理信息，为装备改型和研制新装备时确定测试性要求提供依据等。

(4) 为分析评价测试性预计和验证试验的正确性与有效性提供支持。

2) 使用评价的管理

使用期间的测试性评价在装备部署后实际使用环境中进行，适用于装备的各系统和设备。测试性使用评价是装备使用期间装备管理的重要内容，必须与装备的其他管理工作相协调，统一管理，也可以结合使用期间维修性评价、使用可靠性评估、保障性评估等一起进行。

使用评价工作主要由使用方完成，可以要求承制方代表参加。使用评价利用的是自然发生的故障诊断数据，一般需要较多的产品投入使用或需要持续较长的使用时间，直到获得足够的数据得出可信的评价结论。

习　　题

1. 测试性的定义和内涵是什么?
2. 测试性技术的发展经历了什么样的发展过程?
3. 测试性参数包括哪些? 其中故障检测率、故障隔离率、虚警率的定义是什么?
4. 测试性的要求主要包括哪些?
5. 测试性设计的目标有哪些?
6. 相关性模型分析方法包括哪些步骤?
7. 测试性验证的试验流程是怎样的?
8. 测试性使用评价的目的是什么?

第 8 章　装备保障性工程

装备保障性工程是研究为提高装备的保障性在研制、生产与使用过程中所进行的各项工程技术和管理活动的一门专业工程学科。由于现代装备系统是一个由主装备与其保障系统所构成的复杂系统，保障性是多因素的综合，因此要运用综合集成的系统思想，从可靠性、维修性、测试性等诸多与保障有关的装备设计特性和构成保障系统的人力与人员、保障设备与设施、备件、技术资料等保障资源的特性、数量、配置，以及两者之间的协调及配合关系上进行研究。

8.1　保障性基础

保障性工程是在可靠性工程、维修性工程及综合后勤保障向综合化发展的基础上提出来的，在装备寿命周期内，为满足装备战备完好性要求和降低寿命周期费用，综合考虑装备的保障问题，确定保障性要求，进行保障设计，规划并研制保障资源，提供装备所需的一系列技术与管理活动。

8.1.1　保障性基本概念

1. 保障性

在研究装备保障问题时装备及其保障资源必须同时考虑，综合协调，否则不能达到预期的战备完好性目的。因此，装备应具备一种新的属性——保障性。

1) 保障性定义与内涵

保障性的定义是系统的设计特性和计划的保障资源满足平时战备要求及战时使用要求的能力。从定义可知，保障性的含义比较复杂，它同一般的工程专业的设计特性(如可靠性、维修性等)不同，主要表现在以下方面。

(1) 这种特性包括两个不同性质的内容，即设计特性和保障资源。

这里的设计特性是指与保障有关的设计特性：一类是与装备故障有关的维修保障特性，主要受可靠性、维修性、测试性等影响；另一类是与装备使用(功能)有关的使用保障特性，用于度量维持装备正常使用功能的保障特性，主要有使用保障的及时性、装备的可运输性等。这些设计特性可以通过设计直接影响装备的硬件和软件，从保障性的角度看，良好的保障设计特性是使装备具有可保障的特征，或者说所设计的装备是可保障的，必须在装备设计时加以重点考虑。

保障资源并非设计特性，它是保证装备完成平时和战时使用的人力与物力，具体包括保障装备所需的人力人员、备品备件、工具和设备、训练器材、技术资料、保障设施、装备嵌入式计算机系统所需的专用保障资源以及包装、装卸、储存和运输装备所需的资源等。但保障资源要达到上述目的，必须使资源与装备的可保障特性协调一致，并有足够的资源满足被保障装备的任务需求。从保障性的角度来看，充足的并与装备匹配完善的保障资源说明装备是能得到保障的。

(2) 装备保障性的目标是满足平时战备要求和战时使用要求。

由于装备不同、军兵种任务不同以及使用条件不同，要把满足战时和平时使用要求加以明确的描述是十分复杂的，它要考虑装备的使用特性、保障特性以及部队的现实条件等多方面的因素。平时战备要求经常用战备完好性来衡量。战备完好性是指装备在使用环境条件下处于能执行任务的完好状态的程度或能力。战备完好性更多强调的是平时的完好能力，即计划的保障资源能使装备随时执行训练任务的能力。战备完好性与装备的可靠性、维修性、测试性等设计特性和保障系统的运行特性紧密相关，一般用战备完好率来衡量，也可以用使用可用度等进行度量。

战时使用要求常用持续性来衡量。持续性是指装备保持实现军事目标所必需的作战水平和持续时间的能力。持续性可以用计划的保障资源和预计的保障活动能保证装备达到要求的作战水平和持续时间的概率来度量。装备这两个方面的能力要求，首先要通过与装备保障有关的设计特性得以具备，同时要通过保障系统有计划地提供保障资源、开展保障活动得以实现。可以看到，保障性是装备及其保障资源组合在一起的装备系统（即装备加工保障系统）的属性，是满足装备系统平时战备完好性和战时使用要求的能力体现，应从装备自身设计特性和保障系统运行特性两个方面进行设计、分析、试验、评价。

2) 保障性与可靠性、维修性的关系

可靠性、维修性是装备的一种设计特性，而保障性是装备系统的一种特性，既包括与保障有关的设计特性，又包括计划的保障资源，它反映了装备系统满足平时和战时战备完好性目标的能力，直接反映了装备的使用要求。可靠性、维修性、保障性虽然内涵不同，但是它们之间有着密切的联系。可靠性、维修性是影响保障性的关键设计特性，要想达到规定的保障性水平，首先想到的就是提高装备的可靠性、维修性。除此之外，保障性设计中还全面地考虑了装备的使用、维修、运输、储存等各种保障要求，以使装备具有易于保障的能力。另外，保障性还包括能保障好的能力，即能够经济有效地提供与装备保障性设计相协调、相匹配的保障资源，既包括使用装备所需的资源，又包括维修装备所需的资源。因此，保障性比可靠性、维修性覆盖的内涵更宽、层次更高。

2. 保障系统

保障系统是使用与维修装备所需的所有保障资源及其管理的有机组合。保障系统可以看成一个由保障活动、保障资源和保障组织构成的相互联系的有机整体。

1) 保障活动

保障活动主要包括使用保障、维修保障、供应保障、训练及训练保障等活动。使用保障活动即保障系统向装备提供如加油、加气等保证装备满足使用或作战要求的基本准备活动和包装、装卸、运输、存储装备的活动；维修保障活动即保障系统提供的在装备故障时或者为了预防装备发生故障而进行的修复性维修或预防性维修活动，这些活动以保持或恢复装备完好的技术状态为目标；供应保障活动是保障系统提供的各类资源的筹措、分配、供应、储运活动，这些保障资源是装备使用、维修和训练活动中所必需的；训练及训练保障活动即保障系统提供的对装备使用与维修人员的训练及其保障活动。

2) 保障资源

保障资源是实施保障活动的物质基础，可分为物资资源、人力资源和信息资源三类。

(1) 物资资源。

物资资源可分为备件/消耗品、设备/工具和设施。备件用于装备维修时更换有故障的设备或零部件，按照故障后是否可修复备件可分为周转备件和废弃备件，按照订购时间不同可分为初始备件和后续备件。消耗品是使用与维修过程中消耗掉的材料，如垫圈、开口销、焊条、涂料等。设备/工具主要是指使用与维修过程中所使用的拆卸和安装设备、测试和诊断设备以及必要的工艺装置等，通常可分为通用设备和专用设备，通用设备是指广泛使用且对各种装备或多项使用与维修工作都具有普遍性功能的保障设备，如通用机床、空气压缩机、万用表、示波器、螺丝刀等；专用设备是指为某专一装备研发的完成其特定保障功能的设备。设施是指保障装备使用与维修过程中所需的永久或半永久性的构建物及其附属设备。按照结构和活动能力，设施分为永久性设施和移动性设施，永久性设施包括维修车间、供应仓库、车库、机库、训练教室、机场、码头等；移动性设施包括各种保养与维修工程车、抢修车、加油车等。

(2) 人力资源。

人力资源是指装备投入使用后，为从事装备的使用与维修工作而需要的具有一定数量和一定专业技术等级的人员。人员专业类型可按不同性质的专业工作分工，使用人员的专业如驾驶员、轮机员、车长和炮长等；维修人员的专业如机械修理工、光学工、电工和仪表测试工等；供应保障人员的专业如采购员、质检员等；训练保障人员的专业如教员；管理人员的专业如仓库主任等。

(3) 信息资源。

信息资源是指使用与维修装备所需的工程图纸、技术规范、技术手册、技术报告、计算机软件文档等，具体包括装备技术资料如装备总图、分系统图、工作原理图等；使用手册，如装备的操作程序和要求，燃料、弹药、水、电、气和润滑油脂的加、挂、充、填方法和要求，使用与保障方法，包装等级说明、装卸要求说明、运输方式说明和存储方式说明等；维修手册，如拆卸与安装、分解与组合各类机件的规程和技术要求，故障检查的方法和步骤等。

3) 保障组织

保障组织是指平时和战时装备保障机构的设置。保障组织由保障站点组成，保障站点是完成保障活动的场所。按照责任主体划分，保障组织中的保障站点/子站点可以分为军方、承制方、第三方。不同的责任主体都承担着保障系统组织要素的角色。每个责任主体通常要负责多个站点的保障工作。站点又可以包含若干个子站点，例如，军用飞机基层级的某站点由维修车间、使用外场(停机坪)、备件仓库、工具房、设备间、航材股、油料股、军械股、导弹中队等保障子站点构成。

8.1.2　保障性工程

1. 保障性工程的定义

保障性工程的定义为：为了实现装备系统的保障性目标而进行的一整套论证、分析、设计、生产、试验与评价、部署以及使用与保障等工作。

从保障性工程的定义可以看出以下方面。

(1) 保障性工程的研究对象是装备系统，既包括主装备，又包括其保障系统。

(2) 保障性工程的目的是实现装备系统的保障性目标。保障性目标包括平时战备要求和战时使用要求，平时战备要求强调战备完好性要求和寿命周期费用约束，战时使用要求强调任务成功、可部署性和持续作战能力。因此，保障性工程的最终目的是提高装备的战备完好性、任务成功性、可部署性和持续作战能力，降低寿命周期费用和特殊保障需求(如人员技术水平要求等)。

(3) 保障性工程贯穿于装备系统的全寿命过程，从装备论证工作开始，就必须考虑装备系统的保障性要求，在论证中作为性能指标的一部分确定保障性目标。在装备系统全寿命周期内统筹考虑装备与保障有关的设计特性和保障要素，把研究、设计、试验、制造、使用与保障等各部门的工作联系起来，利用系统工程的方法和技术实施管理，保证系统整体优化，以最经济的寿命周期费用达到保障性目的。在装备部署后，通过装备的使用与保障，进一步完善和改进保障系统，使装备的保障性水平得到保持和提高。

(4) 保障性工程是系统工程的一个分支，其实施是一项复杂的系统工程过程，因此应该在装备系统工程的框架内实施。

2. 保障性工程的主要工作

保障性工程的活动贯穿于装备系统的整个寿命周期，其主要工作包括以下方面。

(1) 确定系统的保障性要求。这一工作的目的是确定系统级的保障性要求，并将这一要求分配到较低的约定层次。

(2) 将系统保障性要求转化为设计参数指标。这一工作的目的是将之前确定的子系统或设备的保障性要求转换成设计参数指标。

(3) 将保障性参数纳入装备系统设计。这一工作的目的是把保障性参数指标设计进入装备系统中。

(4) 保障系统与装备的同步设计。这一工作的目的是确保以与产品设计相同的方式进行保障系统的设计，以保证保障系统与装备的良好匹配。

(5) 保障系统与装备的同步生产。这一工作的目的是及时研制保障资源，建立保障系统并对装备提供有效保障。

(6) 试验、评价与改进。这一工作包括对主装备及保障资源进行的试验与评价和对装备系统进行现场试验与评价。

保障性工程的研究对象是装备系统，目的是实现装备系统的保障性目标，即满足平时战备要求及战时使用要求。两种规划装备所需保障的方法如图 8-1 所示。

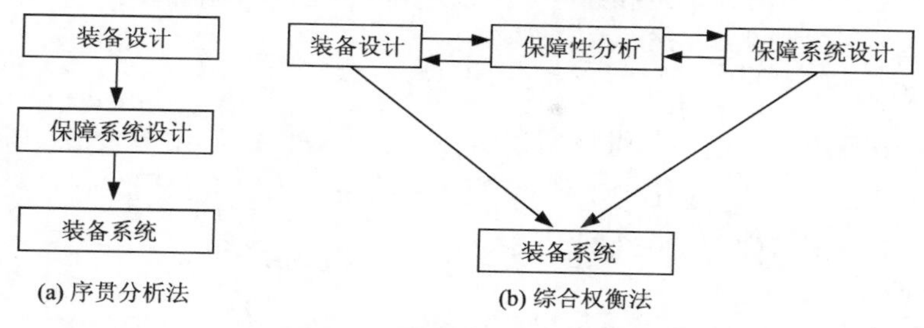

(a) 序贯分析法　(b) 综合权衡法

图 8-1　两种规划保障工作的方法

只有综合权衡法才能达到满足任务要求的目的，这与先设计装备后规划保障的传统做法具有显著区别。

保障性工程的目的是为部队提供及时、经济和有效的保障资源，并建立适用的保障系统。研究这一目的可以明确以下几个问题。

(1) 及时——所提供的保障资源必须与装备同时部署到部队，及时保证使用，只有这样才能使装备尽快形成战斗力。为此在装备型号立项和论证时就应开始进行保障方案(初始)的研究，随着装备研制的进展，由研制最佳保障方案逐步深化到确定保障资源，一直持续到装备的部署阶段。

(2) 经济——使用、保障费用在装备寿命周期费用中所占比例最大(60%～80%)，装备复杂程度日益增加，这一比例有越来越大的趋势。要控制寿命周期费用，只有在研制保障方案时，找出影响保障费用的主导因素，加以权衡分析，才能得到控制。

(3) 有效——有效的保障资源，是指资源要与装备相互匹配。匹配是要求装备在设计时需要考虑其可保障性特征，同时所研制的保障资源是适合部队操作使用的。这是比较复杂的分析和研制过程，要通过保障性分析来达到。

(4) 建立保障系统——通过综合保障工程提交给部队的不仅是各类具体的保障资源(如维修设备、备件和技术资料等)，还要将这些资源有机地综合起来成为部队适用的保障系统，这一系统还应与部队的装备使用与维修制度相配合，到此保障性工程的目的才算达到。

保障性工程要求解决的问题涉及很多方面，既有与保障有关的装备设计方面的问题，又有大量的类型极不相同的保障资源方面的问题，并且要把这两方面的问题相互协调起来，通常包括以下要素。

(1) 维修规划。

装备所需的维修保障工作是大量的和复杂的，研究维修保障必须将其主要工作加以规划。维修规划是在装备寿命周期过程中为研究和制订维修方案和要求以及规划实施这种方案的工作过程。

维修方案是保障方案的重要组成部分，一般包括：维修类型(计划维修与非计划维修)及其主要内容；维修原则(不可修复、局部可修复及全部可修复)；维修级别及其任务；主要保障资源的基本要求；维修活动的约束条件(费用、供应及运输等)。

(2) 人员数量与专业技术等级。

这项工作主要解决装备使用与维修所需人员的数量和技能要求，以及这些人员的考核录用。

(3) 供应保障。

供应保障是确定装备使用与维修所需消耗品和零备件的数量和品种，并研究它们的筹措、分配和供应、储运、调拨以及装备停产后的备件供应等问题。供应保障是综合保障工作中影响费用和效能的重要专业工作。

(4) 保障设备。

保障设备是研制保障资源中占用工作量最大的一项要素，它涉及装备使用与维修时所需的各种设备以及这些设备的数量与技术性能，并考虑保障设备本身的使用和维修保障问题。

(5) 技术资料。

综合保障所需的技术资料是以手册、规范、指南和图纸等形式记录的技术信息，其目的是为装备使用与维修人员提供工作中所需的技术资料和工作说明，其中包括：使用与维修的工作程序和图表、技术数据和要求、计算机软件的文档，以及测试和保障设备的使用和维护方法等。

(6) 训练和训练保障。

训练和训练保障是为训练装备使用与维修人员提供所需的训练计划、课程设置、训练方法、教材和训练设备以及教员与学员的选调等。

(7) 计算机资源保障。

为保障装备计算机系统的使用与维修所需的硬件、软件、保障工具、文档、设施和人员等称为计算机资源保障。

软件的综合保障工作虽与硬件不同，但其基本概念仍然适用，同样有维修规划、保障设备、供应保障、人员与训练以及技术手册等方面的工作。需要注意的是，它的各项综合保障要素的特殊性，如软件维护级别与硬件维修级别不同，维护人员往往由操作人员兼任。人员数量和类型与软件在寿命周期内所预计的更换次数有关等。

(8) 保障设施。

保障设施是装备使用、维修、训练和储存所需的永久和半永久性的构筑物及其有关设备，如备件仓库、维修车间、训练场地、试验设施及办公设施等不动产。其主要工作有：设施的规划，如选址、制定环境要求、构筑物要求、设施建设的进度与费用安排，确定设施的管理与使用以及设施的更新改造等。

(9) 包装、装卸、储存和运输。

包装、装卸、储存和运输专业是研究为保证装备得到完善的封存、包装、装卸、搬运和运输所需的资源、过程、程序和设计方法，其中包括环境要求、储存期限、特殊封存与包装要求、专用装卸和储存设施与设备，以及有关运输方面的要求(如尺寸、重量、防潮、防爆、防火、防毒及影响安全)等问题，并分析评价这些问题对装备设计的影响。其目的是使装备最后到达部队或经过规定的储存期限后是可用的。

(10) 设计接口。

综合保障工作的设计接口是很复杂的，它涉及很多专业间的技术和管理问题。主要的设计接口是装备设计与保障系统设计之间的接口，它说明有关保障性的设计参数与保障资源要求以及战备完好性目标之间的相互关系，如可靠性和维修性的某些设计特性(如故障率、故障模式影响及危害性分析、维修更换作业时间等)与确定维修工作内容和维修设备要求、估算备件数量都有直接关系。同时保障工作也对装备设计提出相应的要求，如在制订预防性维修计划时，某些维修工作类型难以确定，则需要更改装备的设计，或为了使维修工作类型综合得合理，要求提高某些零部件的可靠性，以提高保障系统的合理性和效益等。综合保障的要素不只限于上面所列的十项，根据装备所需保障的特点，可以增减。

在保障系统的整个寿命周期中，论证阶段、方案阶段和工程研制阶段的保障系统设计工作(保障性要求制定和保障方案生成)能否与装备的研制过程相互协调最为重要，因为装备的设计特性和保障系统的绝大部分功能在这个阶段就确定了。这也正是综合保障的内涵，即在装备研制早期考虑保障系统的设计，并把对保障系统运行有显著影响的要素综合到装备设计中。

8.1.3　保障性要求

从保障性的定义可以看出，保障性是装备系统的一种属性，它反映了装备满足平时和战时战备完好性要求的程度，这种特性具有综合性，它包含了装备系统中与“保障”有关的单一特性和要素。

1. 保障性定性要求

与可靠性、维修性和测试性等其他的装备设计特性相类似，装备的保障性要求也包括定性要求和定量要求两大范畴。而与其他设计特性有所不同的是，由保障性的内涵所决定，保障性要求几乎反映了或涵盖了大部分的可靠性、维修性和测试性等的主要要求。举例说明，可用性要求反映了可靠性与维修性(也涉及测试性)的综合要求，而可用性又是装备重要的总体保障性要求。

与保障性的内涵相适应，可将保障性的定性要求主要地分为以下三类。

第一类是与装备保障性有关的定性设计要求，主要是指可靠性、维修性、运输性等方面的定性设计要求以及便于战场抢修、便于保障、便于使用的设计要求，如电台的设计要便于拆卸、采用模块化设计、有相关防差错设计、热设计、降额设计等定性要求。在装备研制中可通过编制设计准则或核对表，使这些定性要求纳入设计。

第二类是有关保障系统及其资源的定性要求，这些定性要求反映了在规划保障时要考虑、要遵循的各种原则和约束条件。例如，对维修方案的各种考虑，包括维修级别及各维修级别任务的划分等就是对保障系统的定性要求。保障资源的定性要求主要是规划保障资源的原则及约束条件，这些原则取决于装备的使用与维修需求、经费、进度等。例如，保障设备的定性要求包括：尽量减少保障设备的品种和数量、尽量采用通用的标准化的保障设备、尽量采用现有的保障设备、采用综合测试设备等方面的具体要求。

第三类是特殊保障要求，主要是指执行特殊任务或在特殊环境中执行任务对装备保障的特殊要求，如坦克在沙漠和沼泽地区或潜渡时对设计和保障的特殊要求，装备在核生化等环境下使用时对设计和保障的要求等。在确定保障资源定性要求时，应强调互用性要求，既要考虑同一类装备之间的互用性要求，又要考虑不同类型装备以及不同军兵种装备之间保障资源的互用性问题。

2. 保障性定量要求

保障性定量要求的度量参数与可靠性、维修性和测试性等有大量的交叉和重叠，保障性定量要求应是可度量、可验证的，是用保障性参数及其量值来规定的。不同的装备、不同的用途、不同的使用特点将选用不同的参数，依据保障性要求的分类，其定量要求主要包括以下三类。

1) 针对装备系统的保障性要求

针对装备系统的保障性要求描述了装备系统保障性的总体目标，是对装备系统战备完好能力和持续能力的度量，战备完好能力一般用战备完好率和使用可用度进行度量，持续能力一般用满足出动强度和持续时间要求的持续概率进行度量。

(1) 战备完好率与使用可用度。

战备完好率是指当要求装备投入作战或使用时，装备准备好能够执行任务的概率。按照这个定义，战备完好率模型的建立必须考虑装备的使用与维修情况，当装备在执行任务前能够完成必需的使用准备(如充气、加油、挂弹、测试等)且没有发生需要进行修理的故障时，装备即可立即投入作战或使用；或者当装备在执行任务前发生故障，但修理时间短于装备再次投入作战和使用的所需时间，即装备有足够的时间进行修理以投入下一次作战时，在这种情况下，战备完好率表示为

$$P_{\mathrm{OR}}=P_{\mathrm{op}}(t_{\mathrm{op}}<t_{\mathrm{c}})\times[R(t)+Q(t)\cdot P(t_{\mathrm{m}}<t_{\mathrm{d}})] \tag{8-1}$$

式中，P_{OR} 为战备完好率；t_{op} 为装备完成使用准备工作的总时间；t_{c} 为从接到任务命令到任务开始时间；$P_{\mathrm{op}}(t_{\mathrm{op}}<t_{\mathrm{c}})$ 为完成使用准备工作的概率；$R(t)$ 为装备在执行任务前不发生故障的概率；$Q(t)$ 为装备在执行任务前发生故障的概率；t 为接到任务到任务开始时间；t_{m} 为装备的修理时间；t_{d} 为从发现故障到任务开始时间；$P(t_{\mathrm{m}}<t_{\mathrm{d}})$ 为维修概率。

使用可用度是指装备在任意随机时刻需要和开始执行作战与使用任务时，处于可工作或可使用状态的概率。装备使用期内的时间主要包括总工作时间与非工作时间，其中总工作时间又可进一步分解为能工作时间(UT)与不能工作时间(DT)。能工作时间包括工作时间与待命时间；不能工作时间包括总维修时间与非维修时间。使用可用度表征装备需要时能够正常工作的程度，其常用的参数和度量模型如下：

$$A_0=\mathrm{UT}/(\mathrm{UT}+\mathrm{DT}) \tag{8-2}$$

式中，A_0 为使用可用度；UT 为能工作时间，包括工作时间、不工作时间(能工作)、待命时间等；DT 为不能工作时间，包括预防性维修时间和修复性维修时间、管理和保障资源延误时间等。

把式(8-2)右端各项均除以故障次数，得

$$A_0=\frac{T_{\mathrm{BF}}}{T_{\mathrm{BF}}+T_{\mathrm{MT}}+T_{\mathrm{MLD}}} \tag{8-3}$$

式中，T_{BF} 为平均故障间隔时间；T_{MT} 为平均维修时间；T_{MLD} 为平均故障延误时间，是指

除平均维修时间以外的所有为维修而等待的平均延误时间。

(2) 持续概率。

持续概率可以基于任务强度要求用以下模型表达：

$$\begin{aligned} R &= P(t \geqslant T) = P(O_1 \cdots O_i \cdots O_n) \\ &= P(O_n | O_{n-1}O \cdots O_2 O_1) \cdots P(O_{n-i} | O_{n-i-1}O \cdots O_2 O_1) \cdots P(O_2 | O_1) P(O_1) \end{aligned} \tag{8-4}$$

式中，t 为装备任务中断前的时间；T 为规定的装备任务持续时间；O_i 为装备任务持续时间内第 i 个单位时间装备的任务强度 $S_{\mathrm{GR}i}$ 或能执行任务率 $R_{\mathrm{MC}i}$ 满足装备任务要求的事件，即

$$P(O_i) = P(S_{\mathrm{SG}i} \geqslant S_{\mathrm{GR}i}^0) \text{或} P(O_i) = P(S_{\mathrm{MC}i} \geqslant R_{\mathrm{MC}i}^0) \tag{8-5}$$

式中，$S_{\mathrm{GR}i}^0$ 为持续任务要求的第 i 个单位时间装备的任务强度；$R_{\mathrm{MC}i}^0$ 为持续任务要求的第 i 个单位时间装备的能执行任务率。当然，应当根据装备类型等实际情况给出战备完好率、使用可用度和持续概率的不同度量模型。

2) 针对装备的保障性要求

针对装备的保障性要求即对保障性设计特性的要求，为便于指导设计，一般用单一的性能参数描述，如与“保障”有关的可靠性、维修性、测试性、运输性等特性参数描述。这类参数有使用参数如平均维修间隔时间，也有设计参数如平均故障间隔时间。使用参数是用户在实际使用条件下需要度量、需要验证的要求；设计参数是通过设计能够达到的，并在研制中能够控制、验证的。

3) 针对保障系统及其资源的保障性要求

针对保障系统及其资源的保障性要求一般都是从使用角度规定要求，如平均管理延误时间、平均保障延误时间、备件满足率等对战备完好性有直接的影响，备件利用率等又取决于供应策略，这些要求都直接影响规划保障资源的结果，影响保障系统设计。保障系统及其资源对战备完好性有重大影响，常用参数包括平均故障延误时间、平均管理延误时间、备件利用率、备件满足率、保障设备利用率、保障设备满足率、人员培训率等。

3. 保障性要求的确定

确定保障性要求的步骤是对前面过程的进一步细化，具体见表 8-1。

表 8-1　确定保障性要求的步骤

步骤	确定要求	描述对象	要求特点	依据	使用的方法和工具
1	提出初始的装备系统保障性使用要求	装备系统	用综合的、概括的使用参数描述，如使用可用度等	任务需求说明 新装备的使用方案 基准比较系统的保障性要求	使用研究 利用基准比较系统进行对比分析 建模仿真

续表

步骤	确定要求	描述对象	要求特点	依据	使用的方法和工具
2	将初始的保障性使用要求分解为对装备和使用系统的保障性使用要求，当需要时可以分解到功能系统层次	装备 保障系统及资源 功能系统	用若干单一特性和要素的使用参数描述，如 MTBM 等	初始的装备系统的保障性使用要求 备选的设计方案 备选的保障方案	使用研究 对比分析 分解转换模型 可靠性分配、预计 维修性分配、预计
3	将保障性使用要求转换为保障性设计要求	装备 保障系统及资源 功能系统	用若干单一特性和要素的设计参数描述	相应的使用要求 备选的设计方案 备选的保障方案	FMEA RCMA ROLA 使用维修工作分析 权衡研究 建模仿真
4	最终确定保障性使用要求和设计要求	装备 装备系统 保障系统及资源	用一组权衡后相互协调的保障性使用要求和设计要求描述	任务需求说明 装备的使用方案 备选的设计方案 备选的保障方案	建模仿真 对比分析
5	将设计要求分配到规定的产品层次	设备 备件、组件	若干单一特性要求，可作为产品的设计依据	高层次的要求	可靠性分配、预计 维修性分配、预计 规划保障资源

8.2　保障性分析

装备在使用过程中必须有与之互相匹配的保障系统，才能确保任务的完成。要做到二者互相匹配，使保障影响装备设计，又能提出正确的保障资源要求，必须同步研制装备及其保障系统，其关键在于获得一个与装备设计方案、使用方案协调一致的保障方案。保障性分析是达到这个目的的重要手段。

8.2.1　保障性分析的基本概念

保障性分析是装备研制系统工程的一个组成部分，综合考虑装备及其保障资源，是研究保障问题影响装备设计和确定保障资源的分析方法。在国外，保障性分析称为“后勤保障分析(Logistics Support Analysis，LSA)”，也可称为综合保障分析。

保障性分析在寿命周期内与装备设计和保障系统设计之间的基本关系如图 8-2 所示。

保障性分析对装备设计的输出是提出与保障有关的设计因素，对保障系统的输出则是保障资源要求。在装备设计过程中要不断接收保障性分析所提供的对设计有影响的信息，并在必要时修正设计方案。在保障系统设计过程中，从初始保障方案的制订开始，随着装备研制的进展，提供新的信息，对备选的保障方案不断地分析权衡，最终得到最优的保障方案，进而制订相应的保障计划，并以此确定保障资源，提供使用。由此可知，保障方案的分析与评定是保障性分析的重要工作。

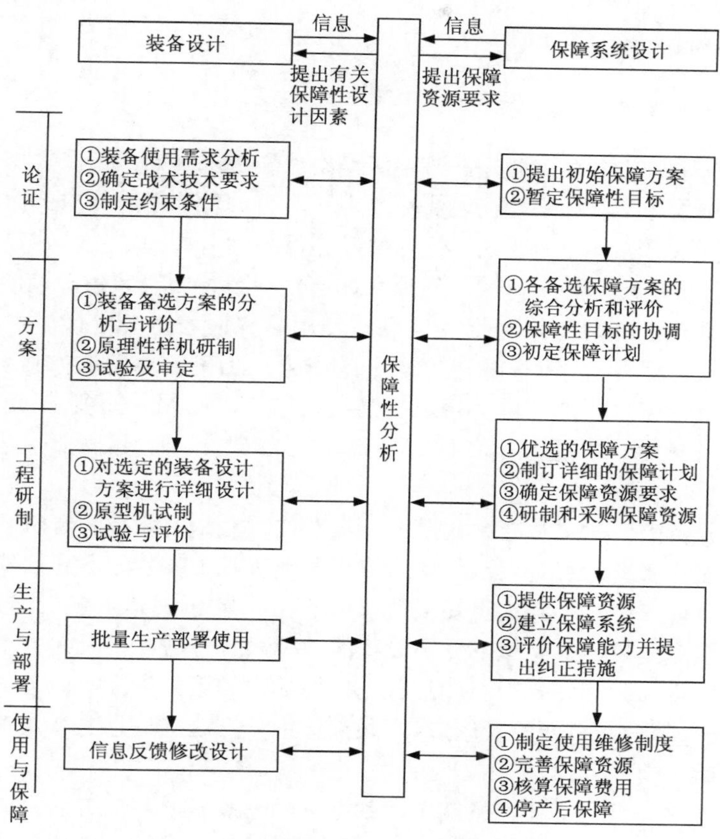

图 8-2　装备及其保障系统设计与保障性分析的关系

图 8-2 所示的只是一个简化的过程，说明它们的主要关系，实际上整个保障性分析和通常的系统工程过程一样是反复迭代、不断分析、综合和权衡的过程。

在保障性分析中要将分析所得的数据资料记录下来，建立统一的保障数据库，这是保障性分析的一项重要任务。保障性记录之所以必要是因为分析所产生的大量数据是由不同专业人员分别进行的，他们在分析中既要互相利用各种数据为自己所用，又要输出不同数据供其他专业使用。随着装备设计的进展，数据资料不断更新，这就使数据资料无论是内容还是流向形成复杂的状态，为防止利用上的错误，避免重复，有必要建立统一的记录格式，并制定军用标准以便有所遵循。

8.2.2　保障性分析的基本过程

保障性分析已有国家军用标准，即 GJB 1371—92。整个分析工作项目因装备特点和任务不同可以剪裁。分析过程是一个反复权衡协调装备及其各类保障资源要求以符合保障性目标的过程。进程中要做装备功能分析和多方面的综合分析，考虑费用、进度和现场特定保障要求等约束，并在寿命周期各阶段不断修改以求完善，因此它是一个比较复杂的系统工程过程。但就其整个分析的总思路来看，保障性分析粗略地可分为如下几个步骤：①提出装备的保障要求；②制订保障方案；③制订保障计划；④确定保障资源要求；⑤保障性评价。

1. 提出装备的保障要求

保障性分析除制订工作计划外，通常从提出保障要求开始。及早提出保障要求可以在研制工作早期做到保障影响设计。保障要求是对有关保障问题要求的总称，它包括保障性目标值、保障资源方面的要求、保障性及与保障性有关的定性、定量设计约束等。

使用研究分析是研究装备何时、何地和如何使用该项新研装备，以便为判定战备完好性目标和为综合保障总体规划提供信息。使用研究应着重分析使用中有关保障性的因素，如装备应完成的任务(任务可用一个或一组，也可用典型的作战想定来表达)、装备性能参数及量值、预期使用环境、拟装备的数量、部署时间要求、预计使用寿命、使用强度和任务频度、维修方案和现有条件、人力要求以及使用时与其他有关装备的关系等。

进行比较分析需要建立基准比较系统。基准比较系统可能是与新研装备相类似的现役装备，或由能代表新研装备设计与使用特点的现有几种装备的不同部件和设备组成的模拟装备；也可以在比较不同的重要参数和要求时，选用不同的基准比较系统。利用基准比较系统已有的信息，如类似部件和设备的故障率、造成停机时间的主导因素、提高保障性的设计因素、影响保障费用和战备完好性的主导因素以及类似装备有关保障的定性要求(特别是保障资源方面的要求)时，必须仔细分析这些信息的有效性和来源及其条件，以减少风险。

由于信息不够完整和具体，只能由粗到细，随着装备研制的进展，而逐渐明确和具体化，所以这些保障要求的提出有些不是一次分析就能完成的。例如，在论证阶段，草拟战备完好性目标暂定值，这是由保障费用、人力及战备完好性主导因素分析而制定的。在方案阶段，结合最有希望的装备设计方案的分析，制定战备完好性目标值和门限值的初定值。在工程研制阶段前期，由于信息增多并比较具体，就可以明确地确定保障资源参数、战备完好性、可靠性、维修性等协调一致的目标值与门限值。

2. 制订保障方案

保障方案是系统级的保障系统的完整说明，它由满足保障要求，并与设计方案、使用方案相协调的综合保障要素的方案组成。制订保障方案是综合保障工作中的重要组成部分。保障方案的制订是一个动态过程，自装备论证时提出初始保障方案，通过方案阶段和工程研制阶段对不同备选保障方案的权衡分析，得到优化的保障方案，并在工程研制阶段的后期进一步完善。保障方案和由它细化而成的保障计划等在研制过程中要通过评审、验证来评价。

从保障方案包括的内容可知，制订这种方案要考虑装备特点、保障和使用特性、资源要求和部队实际状况等诸多因素，因而应按功能分析、系统综合以拟订备选方案，再经权衡分析最后确定。

1) 装备功能分析与使用和维修任务的确定

研究新装备在预期环境中使用所必须具备的功能，是为了确定在使用过程中，为保持和恢复所具备的功能应有的使用和维修任务。对于一个大型复杂的装备，可以列出很长的功能清单，每一功能的保持和故障发生后的恢复都需要进行一定的使用和维修任务。因此，对于大型复杂装备可以制定几千个使用和维修任务的任务清单，如装备及其设备的一系列预防性维修工作、修复性维修工作、战伤修复与抢修工作、特殊使用任务等。

确定使用和维修任务时所采用的方式与应用的技术有很多种，可以利用现装备类似的功能与使用、维修任务要求加以确定，这时要特别注意装备中新的功能和应用新技术所需的保障工作。对于重要的功能需要采用 FMECA 来确定应进行的维修任务。利用以可靠性为中心的维修分析(RCMA)来确定预防性维修所需的维修工作类型。分析结果包括很多使用与维修的具体工作，对一台复杂装备来说这是很烦琐的，应记入分析记录中，以便下一步应用。

2) 拟订备选保障方案

根据分析所得的使用与维修任务，考虑原定的保障要求、费用和保障的主导因素以及有关的保障性设计因素，拟订满足这些要求的保障方案。一种装备设计方案可能有多种保障方案，一种保障方案也可能适用于多种设计方案。

早期的保障方案，也称初始保障方案，是由订购方在论证阶段提出的，是在初步分析与装备使用和维修有关的信息后拟订的，这些信息有：装备的设计方案和使用方案、新技术，特别是新的维修技术的采用(如新的测试技术)、目前存在的问题(如影响保障和费用的主导因素)及部队的条件等。由于装备还处于拟订方案阶段，这种保障方案比较粗略，但它提出了所研制装备在预期的使用要求下，实施使用维修保障的基本方针，它将对装备设计方案产生重大影响。

保障方案与装备设计就是随着研制工作的进展不断互相影响，反复迭代而各趋完善。在装备硬件方案尚未完全确定前，要鼓励创造性的保障方案设计。而当装备设计方案基本确定后，要根据明确的信息使保障方案更具体化。

3) 备选方案的优选

优选保障方案是对备选方案进行评价和综合权衡，以便得到能满足保障要求的最佳保障方案。满足保障要求的含义应该是满足保障、设计和使用要求并在费用、进度、战备完好性和保障性之间达到最佳平衡。由此可知，这项工作涉及综合保障工程的各个专业和所设计的装备，是保障性分析中最复杂的工作。

事实上，自讨论初始保障方案开始，就在不断地进行评价、分析和优选工作。优选保障方案的评价权衡活动有以下三类。

(1) 确定评价的定性和定量准则，建立分析和评价模型。例如，在工程研制阶段利用维修级别分析模型来决定该部件是修理还是报废，若要修理，应在哪一维修级别上进行，从而选定保障方案中应有的维修级别要求。

(2) 各备选保障方案的权衡分析应考虑这些方案对装备设计、保障资源的利用以及装备保障性和费用要求等因素的影响。可以采用模型或人工的方法进行，如将各备选方案按上述的有关因素影响的大小排列优劣顺序，这样可以在备选保障方案之间以及设计、使用和保障方案之间进行权衡优化，为决策提供重要信息。

(3) 各类保障资源实施方案的权衡分析包括人力、训练、测试、维修级别、能源、生存性、运输性以及保障设备等方面。这项分析的目的是为备选保障方案确定最优人员数量及其技术等级、最佳训练方法、最合理的维修级别、最佳测试方案、合理的能源利用率和费用、战场最佳生存性和运输方案等。

在优选保障方案时，为使评价准确、可信，需将保障方案细化为保障计划。保障计划的内容是保障资源的具体实施信息，只有利用这些信息才能对各类保障资源的实施方案做出正确的权衡与评价。优选保障方案应在工程研制阶段前基本完成，其后根据需要，可做必要修订。

3. 制订保障计划

保障计划是保障性分析工作中的一个重要环节，它是一个详细的保障方案。保障方案通常只是装备保障系统的总体说明，如维修类型、维修级别及其主要任务以及使用与维修原则等；而保障计划则进一步说明保障方案的具体实施内容和要求，包括所有使用与维修工作与各类保障专业所需的硬件与软件项目的详细内容。

维修保障计划的主要内容有以下方面。

(1) 各维修级别上所需的维修工作类型(保养、检查、更改及报废等)、维修对象(涉及哪些部件或设备)和工作频数等。

(2) 各维修级别要求的人员专业种类、数量、技术水平及训练和训练器材。

(3) 维修工作所需工具、设备(专用与通用)及各种技术资料。

(4) 各维修级别所必需的初始的保障设施(如场地及建筑物等)。

(5) 必要时应说明基地级维修所需的人力和物力。

(6) 各级维修所需的软件。

(7) 现有保障资源可利用的情况。

从上述内容看，维修保障计划实际上是一份较详细的维修保障方案具体实施要求的清单。

4. 确定保障资源要求

根据优化的保障方案和相应的保障计划(含维修保障计划)拟定所需保障资源的要求。确定资源要求应采用使用与维修工作分析的方法进行，它要求对每项使用维修工作都要做出分析，因此做好这项工作是保障性分析中工作量最大的。在保障资源要求确定过程中还要对资源与装备设计的影响做进一步分析，使它们相互匹配得更为良好。原因在于，虽然保障方案已确定，但保障资源也还有备选的过程，还要与装备设计、费用以及现场作战环境使用的影响协调与权衡。这项工作在工程研制阶段必须完成，以便在装备生产以前有时间安排保障资源的研制、采购和供应等问题，保证装备部署时能同时提供所需的保障资源。

5. 保障性评价

保障性评价主要解决整个综合保障工程的有效性和保障性分析工作的完整性。

8.2.3　保障性分析中的接口

保障性分析过程中需要考虑装备设计和保障系统设计中很多方面的问题，需要各有关专业工程的信息支持，才能成功地使保障影响设计，并提出经济、有效的保障资源要求。这些信息来源于各有关接口。

1. 保障性分析接口的概念

在保障性分析过程中，为达到各项分析的目的，有关综合保障工程的各专业和装备工程设计与制造各专业之间，在分析与评价的数据、物理和功能关系、技术状态管理与系统工程过程等方面的信息的相互衔接称为保障性分析接口。接口可以采用图纸、图表、数据格式、使用程序、方程式和文字资料说明等多种形式表达。

现以保障性分析中比较分析工作项目为例，说明它的接口。比较分析就是利用现役相似装备或模拟的基准比较系统与研制的装备相比较以达到：①确定研制新装备时应改进的保障性、费用和战备完好性主导因素；②确定利用比较系统数据进行分析所涉及的风险。其目的在于防止出现过去发生过的错误。图 8-3 给出了这一工作项目的输入、输出和有关的接口。

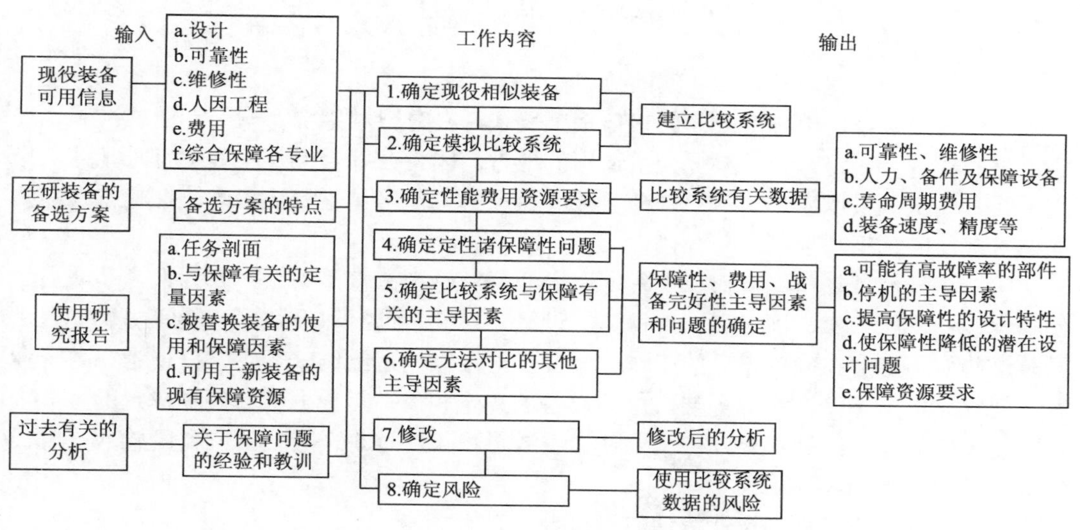

图 8-3　比较分析的有关接口

在寿命周期的早期，只能粗略地用现役类似装备进行比较来确定应分析的问题，当装备研制进展到主要部件及分系统基本确定时，比较系统可能是多个现役装备中选出的类似部件或分系统的组合，即模拟的比较系统，此后再确定有关保障性的问题就更为具体，并且不断地修正比较系统及有关数值。由此可以说明分析的动态过程，相应的接口关系也是动态的，需要跟踪和监控。

2. 接口的分类与主要内容

保障性分析所需的接口按隶属关系可分为四大类：一是综合保障工程内部各专业间的接口；二是与其他专业工程和设计特性的接口；三是承制方内部接口；四是承制方与订购方之间的接口，如图 8-4 所示。后两种关于承制方的接口在第 3 章装备系统工程管理相关内容中已就技术状态管理、质量管理等内容进行了介绍，此处不再赘述，接下来重点对前两种接口进行分析。

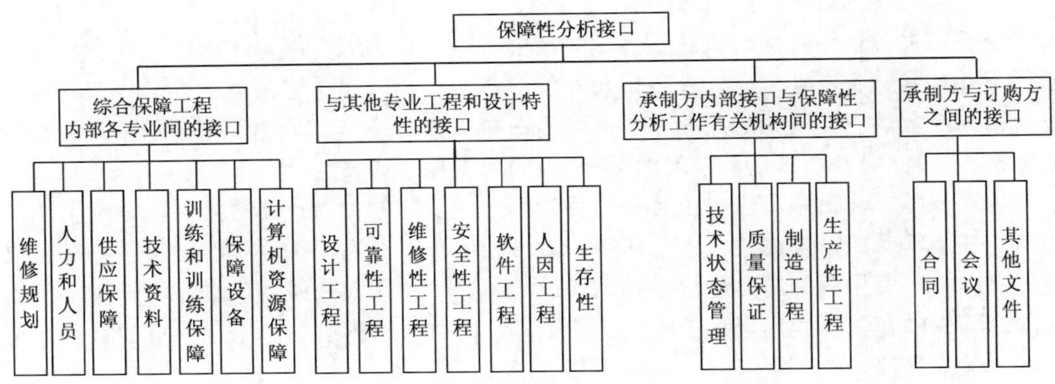

图 8-4　保障性分析接口

1) 综合保障工程内部各专业间的接口

综合保障工程内部各专业间的接口极其复杂，有时很难鉴别哪一个专业能准确地提供所需的输入，或将分析结果提交所适用的地方。因为在综合保障工程中有时几件工作需要同时发生效果以满足另一工作的要求，而这些工作又是互相依赖的，这就特别需要强调对接口的管理与控制。

所以，维修规划与综合保障工程所有专业(要素)都有直接关系，它为人力和人员、保障设备、供应保障、训练和训练保障、设施、包装、储运以及技术资料等提供输入，同时这些保障专业在确定自己的工作时又要及时反馈信息给维修规划，以便考虑各专业有关问题对维修保障方案的影响。保障设备的数量和类型是根据维修规划决定的，要求保障设备既能完成维修保障任务又要使设备数量尽可能地少。它们之间是既输入又输出的双向接口，如图 8-5 所示。

2) 与其他专业工程和设计特性的接口

综合保障工程与其他工程专业的接口比上述综合保障工程内部各专业间的接口更难于建立和协调，这是因为传统的设计往往不重视在设计中考虑保障问题。为此要依赖对承制方内部接口完善的控制与管理。

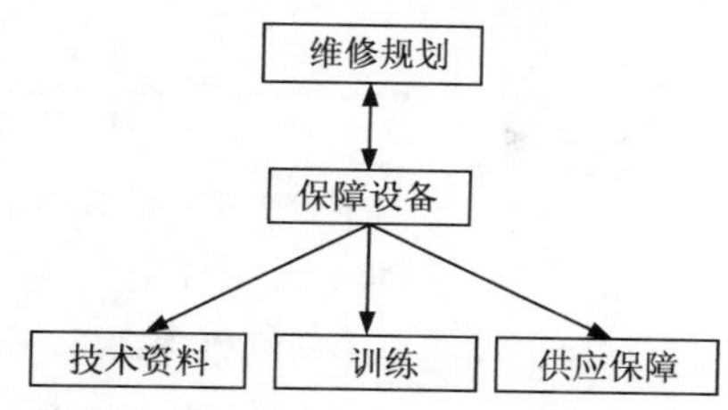

图 8-5　保障设备的接口

(1) 设计工程。

设计工程是形成装备功能的基础，设计工程的变更和有关决策对综合保障的影响很大。因此，必须在各种设计工程活动和保障工作间有一个完整的工作接口。传统设计工程是由机械、电气、电子、微电子、计算机和结构力学等专业来完成的，保障性分析的专家也要从上述不同的传统设计工程领域研究与之有关的使用与维修保障工作。

(2) 可靠性工程。

保障性分析与可靠性工程之间的接口提供了相互需要的大量信息，主要用于确定维修规划和研制装备的保障资源，因而是非常重要的接口。国家军用标准 GJB 450—88《装备研制与生产的可靠性通用大纲》中规定的工作项目几乎全部与保障性分析有关。

3. 保障性分析文件与数据接口

对于保障性分析中大量而复杂的接口，需要做好接口管理工作，制定接口控制文件。由于装备特点和承制方组织机构的不同，没有统一的管理控制文件，一般单独由承制方或与订购方协同组织接口工作管理机构负责这项工作。保障性分析文件虽不是专门讨论接口管理的，但其中涉及接口的管理，可作为制定或直接用作接口管理的基本文件。

保障性分析文件产生于分析过程，又服务于分析过程。这种文件用于保障性分析的各个工作项目和综合保障的各个专业，通常有三种重要文件：保障性分析叙述性报告、保障性分析记录和保障性分析记录汇总。

1) 保障性分析叙述性报告

保障性分析叙述性报告是将保障性分析过程中产生的各种叙述性问题综合做出报告，例如，保障性分析工作项目的输出而产生的报告，如表 8-2 所列清单。

表 8-2　按工作项目输出的叙述性报告

工作项目编号	叙述性报告名称
101	保障性分析工作纲要
102	保障性分析工作计划(一)
103	保障性分析工作计划(二)会议评审程序记录
201	使用研究报告
202	装备设计和保障权衡研究报告(一)
203	比较分析报告
204	技术途径研究报告

续表

工作项目编号	叙述性报告名称
205	装备设计和保障权衡研究报告(二)
301	装备设计和保障权衡研究报告(三)
302	装备保障方案权衡研究报告(一)
303	装备保障方案权衡研究报告(二)
401	保障资源要求研究报告
402	早期部署分析报告
403	停产后保障计划
501	保障性评估计划

2) 保障性分析记录

将保障性分析所得的大量数据和信息按统一规定的格式填写，形成保障性分析记录，实质上是建立一个独立的数据库，做好数据管理工作。图 8-6 是保障性分析数据流和有关专业工程及综合保障工程各专业的接口，图中 A、B、C…分别表示对下一层次的数据关系式，如 A“使用与维修要求”又可分解为图 8-7 所示的关系。每一表码(如 AA)又可分为若干数据元，这些数据元均规定了名称、编码、定义与格式要求。

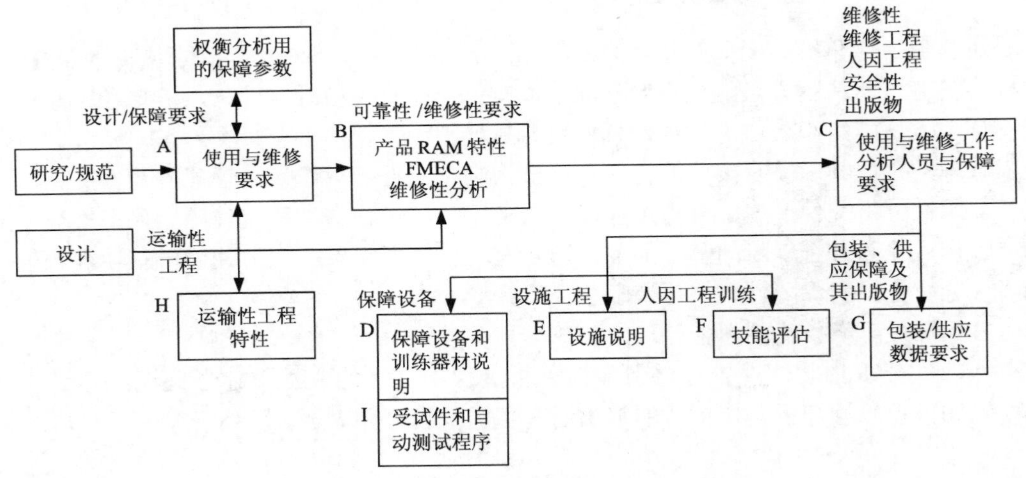

图 8-6　保障性分析记录数据流和专业工程接口

3) 保障性分析记录汇总

保障性分析记录汇总是由保障性分析记录的数据中按照综合保障工程各专业的要求分类汇集而成的。这些报告的格式在标准中有统一规定，如最关键的维修工作汇总、保障设备汇总、专用训练设备及装置、包装要求数据汇总、故障率/维修率汇总、人力要求准则、人力和训练综合报告以及 FMECA 汇总报告等。利用这些汇总报告可以确定保障资源、研究提高保障能力所需进行的工作(包括影响设计等)，也可由此获得所需数据。

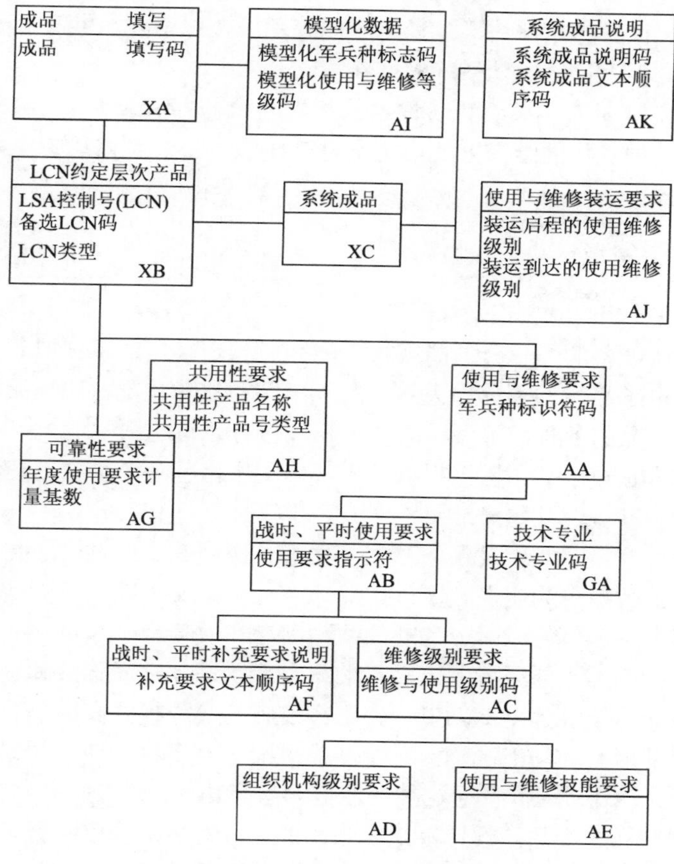

图 8-7　A 表关系示意图

8.3　保障性分析的关键技术

在进行保障性分析中要应用许多分析技术，主要有以可靠性为中心的维修分析(RCMA)、维修级别分析(LORA)、使用与维修工作分析(Operation and Maintenance Task Analysis, O&MTA)以及保障资源设计要求分析等。利用这些分析技术分别解决维修工作的内容(预防性维修和修复性维修)及维修工作类型，进行维修的时机，维修的级别和任务、维修时所需要的资源和野战维修等问题。

8.3.1　以可靠性为中心的维修分析

以可靠性为中心的维修(RCM)是目前国际上通用的用以确定装备预防性需求、优化维修制度的一种系统工程过程。按国家军用标准 GJB 1378—92，RCM 可以定义为：按照以最少的资源消耗保持装备固有可靠性和安全性的原则，应用逻辑决断的方法确定装备预防性维修要求的过程或方法。它的基本思路是：对系统进行功能与故障分析，明确系统内各故障的后果；用规范化的逻辑决断方法，确定出各故障后果的预防性对策；通过现场故障资料统计、专家评估、定量化建模等手段在保证安全性和完好性的前提下，以维修停机损失最小为目标优化系统的维修策略。

由此可见，RCM 是确定装备预防性维修需求的一种方法或手段，它有具体分析过程与内容，它不是一种具体的维修方式，也不是笼统意义上的维修思想。严格地讲，它是一种系统的维修分析手段或方法，可以称其为 RCM 分析。

1. RCM 的基本原理

1) 故障的分类

故障是装备或装备的一部分不能或将不能完成预定功能的事件或状态。对于某些不可修复产品，如电子元器件等称为失效。对于不同的故障状况，应当采取不同的维修措施。所以，要对产品的各种故障做认真的分析和区分。

故障的分类方法很多，这里仅根据分析与确定维修任务的需要，对故障进行区分。

(1) 按故障的发展过程区分。

产品的故障总有一个发生发展的过程，尤其是像磨损、腐蚀、老化、断裂、失调、漂移等因素引起的故障更为明显。所以，对应于故障定义中的“不能或将不能完成预定功能的事件或状态”，可将故障分为功能故障和潜在故障。

功能故障是指产品不能完成预定功能的事件或状态，常简称故障。为了确定产品的功能故障，需要弄清装备的全部功能。在进行装备的故障模式和影响分析时，必须要针对具体装备考虑到所有的功能故障。一个产品可能有若干种功能，如果在这些功能中有一种功能的丧失是“不明显的”，这种功能称为隐蔽功能，则该产品称为隐蔽功能产品。我们往往会遇到这样的产品，设计上是多余度的，并有故障告警装置，但仅在两个或多个故障同时存在时才发出警告。该产品应被认为是隐蔽功能产品，因为其第一个故障是隐蔽的，有多重故障时才告警。

隐蔽功能包括以下两种情况：

①正常情况下产品是工作的，其功能故障(不工作了)对履行正常职责的操作人员来说是不明显的；

②正常情况下产品是不工作而处于备用状态的，其功能故障(不能工作)在需要使用这种功能前对履行正常职责的使用人员来说是不明显的。

潜在故障是一种指示功能故障即将发生的可鉴别状态。这类故障是指功能故障临近前的产品状态，而不是功能故障前任何时间的状态。同时，产品的这种状态是经过观察或检测可以鉴别的。反之，则该产品就定义不出潜在故障。机件、元器件的磨损、疲劳、烧蚀、老化、失调等故障模式大都存在由潜在故障发展到功能故障的过程。对这两种故障要在具体装备、具体使用条件下加以确定。能够确定潜在故障，就可以通过检测、监控及早发现产品的潜在故障，从而采取措施预防其功能故障。但有的产品故障过程比较快或带有“突发性”，即不易被人们的感观和一般的检测手段发现，很难确定潜在故障和采取预防性维修措施。

(2) 按故障的可见性区分。

故障能否被操作人员随时发现，决定能否采用操作人员监控来预防故障及其后果。

因此，应把产品故障按可见性加以区分。

①明显故障：指操作人员在正常操作过程中通过机内仪表和监控设备的显示，或通过自己的感觉能够觉察出来的故障。

②隐蔽故障：指操作人员不能觉察出来的故障。具有对操作人员来说是隐蔽的故障产品，称为隐蔽故障产品。对于这种隐蔽故障产品，必须进行预防工作，以防发生多重故障。

从发现故障的角度来看，操作人员处于十分有利的地位，因而操作人员报告故障(包括可疑情况)，是首要的故障信息来源。

若将可见性分类与功能故障联系起来，则功能故障还要区分为明显功能故障和隐蔽功能故障。明显功能故障是指其发生后正在履行正常职责的操作人员能够发现的功能故障。隐蔽功能故障是操作人员在履行正常职责时所察觉不到的功能故障，它们必须在装备停机时进行检查或测试后才能被发现。

(3) 按故障相互关系区分。

①独立故障：不是由另一产品故障引起的原发性故障。

②从属故障：由另一产品故障引起的继发性故障。以上两个故障都是单个故障。

③多重故障：由若干个连续发生的独立故障组成的故障事件，它可能造成其中任何单个故障所不能产生的后果。

多重故障与隐蔽故障有密切的关系。隐蔽的功能故障如果没有被及时发现和排除，它与另一个有关功能故障结合，就会造成多重故障，可能产生重大后果。因此，要做预防性维修工作，发现并排除隐蔽的功能故障，防止多重故障后果。

(4) 按故障后果区分。

虽然故障分析也许具有某种其本身所固有的特性，但人们关心故障的所在是它的后果。也就是说，故障一旦发生，所造成的后果是怎样的。这些后果的范围可以是从更换一个故障机件所花费不大的费用一直到整个装备的毁坏，乃至于造成使用者伤亡。因此，所有以可靠性为中心的维修工作，包括重新设计，不是受某一故障的频度所支配的，而是由其故障后果的性质所支配的。概括起来说，安全的保证在于故障的后果。

在以可靠性为中心的维修理论中，故障后果可以分为三大类，即安全性影响、任务性影响和经济性影响。只有其故障后果是严重的装备，才需要进行预防性维修工作。

2) 维修对策

按照上述 RCM 的基本原理，对于装备故障及其影响，其总的维修对策如下。

(1) 划分重要产品和非重要产品。

重要产品是指其故障会有安全性、任务性或重大经济性后果的产品。对于重要产品需做详细的维修分析，从而确定适当的预防性维修工作要求。对于非重要产品，其中某些产品可能需要做一些简单的预防性维修工作，如一般目视检查等，但应将该类预防性维修工作控制在最小的范围内，使其不会显著地增加总的维修费用。

(2) 按照故障后果和原因确定预防性维修工作或提出更改设计的要求。

对于重要产品，通过对其进行 FMEA，确定是否需要做预防性维修工作。其准则如下。

①若其故障具有安全性或任务性后果，必须确定有效的预防性维修工作。

②若其故障仅有经济性后果，那么只在经济上核算时才做预防性维修工作。

③按照适用性与有效性准则，确定有无适用而有效的预防性维修工作可做。如果没有有效的工作可做，那么必须对有安全性后果的产品进行更改设计；对于有任务性后果的产品一般也要进行更改设计。

(3) 根据故障规律及影响，选择预防性维修工作类型。

在早期的RCM中，经常采用三种维修方式：定时维修、视情维修、状态监控(或事后维修) 安排预防性维修，之后用更加明确的预防性维修工作类型来代替维修方式。按照预防性维修工作内容及其时机控制原则将其划分为不同的工作类型。

2. RCM分析的一般步骤与方法

RCM分析一般分为三类：系统和设备的RCM分析、结构项目的RCM分析和区域检查分析。系统和设备的RCM分析适用于各类装备的预防性维修大纲的制订，具有通用性。结构项目的RCM分析适用于大型复杂装备的结构部分，如飞机的结构等。在此所说的结构包括各承受载荷的结构项目(即承受载荷的结构元件、组件或结构细部)。由于结构件一般是按损伤容限与耐久性设计而成的，对其进行专门的检查是非常重要的。区域检查分析适用于需要划区进行检查的大型飞机、舰船等装备。对于地面上使用的一些常规装备，其结构件大都是按静强度理论设计而成的，有足够的安全系数，一般不需要进行结构项目和区域检查分析，只进行系统和设备的RCM分析。本书仅介绍通用的第一部分系统和设备的RCM分析，其他两部分可参考GJB 1378—1992《装备预防性维修大纲的制订要求与方法》。

1) RCM分析所需的信息

进行RCM分析，根据分析进程要求，应尽可能收集下述有关信息，以确保分析工作能顺利进行。

(1) 产品概况，如产品的构成、功能(包含隐蔽功能) 和余度等。

(2) 产品的故障信息，如产品的故障模式、故障原因和影响、故障率、故障判据、潜在故障发展到功能故障的时间、功能故障和潜在故障的检测方法等。

(3) 产品的维修保障信息，如维修设备、工具、备件、人力等。

(4) 费用信息，如预计的研制费用、维修费用等。

(5) 相似产品的上述信息。

2) RCM分析的一般步骤

RCM分析的一般步骤如下。

(1) 确定重要功能产品(Functionally Significant Item, FSI)。

(2) 进行故障模式影响分析(FMEA)。

(3) 应用逻辑决断图确定预防性维修工作类型。

(4) 确定预防性维修工作的间隔期。

(5) 提出维修级别的建议。

(6) 进行维修间隔期探索。

(7) 填写系统和设备RCM表格。

3）重要功能产品的确定

（1）重要功能产品的定义。

现代复杂装备是由大量的零部件组成的。若对其进行全面的 RCM 分析，工作量很大，而且没有必要。事实上，许多产品的故障对装备整体并不会产生严重的影响，这些故障发生后能够及时地加以排除即可，其故障后果往往只影响事后修理的费用，且该费用往往并不比预防性维修的费用高。因此，进行 RCM 分析时没有必要对所有的产品逐一进行分析，只有会产生严重故障后果的重要功能产品（项目）才需做详细的 RCM 分析。

重要功能产品是指其故障会有下列后果之一的产品：

①可能影响装备的使用安全或对环境造成重大危害；

②可能影响任务的完成；

③可能导致重大的经济损失；

④隐蔽功能故障与其他故障的综合可能导致上述一项或多项后果；

⑤可能有二次性后果导致上述一项或多项后果。

（2）确定重要功能产品的过程和方法。

确定 FSI 的过程是一个比较粗略、快速且偏于保守的分析过程，不需要进行非常深入的分析。具体方法如下：

①将功能系统分解为分系统、组件、部件……直至零件；

②沿着系统、分系统、组件……的次序，自上而下按产品的故障对装备使用的后果进行分析确定 FSI，直至产品的故障后果不再是严重时，低于该产品层次的都是非重要功能产品。

FSI 的确定主要是靠工程技术人员的经验和判断力，不需要进行 FMEA。当然，如果在此之前已进行了 FMEA，则可直接引用其分析结果来确定 FSI。对于某些产品，如果其故障后果不能肯定，应保守地划为 FSI。对于隐蔽功能产品，由于其故障对操作人员不明显，可能产生严重后果，因此，通常将其作为 FSI。

4）RCM 逻辑决断分析

重要功能产品的 RCM 逻辑决断分析是系统 RCM 分析的核心。通过对重要功能产品的每一个故障原因进行 RCM 决断，以便寻找出有效的预防措施。RCM 逻辑决断分析是依据 RCM 逻辑决断图进行的，具体逻辑决断图如图 8-8 所示。

（1）逻辑决断图。

逻辑决断图由一系列的方框和矢线组成，分析流程始于决断图的顶部，通过对问题回答“是”或“否”确定分析流程的方向。逻辑决断图分为以下两层。

第一层（问题 1～5）：确定各功能故障的影响类型。根据 FMEA 结果，对每个重要功能产品的每一个故障原因进行逻辑决断，确定其故障影响类型。功能故障的影响分为两类共 6 种，即明显的安全性、任务性、经济性影响和隐蔽的安全性、任务性和经济性影响。通过回答问题 1～5 划分出故障影响类型，然后按不同的影响分支做进一步分析。

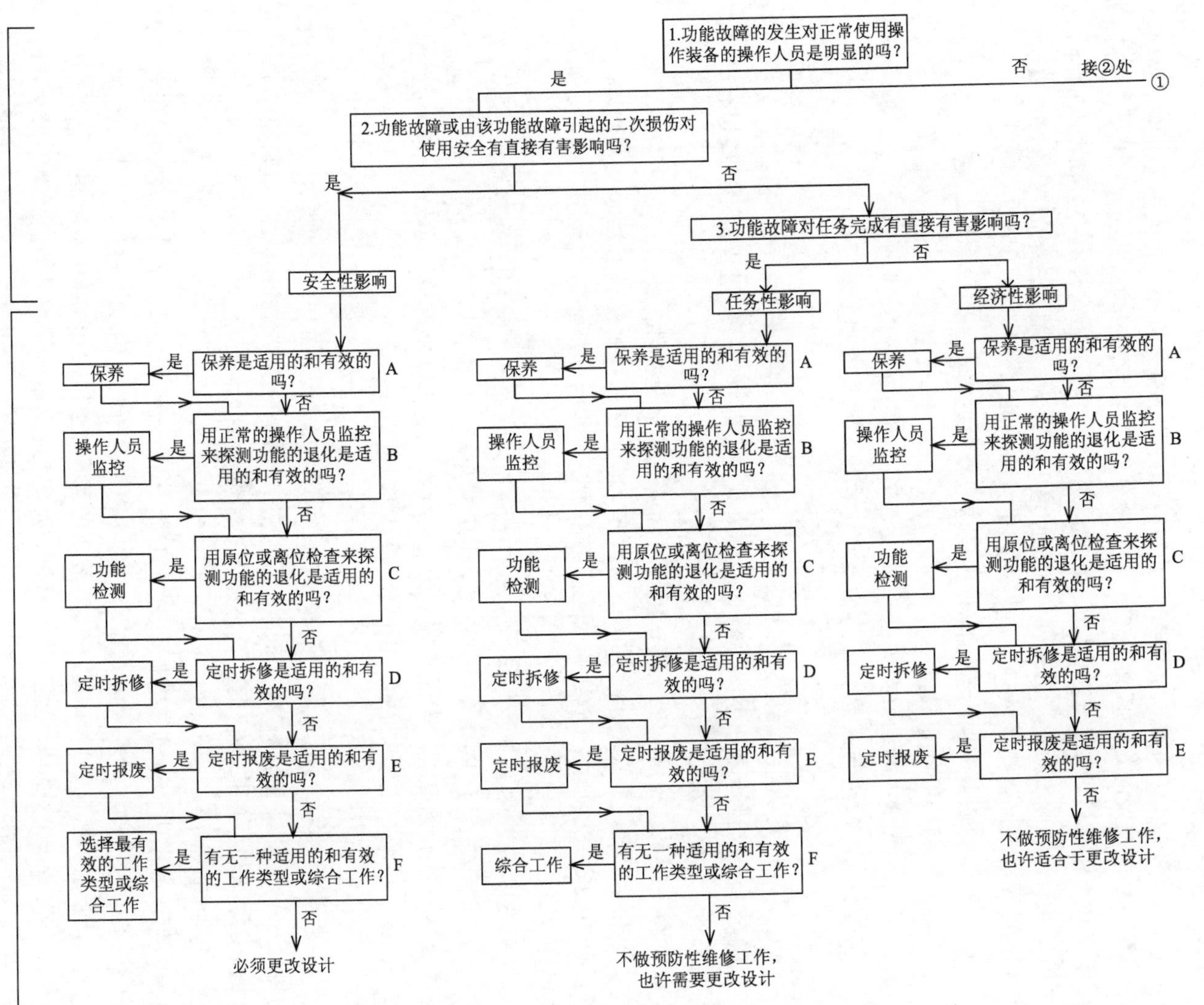

第一层确定故障影响
1.功能故障的发生对正常使用操作装备的操作人员是明显的吗？
否
接②处
①
是
2.功能故障或由该功能故障引起的二次损伤对使用安全有直接有害影响吗？
是
否
3.功能故障对任务完成有直接有害影响吗？
是
否
安全性影响
任务性影响
经济性影响
第二层选择维修工作类型
保养是适用的和有效的吗？
A
用正常的操作人员监控来探测功能的退化是适用的和有效的吗？
B
用原位或离位检查来探测功能的退化是适用的和有效的吗？
C
定时拆修是适用的和有效的吗？
D
定时报废是适用的和有效的吗？
E
有无一种适用的和有效的工作类型或综合工作？
F
保养
操作人员监控
功能检测
定时拆修
定时报废
选择最有效的工作类型或综合工作
必须更改设计
保养是适用的和有效的吗？
A
用正常的操作人员监控来探测功能的退化是适用的和有效的吗？
B
用原位或离位检查来探测功能的退化是适用的和有效的吗？
C
定时拆修是适用的和有效的吗？
D
定时报废是适用的和有效的吗？
E
有无一种适用的和有效的工作类型或综合工作？
F
保养
操作人员监控
功能检测
定时拆修
定时报废
综合工作
不做预防性维修工作，也许需要更改设计
保养是适用的和有效的吗？
A
用正常的操作人员监控来探测功能的退化是适用的和有效的吗？
B
用原位或离位检查来探测功能的退化是适用的和有效的吗？
C
定时拆修是适用的和有效的吗？
D
定时报废是适用的和有效的吗？
E
保养
操作人员监控
功能检测
定时拆修
定时报废
不做预防性维修工作，也许适合于更改设计

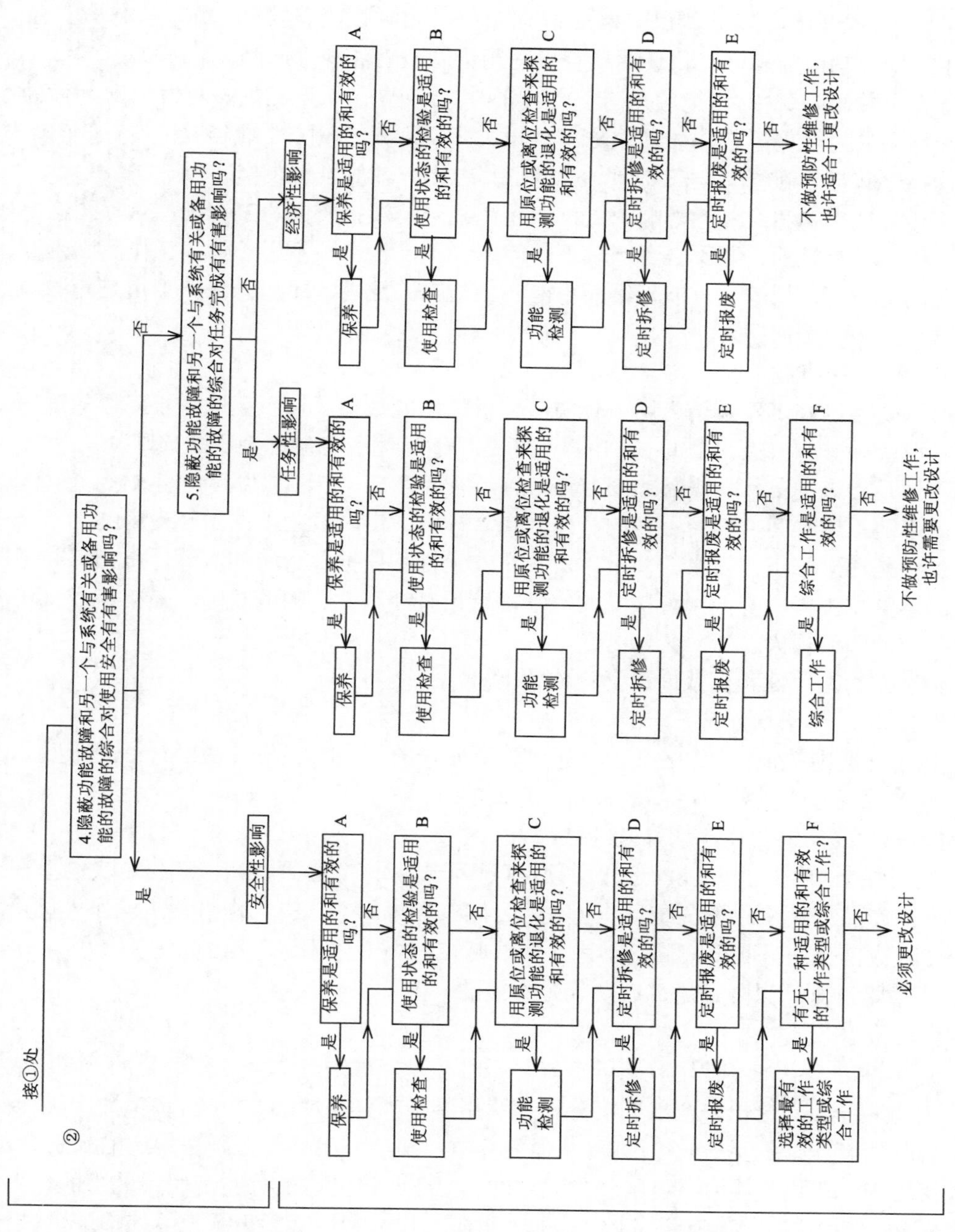

图 8-8　系统和设备以可靠性为中心的维修分析逻辑决断图

第二层(问题 A～F 或 A～E)：选择维修工作类型。根据 FMEA 中各功能故障的原因，对明显和隐蔽的两类故障影响，按所需资源和技术要求由低到高选择适用而有效的维修工作类型。对于明显(或隐蔽功能)故障产品，可供选择的维修工作类型分别为保养、操作人员监控(或使用检查)、功能检测、定时拆修、定时报废和综合工作。操作人员监控仅适用于明显功能故障产品，使用检查仅适用于隐蔽功能故障产品。

对于安全性影响(含对环境的危害，尤其平时)分支，由于产品故障对使用安全有直接影响，后果最为严重，必须加以预防，因此，只要所做的预防性维修工作是有效的，则予以选择，即必须回答完全部问题，选择出其中最有效的维修工作。

对于任务性影响和经济性影响分支，如果在某一问题中所问的工作类型对预防该功能故障是适用又有效的，则不必再问以下的问题。不过该原则不用于保养工作，因为即使在理想的情况下，保养也只能延缓而不能防止故障的发生，即无论保养工作是否适用和有效均进入下一个问题。

(2) RCM 决断准则。

某类预防性维修工作是否可用于预防所分析的功能故障，这不仅取决于工作的适用性，而且取决于其有效性，即 RCM 逻辑决断是以适用性和有效性为决断准则。

适用性是指该类工作与产品的固有可靠性特征相适应，能够预防其功能故障。例如，对于故障率随工作时间增加而上升的产品，定时拆修、定时报废工作才是适用的。

有效性是对维修工作效果的衡量。对于有安全性和任务性影响的故障，是指该类工作能把故障的发生概率降低到可接受的水平；对于有经济性影响的故障，是指该类工作的费用少于故障的损失。

各类工作的适用性和有效性准则具体如下。

①保养。

a. 适用性准则：保养工作必须是产品设计所要求的，且能降低产品功能的退化速率。

b. 有效性准则：只要适用，就认为是有效的。

②操作人员监控(只用于明显功能故障)。

a. 适用性准则：产品功能的退化必须是可探测的；产品必须存在一个可定义的潜在故障状态；产品从潜在故障发展到功能故障之间有段时间；该类工作必须是操作人员正常工作的组成部分。只有全部满足上述 4 条准则，该类工作才是适用的。

b. 有效性准则：只要适用，就认为是有效的。

③使用检查。

a. 适用性准则：产品使用状态的良好与否必须是能够通过本类工作确定的。

b. 有效性准则：对于安全性影响分支和军用装备的任务性影响分支，使用检查必须能保证隐蔽功能具有所要求的可用度，从而将多重故障的发生概率控制在规定的水平内，以保证使用安全和任务能力，否则就是无效的。对于经济性影响分支和民用装备的任务性影响分支，使用检查必须有经济效果，即做该类工作的费用必须少于故障的损失(包括修理费用)。

④功能检测。

a. 适用性准则：需同时满足以下三条，该类工作才是适用的，即产品功能的退化必须是可探测的；产品必须存在一个可确定的潜在故障状态；产品从潜在故障发展到功能故障有段合理长的时间。

b. 有效性准则：对于安全性影响分支和军用装备的任务性影响分支，必须能对单个故障或多重故障的发生概率控制在规定的可接受水平之内，以确保使用安全和任务能力。对于经济性影响分支和民用装备的任务性影响分支，必须是有经济效果的，即做预防性维修工作的费用必须少于故障损失(包括修理费用)。

⑤定时拆修。

a. 适用性准则：需同时满足以下三条，该类工作才是适用的，即产品必须存在一个可确定的耗损期；产品工作到该耗损期前必须有较大的残存概率；必须能将产品修复到规定状态。

b. 有效性准则：同功能检测。

⑥定时报废。

a. 适用性准则：需同时满足以下两条，该类工作才是适用的，即产品必须有可确定的耗损期；产品工作到该耗损期前必须有较大的残存概率。

b. 有效性准则：同功能检测。

⑦综合工作。

a. 适用性准则：所综合的工作必须都是适用的。

b. 有效性准则：同功能检测。

在进行 RCM 逻辑决断分析时，当信息不足、难以确定工作类型时，应持保守态度进行问题回答，之后应随数据的积累将其不断加以完善。

采用暂定答案一般能保证装备的使用安全和任务能力，但有可能是选择了较保守的耗资较大的预防性维修工作，因此影响维修经济性或提出不必要的更改设计要求。所以，一旦在使用中获得必要的信息后就应及时重审暂定答案，看定得是否合适，若不合适，则重新选择适用而有效的预防性维修工作，以降低维修工作费用。

3. RCM 表格填写

1) 产品概况记录表

重要功能产品概况记录表如表 8-3 所示。

表 8-3　重要功能产品概况记录表

初始约定层次：　分析人员：　审核：　第　页共　页

约定层次：　图号：　批准：　填表日期：

产品编码①	产品名称②	产品件号③	产品工作单元编码④	区域⑤	功能说明⑥	备注⑦

表 8-3 中各栏目的填写说明如下：

第①栏填写分析对象编码；

第②栏填写分析对象名称；

第③栏填写产品件号；

第④栏填写分析对象工作单元的编码；

第⑤栏填写分析对象所在区域的编码或名称；

第⑥栏填写分析对象的各项功能并予以说明；

第⑦栏填写分析对象的补偿措施，包括余度、保护装置、故障安全特性或故障指示装置。

2) 逻辑决断表

系统和设备逻辑决断分析记录表如表 8-4 所示。

表 8-4　系统和设备逻辑决断分析记录表

初始约定层次：　　分析人员：　　审核：　　第　页共　页

约定层次：　　图号：　　批准：　　填表日期：

产品编码①	产品名称②	故障原因编码③	逻辑决断回答(Y 或 N)																						维修工作		
			故障影响④					安全性影响⑤						任务性影响⑥						经济性影响⑦					预防性维修工作类型⑧	维修间隔期/天⑨	维修级别⑩
			1	2	3	4	5	A	B	C	D	E	F	A	B	C	D	E	F	A	B	C	D	E			

前两项与表 8-3 保持不变，第③栏填写分析对象对应故障原因的编码，该码可从 FMEA 表格中获取；第④栏填写对逻辑决断图第一层问题 1～5 的回答，第⑤～⑦栏填写对逻辑决断图第二层问题的回答，第⑧列填写根据逻辑决断图的结果确定的预防性维修工作类型，第⑨列填写预防性维修工作的维修间隔期，第⑩列填写初定的维修级别。

3) 适用性与有效性检查记录表

分析人员要进一步根据系统或设备的详细信息，对前面所确定的每一个预防性维修工作类型进行分析，给出具体的判据以及相关的数据信息，每个预防性维修工作类型详细的适用性与有效性检查记录表如表 8-5～表 8-9 所示。

8.3.2　维修级别分析

1. 维修级别

维修级别是指军队执行维修任务的各类组织。各级维修机构都有规定应完成的任务、配备有与任务相适应的工具、测试设备、保障设施以及训练有素的工作人员。维修级别通常可划分为两级或三级，这里以三级维修级别为例进行介绍。

表 8-5　保养工作适用性及有效性检查表

初始约定层次：　　分析人员：　　审核：　　第　页共　页

约定层次：　　图号：　　批准：　　填表日期：

<table>
<tr><th rowspan="3">产品编码①</th><th rowspan="3">故障原因编码②</th><th colspan="10">故障影响确定③</th><th rowspan="3">故障后果④</th><th colspan="3">可能的保养工作</th><th rowspan="3">是否适用和有效⑧</th></tr>
<tr><th colspan="2">问题 1</th><th colspan="2">问题 2</th><th colspan="2">问题 3</th><th colspan="2">问题 4</th><th colspan="2">问题 5</th><th rowspan="2">维修工作说明⑤</th><th rowspan="2">维修间隔期/天⑥</th><th rowspan="2">维修级别⑦</th></tr>
<tr><th>Y/N</th><th>判据</th><th>Y/N</th><th>判据</th><th>Y/N</th><th>判据</th><th>Y/N</th><th>判据</th><th>Y/N</th><th>判据</th></tr>
<tr><td></td><td></td><td></td><td></td><td></td><td></td><td></td><td></td><td></td><td></td><td></td><td></td><td></td><td></td><td></td><td></td><td></td></tr>
</table>

表 8-6　使用检查适用性及有效性检查表

初始约定层次：　　分析人员：　　审核：　　第　页共　页

约定层次：　　图号：　　批准：　　填表日期：

<table>
<tr><th rowspan="3">产品编码①</th><th rowspan="3">故障原因编码②</th><th rowspan="3">故障后果③</th><th rowspan="3">维修工作适用性④</th><th rowspan="3">维修工作说明⑤</th><th rowspan="3">维修间隔期/天⑥</th><th rowspan="3">维修级别⑦</th><th colspan="3">维修工作有效性</th><th rowspan="3">维修工作是否适用和有效⑪</th></tr>
<tr><th colspan="2">安全/任务</th><th>经济</th></tr>
<tr><th>故障的概率⑧</th><th>故障的可接受水平⑨</th><th>有无经济效果⑩</th></tr>
<tr><td></td><td></td><td></td><td></td><td></td><td></td><td></td><td></td><td></td><td></td><td></td></tr>
</table>

表 8-7　操作人员监控或功能检测适用性及有效性检查表

初始约定层次：　　分析人员：　　审核：　　第　页共　页

约定层次：　　图号：　　批准：　　填表日期：

<table>
<tr><th rowspan="3">产品编码①</th><th rowspan="3">故障原因编码②</th><th rowspan="3">故障后果③</th><th colspan="4" rowspan="2">维修工作适用性</th><th rowspan="3">维修工作说明⑧</th><th rowspan="3">维修间隔期/天⑨</th><th rowspan="3">维修级别⑩</th><th colspan="3">维修工作有效性</th><th rowspan="3">维修工作是否适用和有效⑭</th></tr>
<tr><th colspan="2">安全/任务</th><th>经济</th></tr>
<tr><th>探测产品的潜在故障状态④</th><th>可探测的潜在故障状态⑤</th><th>潜在故障至功能故障的时间⑥</th><th>是否为操作人员的正常职责⑦</th><th>故障的概率⑪</th><th>故障的可接受水平⑫</th><th>有无经济效果⑬</th></tr>
<tr><td></td><td></td><td></td><td></td><td></td><td></td><td></td><td></td><td></td><td></td><td></td><td></td><td></td><td></td></tr>
</table>

表 8-8　定时拆修或定时报废适用性及有效性检查表

初始约定层次：　　分析人员：　　审核：　　第　页共　页

约定层次：　　图号：　　批准：　　填表日期：

<table>
<tr><th rowspan="3">产品编码①</th><th rowspan="3">故障原因编码②</th><th rowspan="3">故障后果③</th><th colspan="3" rowspan="2">维修工作适用性</th><th rowspan="3">维修工作说明⑦</th><th rowspan="3">维修间隔期/天⑧</th><th rowspan="3">维修级别⑨</th><th colspan="3">维修工作有效性</th><th rowspan="3">维修工作是否适用和有效⑬</th></tr>
<tr><th colspan="2">安全/任务</th><th>经济</th></tr>
<tr><th>产品的耗损期或寿命④</th><th>产品工作至耗损期的残存比⑤</th><th>能否将产品修复到规定状态⑥</th><th>故障的概率⑩</th><th>故障的可接受水平⑪</th><th>有无经济效果⑫</th></tr>
<tr><td></td><td></td><td></td><td></td><td></td><td></td><td></td><td></td><td></td><td></td><td></td><td></td><td></td></tr>
</table>

表 8-9 综合工作适用性及有效性检查表

初始约定层次： 分析人员： 审核： 第 页共 页

约定层次： 图号： 批准： 填表日期：

产品编码①	故障原因编码②	故障后果③	维修工作适用性④	维修工作说明⑤	维修间隔期/天⑥	维修级别⑦	维修工作有效性			维修工作是否适用和有效⑪
							安全/任务		经济	
							故障的概率⑧	故障的可接受水平⑨	有无经济效果⑩	

(1) 基层级维修：装备的使用操作者或拥有者(即分队)进行维修的组织，这一级维修任务只限定装备保养；检查测试及更换若干主要部件，配备有限的保障设备，由使用操作者和少量维修人员实施维修，并限制一定的维修时间。这一级通常还承担野战维修任务。

(2) 中继级维修：比基层级有较高的维修能力(数量较多和能力较强的维修人员及保障设备)，承担基层级所不能完成的维修任务。

(3) 基地级维修：具有更高修理能力的维修机构，承担装备及其大部件的大修，以及备件制造和中继级所不能完成的维修任务。

2. LORA 的步骤及实施

1) 输入准备工作

在执行 LORA 前，需要以下输入信息。

(1) 维修工作。

维修级别是一种执行维修工作的组织机构，设置什么机构首先要考虑其维修工作，而维修工作是由一系列分析研究来确定的，无论维修工作如何复杂，都不外乎预防性维修、修复性维修和战损维修等。执行这些维修工作所需的人员和设备必须互相匹配，同时又要与部队承担的作战和训练维修工作相互协调，也就是说，不仅要考虑人力和物力的可能性，还要考虑环境和条件(如修理时间限制等)的可能性。

(2) 部队编制体制。

维修机构是隶属于整个部队组织机构的，它存在着指挥系统与服务范围等问题，因此维修级别的设置要考虑部队的编制与体制。从管理上说，维修机构要便于整个部队实施管理。它不仅考虑人员数量、设备能力和设施要求等规模大小应适合于所属部队的指挥与管理(包括平时和战时的支援与调遣等)，还应与各级维修机构的管理在业务上能够分工协作，保证各项维修工作顺利进行。所以，维修机构通常是部队编制序列的重要组成部分，并服从部队编制要求，如人员限制等。

(3) 维修原则。

将装备的组件和零件设计成不可修复的、可修复的或部分可修复的，不仅影响装备设计，而且影响保障问题，同时与维修级别有关。如果要求全部可修复的组件较多，则必然需要很大的保障工作量，同时对保障设备及人员水平的要求也较高，在大多数情况下需要设立基地级维修机构才能完成这样的任务，反之则只需较低的维修级别。

2) 非经济性分析

(1) 非经济性影响因素。

在实际分析过程中，有些非经济性因素(一般从超过费用影响方面的限制因素和现有的类似装备的维修级别分析考虑)将影响或限制装备修理的维修级别。通过对这些因素的分析，可直接确定装备中待分析产品应在哪一级别进行维修或报废。因此，在进行维修级别分析时，应首先分析是否存在优先考虑的非经济性因素。进行非经济性分析时，对待分析产品清单中的任一产品都应回答表 8-10 中的问题，答案应为“是”或“否”，并确定修理或报废决策受限制的维修级别及受限制的原因。

表 8-10　非经济性分析

非经济性因素	是	否	影响或限制的维修级别				限制维修级别的原因
			O	I	D	X	
安全性： 产品在特定的维修级别上修理存在危险因素(如高电压、辐射、温度、化学或有毒气体、爆炸等)吗？							
保密： 产品在任何特定的级别修理存在保密因素吗？							
现行的维修方案： 存在影响产品在该级别修理的规范或规定吗？							
任务成功性： 如果产品在特定的维修级别做修理或报废，对任务成功性会产生不利影响吗？							
装卸、运输和运输性： 将装备从用户处送往维修机构进行修理时存在任何可能有影响的装卸与运输因素(如重量、尺寸、体积、特殊装卸要求、易损性)吗？							
测量与诊断设备： a. 所需的特殊工具或测试、测量设备限制于某一特定的维修级别进行修理吗？ b. 所需保障设备的有效性、机动性、尺寸或重量限制了维修级别吗？							
人力与人员： a. 在某一特定的维修级别有足够数量的修理技术人员吗？ b. 在某一级别修理或报废时对现有的工作负荷会造成影响吗？							
设施： a. 对产品修理的特殊设施要求限制了其维修级别吗？ b. 对产品修理的特殊程序(磁微粒检查、X 射线检查等)限制了其维修级别吗？							
包装和储存： a. 产品的尺寸、重量或体积对储存有限制要求吗？ b. 存在特殊的计算机硬件、软件包装要求吗？							
其他因素：							

(2) 维修级别分析决策。

在初步确定待分析产品的维修级别时，可采用图 8-9 给出的简化的维修级别分析决策树进行分析。

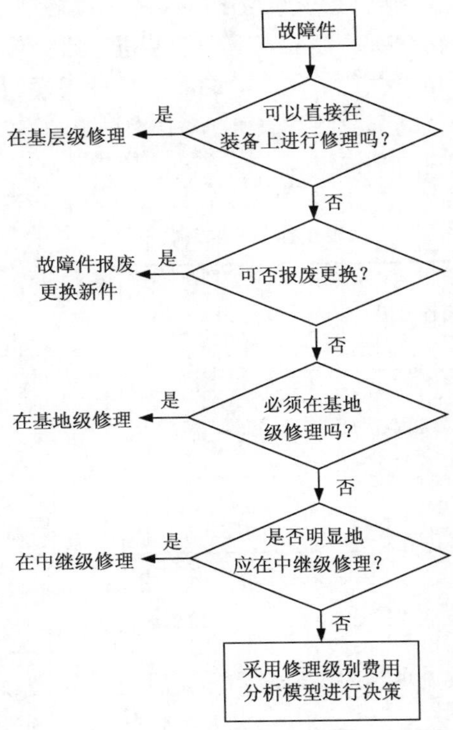

图 8-9　维修级别分析决策树

一般情况下，将装备设计成尽量适合基层级维修是最为理想的设计。但是基层级维修受到部队编制和作战要求(修复时间、机动性、安全性等)等诸多方面的约束，不可能将工作量大的维修工作都设置在基层级进行，而必须移动到中继级修理机构或基地级修理机构进行。

(3) 报废与修理模型。

如果符合式(8-6)，则报废换新件。

$$\left(\frac{T_{\mathrm{BF}_2}}{T_{\mathrm{BF}_1}}\right)N < \frac{L+M}{P} \tag{8-6}$$

式中，T_{BF_1} 为新件的平均故障间隔时间(h)；T_{BF_2} 为修复件的平均故障间隔时间(h)；L 为修理修复件所需的人力(折算为货币)；M 为修理修复件所需的器材费用；P 为新件单价；N 为预先确定的可接受因子。

N 是一个百分数(50%～80%)，说明修复费用超过新件费用达到这个比值时，就得出报废决策。具有耗损特性的产品可采用使用寿命代替平均故障间隔时间。

3）经济性分析

当通过非经济性分析不能确定待分析产品的维修级别时，应进行经济性分析。经济性分析的目的在于定量计算产品在所有可行维修级别上的修理费用，然后比较各个维修级别上的修理费用，以选择费用最低的维修级别作为待分析产品(故障件)的最佳维修级别。

(1) 费用类别。

在进行经济性分析时，要考虑在装备试用期内与维修级别决策有关的费用，即仅计算那些直接影响维修级别决策的费用。分析时通常考虑以下费用。

①备件费用。

备件费用指待分析产品进行修理时所需的初始备件费用、备件周转费用和备件管理费用之和。备件管理费用一般用备件管理费用占备件采购费用的百分比计算。

②维修人力费用。

维修人力费用包括与维修活动有关的人员的人力费用。它等于修理待分析产品所消耗的工时(人·小时)与维修人员的小时工资的乘积。

③材料费用。

修理待分析产品所消耗的材料费用，通常用材料费用占待分析产品采购费用的百分比计算。

④保障设备费用。

保障设备费用包括通用和专用保障设备的采购费用与保障设备本身的保障费用两部分。保障设备本身的保障费用可以通过保障费用因子来计算。保障费用因子指保障设备的保障费用占保障设备采购费用的百分比。对于通用保障设备，则用保障设备占用率来计算。

⑤运输与包装费用。

运输与包装费用指待分析产品在不同修理场所和供应场所之间进行包装与运送等所需的费用。

⑥训练费用。

训练费用指训练修理人员所消耗的费用。

⑦设施费用。

设施费用指对产品维修时所用设施的相关费用，通常采用设施占用率来计算。

⑧资料费用。

资料费用指对产品修理时所需文件的费用，通常按页数计算。

(2) 经济性分析模型。

LORA 中的经济性分析模型的建立以相关的维修费用分解结构为依据，根据费用分解结构中的费用项目来确定相关的输入信息，以进行费用比较计算。根据不同的装备及其维修要求，有很多维修级别费用决策模型，国外已有维修级别分析标准如 MIL-STD1390C，详细规定了各类模型的应用方法。费用计算比较复杂，需要大量资料。费用构成要考虑全面，并将部队装备数量、年或月维修数量、同类零部件不同性质故障对费用的影响、维修效果评价原则以及同类零部件在不同维修级别进行维修的费用差异等做详细的分析研究，才能获得正确的决策。

4) 敏感性分析

分析人员通过改变直接影响维修费用的关键输入，在指定范围内对这些输入变量进行调整，来进行敏感性分析，通过分析因改变输入所导致的输出的变化，来确定费用的变化范围，找到不同维修级别对输入参数的敏感性。费用变化范围大意味着根据此输入条件来决策维修级别具有较高的风险，同时通过敏感性分析也为在一定费用约束下确定较优维修级别提供了寻优途径。

3. 输出 LORA 报告

1) LORA 报告要求

(1) 概述。

LORA 报告中应包括：实施 LORA 的目的及分析任务的来源等基本情况；实施 LORA 的前提条件和基本假设的有关说明；LORA 分析流程的概要说明；分析中使用的数据来源说明；以及其他有关解释和说明等。

(2) 产品说明。

产品说明中包括装备的硬件分解结构、重要产品清单以及产品的修理约定层次的定义。

(3) 非经济性分析说明。

该说明中包括对进行产品 LORA 的非经济性因素进行说明，并填写相应的非经济性因素分析表。

(4) 经济性分析说明。

该说明要对所选取的费用计算模型进行说明，明确模型的输入、输出及适用条件，并详细描述计算过程。

(5) 敏感性分析说明。

该说明应描述敏感性分析过程，包括要调整的输入参数及其变化范围和输出参数的变化范围。同时，对可能存在的决策风险进行说明。

(6) 结论与建议。

结论中应包括产品 LORA 汇总说明，对不满足设计约束的产品要给出修理约定层次的修改建议。

2) LORA 表格

(1) 非经济性分析表。

非经济性分析表如表 8-11 所示。

表 8-11　非经济性分析表

初始约定层次：　　分析人员：　　审核：　　第　页共　页

约定层次：　　图号：　　批准：　　填表日期：

产品名称	非经济性因素	是	否	影响或限制的维修级别				限制维修级别的原因说明

(2) LORA 汇总表。

LORA 汇总表如表 8-12 所示。

表 8-12　LORA 汇总表

初始约定层次：　分析人员：　审核：　第　页共　页

约定层次：　图号：　批准：　填表日期：

基层级可更换单元编码	产品名称	拆/换			修理			报废		
		O	I	D	O	I	D	O	I	D

3) LORA 要点

(1) 注意在不同寿命周期阶段迭代执行 LORA。

在寿命周期不同阶段，随着装备设计数据粒度的细化，LORA 要在寿命周期阶段不断迭代执行。

(2) 灵活裁减非经济性因素。

非经济性因素的建立要考虑型号类型和使用的军兵种。不同的型号类型和不同军兵种的非经济性因素会有差异，分析人员要灵活掌握。

(3) 灵活建立经济性分析模型。

在寿命周期的不同阶段，经济性分析模型会有差异，要根据型号特点和寿命周期阶段灵活建立经济性分析模型。

(4) 注意经济性分析模型与寿命周期费用分析 (LCCA) 相一致。

经济性分析中的费用要素要与 LCCA 中的成本分解结构 (CBS) 维修费用项目相一致，要求分析数据在两个工作项目之间共享。

(5) 重视灵敏度分析。

灵敏度分析可以帮助进一步理解不同输入条件和维修级别之间的关系，进一步看清它们之间的相互影响。

8.3.3　使用与维修工作分析

1. O&MTA 概述

O&MTA 是对使用保障工作要求、修复性维修工作要求、预防性维修工作要求、损坏维修工作要求进行细化分解，并准确有效地确定新研、改研和沿用的保障资源要求。从装备研制初期到设计定型，保障工作要求分解层次较多，O&MTA 是保障性分析中工作量较大的技术工作。虽然分析需要耗费大量的人力与资金，然而由分析工作得出的准确结果，可以排除因采用一般估计资源的臆测性和经验法所带来的资源的浪费与误用。因此，通过 O&MTA，可以使新研装备在使用期间得到精确的保障和有效的维护，显著降低使用与保障费用。进行使用与维修工作分析的主要目的可概括如下。

(1) 为每项使用与维修工作任务确定保障资源要求，特别要确定新的或关键的保障资源要求。

(2) 为制订各种保障文件（如技术手册、操作规程、训练计划及人员清单等）和保障计划提供原始资料。

(3) 为制订备选设计方案提供保障方面的资料，以减少使用保障费用、优化保障资源要求和提高战备完好性。

(4) 为维修级别分析提供输入信息。

(5) 确定运输性方面的要求。

O&MTA 关系到装备交付部队使用时，能否及时、经济、有效地建立保障系统，并以最低的费用与人力提供装备所需的保障，以及能否实现预期的装备完好性和保障性目标的重要问题。

2. O&MTA 步骤

O&MTA 的具体分析步骤如下。

1) 输入（数据准备）

(1) 装备的部署信息。

装备的部署信息明确了装备会在哪里使用，同时也明确了在一个站点内部署的装备数量。通常装备的部署地点也决定了装备的使用环境。

(2) 装备的典型任务剖面信息。

装备的典型任务剖面指装备在一段时间内，在装备处于非故障状态时所经历的事件及时序的描述。通常典型任务剖面包括使用任务剖面、运输任务剖面、储存任务剖面、转场任务剖面等。

(3) 装备的使用时间要求。

装备的使用时间要求是装备（组件、零件）在完成任务过程中所期望的利用率。这与装备每天工作的小时数、每月的任务循环次数、开关次数、最大功率的使用百分比等有关。装备的使用强度要由装备的使用需求来决定。在装备的典型使用任务剖面中规定了装备的任务周期、重复执行特定的使用任务剖面的次数以及执行任务的装备数量。

(4) 装备的使用环境。

装备的使用环境指装备在任务剖面中所处的外部环境，这里的环境包括工作环境、运输环境和储存环境，如温度、冲击和振动、噪声、潮湿、寒带或热带、山区或平原、空运、陆地运输和船运等。装备在使用期间内可能遭遇到的环境和持续时间会影响保障系统的功能。

2) 工作频率确定

(1) 使用保障工作频度确定。

与某类使用任务活动对应的使用保障活动的发生通常是可预知的，例如，飞机空-空任务出动前的准备活动需进行充电检查、加油、加挂空-空弹等工作，这些工作在每次空-空任务前都需要进行。

(2) 维修保障工作频度确定。

对于不同类型维修保障工作的频度，其确定方法不同。

确定一个修复性维修保障工作频度的目的是为决定相关保障资源数量需求提供分析输入信息，即多长时间需要一次备件?多长时间进行一次维修测试或多长时间需要一台保障设备?多长时间需要一次维修人员?多长时间需记录一次数据?多长时间需要一次维修?

一旦这些问题被解答，就能够计算出装备不能工作的时间和确定后勤资源的数量需求。

3) 时线分析

装备的保障工作步骤较多，有时一个步骤需要多个操作人员协同配合并行完成，其经历时间的长短将直接影响装备的状态与可用时间，为了尽可能地安排工作且并行地执行以减少工作项目的完成时间，需要在对保障工作项目进行分解的过程中运用时线分析技术。时线分析主要适用于以下活动。

(1) 在一个时间段内需两个或两个以上人员同时连续地作业。

(2) 在一个时间段内要完成不同性质的工作。

(3) 要求操作人员密切协作来减少完成作业的时间。

进行时线分析的步骤：按工作项目要求提出备选的工作步骤；按备选工作步骤提出操作人员的数量及其专业；按逻辑顺序排列各项作业。

4) 保障资源需求确定

在细化保障工作步骤之后，会得出每个步骤的资源需求，其详细说明的程度应该足以建立一个全面的保障资源功能清单，其中包括完成该工作步骤所需的备件、保障设备和保障设施等保障资源，以及与技术手册编写相关的内容。

保障资源需求确定主要包括：备件需求确定、保障设备需求确定、保障设施需求确定、技术手册编写需求确定。

5) 分析汇总

在 O&MTA 的最后需要对前面分析得出的保障资源的品种及功能进行归并，通常可采用归并矩阵来辅助完成归并工作。

6) 输出报告

O&MTA 工作的输出主要是提供 O&MTA 报告及相关资料。在 O&MTA 结论中应总结概括对于每个重要可修产品的维修要求，其中包括维修要求的简要描述、维修过程的定义、维修深度、维修环境、与操作安全和维修安全相关的信息以及其他的附加信息。此外，还包括使用保障及维修保障过程中所需要的人力人员、保障设备、工具、技术资料、备件、保障设施和运输包装等保障资源信息，以及对于新研保障资源的功能说明及研制依据说明。

8.3.4　保障资源设计要求分析

保障资源是进行装备使用和维修等保障工作的物质基础。通过保障性分析，能够确定保障资源的品种及数量要求。根据使用特点，可以将保障资源划分为消耗型资源和占用型资源。消耗型资源指在装备使用和维护过程中资源数量随时间是逐渐消耗的。通常情况下将备件、包装容器、油料和弹药等资源视为消耗型资源。占用型资源指在装备使用和维护过程中资源处于被占用状态，在相应活动执行完毕后，资源处于空闲状态。通常将保障设备与工具、人力人员、保障设施和技术资料等资源视为占用型资源。保障资源又可分为物资资源(如保障设备、设施、备件等)、人力资源(如人员与专业技术水平)和信息资源(如技术手册与计算机软件等)，通过信息资源可以将物资资源和人力资源与装备有机地结合起来。装备使用与维修保障所需的资源通常是不同的，这两方面的资源一般是不通用的，但研制的基本过程是相似的。

1. 保障人员、专业和技术水平要求

保障人员是使用与维修装备的主体，是战斗力的组成部分，当某一新型装备投入使用后，总是需要一定数量的，并且具有一定专业技术等级的人员从事装备的使用与维修工作。在新装备保障系统的研制过程中，对人员及技能水平的要求是优先考虑的因素之一。

使用与维修人员具有的技能应与装备的特点和装备的使用与维修工作的技术复杂程度一致。若使这些人员有合适的能力与知识去完成使用与维修工作，则有两方面的问题需要考虑：一是当确定了人员的专业技能要求之后，可通过人员培训来弥补需求与实际技能之间的差距；二是对装备设计施加影响，使装备尽可能地便于使用和维修(包括应用先进和适用的保障设备)，使人员的工作大大简化。

在进行新装备研制时，订购方常把人员的编制定额和兵源可能达到的文化水平作为确定人员要求的约束条件向承制方提出。因此，要根据对装备的使用与维修工作任务分析结果，并考虑部队使用与维修人员的编制定额及平时和战时任务兼顾等方面的因素来确定人员数量、技术专业和技术等级要求。

2. 供应保障要求的确定

供应保障是确定装备使用和维修所需供应品的数量与品种，并研究它们的筹措、分配、供应、储运、调拨以及装备停产后的供应品供应等问题的管理与技术活动。供应保障的目标是使装备使用与维修中所需的供应品能够得到及时和充分的供应，并使供应品的库存费用降至最低。为此，供应保障主要解决两个方面的问题：一是确定装备供应品的需求量；二是确定装备供应品的库存量。确定装备供应品需求量的关键是能够准确掌握装备的故障率，而决定库存量大小的关键则取决于对装备供应品库存的合理控制。

从备件提供的时间上来区分，可以分为初始备件和后续备件，即装备初期使用中应提供的备件和装备后续正常使用与维修中所需的备件。此外，还应考虑停产后的备件供应与战时供应问题。

1) 供应保障工作主要内容

初始供应工作的重点是确定初始备件的需求量，规划装备在使用阶段初期的备件供应工作。后续供应工作的重点是对备件库存量的控制，保证装备的正常使用和维修有充足的备件。

初始供应的大部分工作主要在装备研制阶段由研制部门(承制方)完成。初始供应工作应在研制阶段早期就进行规划。初始备件供应期间完成的工作对后续供应工作有重要影响，因此，在初始供应规划过程中还应考虑与后续阶段备件供应工作的协调。此外，

在工程研制阶段还应考虑装备停产后的供应保障以及战时供应保障等问题。

(1) 初始供应工作。

初始供应工作是整个供应工作的基础，因为它所确定的供应内容和原则经批准后将形成库存管理文件和编码要求，该工作一旦实施若要更改是比较困难的。初始供应工作由承制方会同使用方共同规划实施，主要内容有以下方面。

①确定各维修级别所需备件的数量和各种清单，如零件供应清单、散装品供应清单及修复件供应清单等。清单中应包括备件的名称、数量和库存量等。

②拟定新研装备及其保障设备、搬运设备及训练器材所需备件的订购要求，包括检验、生产管理、质量保证措施及交付要求。

③制订与使用和维修备件有关的库存管理的初始方案，包括备件的采购、验收、分发、储运及剩余物资处理等。

④拟订装备停产后的备件供应计划。

(2) 后续供应工作。

后续供应工作一般由使用方负责规划实施。各军兵种按初期供应拟订的清单及管理要求，结合初期的实际使用情况进行备件供应数据的收集和分析并做出评价，以便及时修订备件需求，调整库存和供应网点，改进供应方法，实施和修订装备停产后的备件供应计划。

(3) 战时供应工作。

战时装备的损伤率很高，除了自然损坏外还包括战损。战损维修所需备件的供应十分复杂，它有时间要求紧迫、备件需求波动极大、难以事先预计、补给困难以及组织协调复杂等特点。因此，为了降低战时供应品保障的负担，需要对战时供应品的储备做专门的研究。

为了保证战争期间有符合质量要求的供应品，应拟订战备供应品储备和供应计划，根据作战任务和供应范围，通常实行统一规划、分级储备的原则，即战略储备、战役储备和战术储备。这种储备应在装备部署后立即开始筹措，因为它是一种较长时间的储备。储存数量和期限应根据作战任务、环境特点和储存的经济合理性进行综合权衡来加以确定。

2) 确定备件品种和数量

确定维修中所需备件的种类和数量是进行有效修复工作的必要条件。由于影响备件需求的因素很多，如装备的使用方法、维修能力、环境条件以及装备质量和寿命周期的变动等，因此，还没有一种准确确定备件需求和库存的方法。通常可利用过去的经验和类似装备的需求，来规划今后给定一段时间内所需备件的预计数。例如，通过 O&MTA 和有关试验与消耗统计资料，并考虑其故障率，能列出装备维修所需的每一备件清单；通过计算和分析判断及比较类似装备备件需求的经验数据，能制定出最佳的备件供应清单。计算中需要的基本数据主要有平均故障间隔时间、每年的使用小时数、任务持续时间、一台装备上含有同类零件的数量、更换率、备件修复率和废品率等。

(1) 初始备件量的计算。

初始备件量的理论计算多采用泊松分布，通常假定备件需求数服从泊松分布，计算

初始备件数的计算公式为

$$P = \sum_{n=0}^{n=S} \left[\frac{(\lambda_i N_i t) n \mathrm{e}^{-\lambda N_i t}}{n!} \right] \tag{8-7}$$

式中，P 为需要时能够获得备件的概率；S 为初始备件数；λ_i 为第 i 类零件的故障率；N_i 为一台装备上第 i 类零件的数量；t 为初始保证期或预防缺货的间隔时间。

初始备件的实际需求量应根据对理论计算值加以修正后得到，需考虑的因素有使用强度和环境、使用和维修人员技术等级、零部件质量以及管理水平等；在资料不足时，该实际需求量可利用类似装备的零部件估计，也可按部队的年实际消耗分析来得出。

(2) 后续备件量的计算。

后续备件供应一般以年为单位进行计算，所以也可称为年度备件需求数。确定年度备件需求数的主要依据有年度计划任务量、定额资料和历史统计资料等。年度计划任务量指在计划期内需要完成的装备维修及其有关的各项任务的数量。定额资料指在一定条件下，规定备件消耗方面应当遵守和达到的标准量资料，如备件消耗定额、备件储备定额和维修费用定额等。备件消耗定额指在一定条件下，完成一台装备维修或单位产品所规定的消耗备件的标准数量。备件消耗定额的计算公式为

$$Q_{\mathrm{f}} = N_i P_{\mathrm{f}} \tag{8-8}$$

式中，Q_{f} 为备件消耗定额；P_{f} 为备件更换率。

年度备件需求数的计算公式为

$$R = W Q_{\mathrm{f}} \tag{8-9}$$

式中，R 为某种备件的年度计划需求量；W 为年度计划任务量。

3) 备件库存控制

备件储存指在装备使用中，为保证其工作正常进行，备件已经取得而尚未正式投入使用，并存储在仓库的过程。储存的数量即库存量，有时简称库存。对库存量大小进行控制的技术称为库存控制技术。库存控制的目的是满足装备使用与维修工作的要求和以最低的费用在合适的地点保存恰当数量的备件。

(1) 库存控制过程。

库存控制包括订货、进货、保管和供应四个过程。这个过程从理论上讲十分简单，但它受诸多因素影响，如装备备件需求的波动、备件供货的时间间隔、备件生产周期、仓储环境、地理位置和运输条件，以及备件储存寿命和备件的价格等，因此确定合理库存成为极其复杂的问题。

装备备件储存分为平时周转储存和战备储存。战备储存根据作战任务进行统一规划、分级储存，其中包括战略储存、战役储存和战术储存。

平时周转储存可利用各种库存模型辅以必要的修正系数或经验系数加以计算，并在使用过程中加以完善来确定其库存量，其目标是满足使用费用最低的要求，既不积压资金，又要保证需求。模型中要根据供需情况做必要的假设和简化，只要假设和简化是合理的，按模型确定的库存量就是有参考价值的。

(2)经济订购批量法。

库存要占用一大笔资金，因此在考虑库存时(特别是平时)，总是以库存费用最低来决定库存订货的批量，这就是经济订购批量法。经济订购批量法是以某种供应品一次进货数量(批量)作为确定该种器材储备定额的方法。

经济订购批量法理论广泛运用于各种库存模型，以确定最经济的订购批量(EOQ)。比较常用的库存模型有以下几种。

①按备件供货时间划分的库存模型。它包括不允许缺货和瞬时进货，不允许缺货和边进货边消耗，以及允许缺货和瞬时进货等几种模型。

②随机型库存模型。这是通过备件需求量的不同概率分布(如二项分布、正态分布或泊松分布)来确定库存量的模型。

③供应期库存模型。这种模型所考虑的主要问题不仅是备件需求，更多的是根据备件生产周期、供货周期、订货发货的制约以及运输限制来制定模型。

经济订购批量法的目的是在降低库存总费用的同时，保障用户获得充足的备件。订购费一般随一个时期内的订购次数而变化。订购次数增加，备件的订购费用增加，库存管理费用减少；订购次数减少，订购费用降低，但库存管理费用增加。这两项费用之和的最低点就是理想的经济订购批量。

4) 可修系统备件优化

对于可修系统，系统的修复通常依赖于系统中的故障零(部)件的更换，当组成系统的部件工作时间服从指数分布时，在任意一段时间对应该部件的备件需求量服从泊松分布。若系统中部件的备件需求服从泊松过程，同时系统中每类故障部件的维修时间相互独立且同分布，则在修故障部件数的稳态概率分布服从泊松分布。在前述备件库存控制过程部分介绍了备件消耗、短缺以及补充的过程，当系统中的部件发生故障时，将故障件送修，如果此刻备件库存满足要求，则通过更换备件完成故障系统的修复。由于更换备件修复系统的时间远小于故障部件的修复时间，本优化模型中忽略备件的更换时间，仅考虑故障部件的维修时间。对于上述备件更换及故障部件的维修过程，可以将上述备件库存控制策略视为$(s-1,s)$，即每产生一个备件需求就送修一个部件。在上述备件库存控制过程中，备件的初始库存量、当前库存数量、在修数量和短缺数量之间存在恒定的数量关系，也称库存平衡方程：

$$s = \mathrm{OH} + \mathrm{DI} - \mathrm{BD} \tag{8-10}$$

式中，s 是部件的初始库存数量；OH 是部件的当前库存数量；DI 是部件的在修数量；BD 是短缺数量。由于备件需求的产生是随机的，当前库存数量 OH、在修数量 DI 与短缺数量 BD 均为非负随机变量。任一随机变量发生变化都会导致其余随机变量同时发生变化。例如，当需求出现时，在修数量加 1；若当前库存数量大于 0，则在此基础上减 1，否则，短缺数量加 1；当维修完成时，若当前库存数量大于 0，在修数量减 1，短缺数量减 1，当前库存数量加 1，在任意时刻，这些库存关系总是保持平衡。

3. 保障设备研制要求的确定

在使用与维修中所需的任何设备可称为保障设备。保障设备的研制是保障资源研制中重要而复杂的工作，这主要是因为现代化装备的保障设备，特别是测试设备日益复杂，价格越来越高；同时，保障设备本身的维修、备件供应、测试和人员训练要求也很复杂。

1) 保障设备的分类

保障设备包括使用与维修所用的拆卸和安装设备、工具、测试设备(包括自动测试设备)和诊断设备、工艺装置、切削加工和焊接设备等。

保障设备既可以是只有一种特殊用途的专用设备，也可以是具有多种用途的通用设备。可根据保障设备的用途将其分为测试设备或维修设备，或根据其复杂程度及费用来进行分类。保障设备最常用的分类方法是根据该设备为通用设备还是专用设备来进行分类的。

2) 保障设备的研制过程

在装备研制的早期应确定对保障设备的需求，制订保障设备研制计划，特别是某些保障设备的研制周期长、花费大，某些保障设备甚至成为权衡保障方案的主要因素，所以保障设备的研制计划要尽早安排。

(1) 确定保障设备需求。

在研制装备的早期，利用保障性分析中的使用与维修工作分析来确定保障设备需求，并根据装备研制进度对保障设备做出初步规划。

在方案阶段应尽早确定预期的保障设备需求，以便对保障设备提出资金计划。保障设备需求的确定过程开始于方案阶段，并且随着装备设计的成熟而逐步详细和具体。具体的保障设备的设计要求要在工程研制阶段才逐步确定下来。在装备的整个研制过程中，保障性分析的其他工作需要保障设备需求方面的资料，因而在方案阶段所建立的保障设备基线不能随意变动。

在保障方案确定后，根据每一维修级别应完成的维修工作可以确定保障设备的具体要求，并据此评定各维修级别的维修能力。当分析每项维修工作时，要得出保障该项工作的保障设备的类型和数量方面的数据，利用这些数据可确定在每一维修级别上所需保障设备的总需求量。基层级所需的保障设备应少于中继级，否则需要重新分配维修任务。在费用权衡方面，当需要配备价格十分高昂的保障设备时，应慎重研究，必要时可考虑修改保障方案，甚至修改装备设计。

保障设备在保障性分析中涉及很多方面，具有很多接口。一方面，它的需求主要取决于使用与维修工作，并与装备设计相协调和匹配；另一方面，它又与备件供应、技术资料、人员训练以及软件保障(测试软件)有密切关系。因此，对保障设备需求所做的任何更改都必须提供给其他分析人员，以修正有关的保障要求。

在研制(包括采购)保障设备前，要制订出完整的研制计划，说明应进行的工作，明确与相关专业的接口，并做好费用和进度的安排。保障设备研制计划的实施保证了所确定的保障设备要求的落实。

(2) 保障设备设计准则。

通常尽量采用部队现有的或通用的保障设备，只有当现有的保障设备不能满足新研装备的使用与维修工作的要求时，才需设计和制造新的保障设备。

应考虑的问题包括以下方面。

①保障设备应与主装备相协调。例如，装备可达性设计的限制往往引起对拆装工具种类和尺寸的额外要求。

②通过保障性分析，在影响装备设计的同时，精简保障设备的种类和数量。

③保障设备本身的可靠性与维修性等设计特性、抗振动与冲击的要求、所需能源与动力、限制的环境条件、安装因素以及本身使用与维修所需的保障要求等。

保障设备的试验与评价工作是装备试验与评价总计划的组成部分，其目的在于检查保障设备的有效性和研制计划的进展情况。某些装备的保障设备非常复杂，在装备研制过程中除了对保障设备进行单独试验与评价，还要与装备同时进行试验，验证其适用程度和有效性。

4. 技术资料编制要求的确定

技术资料指将装备保障活动说明转化为执行保障工作所需的工程图样、技术规范、技术手册、技术报告和计算机软件文档等。它来源于各种工程与技术信息和保障性分析记录。就交付给使用方的技术资料来看，其范围也很广泛，包括装备使用和维修中所需的各种技术资料。

技术资料的目的是为装备使用和维修人员正确使用与维修装备而规定明确的程序、方法、规范和要求，并与备件供应、保障设备、人员训练、设施、包装、装卸、储存、运输、计算机资源保障以及工程设计和质量保证等互相协调统一，以便装备发挥最佳效能。因此，编写技术资料是一项非常烦琐的工作，要涉及诸多专业，单靠一两个专业设计人员是无法完成的。在国外的保障性分析工作中，一般都要求建立保障性分析记录数据库，以作为编写技术资料的主要原始资料，并要求开发保障性分析记录自动数据处理系统。这样的系统可在广泛的域范围内查询和显示保障性分析记录数据库中的各种有用数据，并提供有价值的输出报告，如备件清单、专用工具清单、测试设备要求以及故障模式记录等。在这些报告中，有些报告本身就是按军用标准格式生成的、可供部队使用的技术资料，有些报告和数据则是编写文件必不可少的资料。

1）技术资料的种类

(1) 装备技术资料。

这类技术资料主要用来描述装备的战术技术特性、工作原理、总体及部件的构造等，它包括装备总图、各分系统图、部件分解图册、工作原理图、技术数据、有关零部件的图纸以及这些资料的说明文件等。它是根据工程设计资料编写而成的。

(2) 使用操作资料。

这是有关装备使用和测试方面的资料，一般包括操作人员正确使用和维护装备所需的全部技术文件、数据和要求，例如，装备正常使用条件下和非正常使用条件下的操作程序与要求；测试方法、规程及技术数据；测试设备的使用与维护；装备预防性维修检查及保养的内容和方法；燃料、弹药、水、电、气和润滑油脂的加、挂、充、填方法和要求；故障检查的步骤等。

(3) 维修操作资料。

维修操作资料是装备在各维修级别上的维修操作程序和要求。基层级、中继级和基地级维修人员使用该类资料来保证装备在每一维修级别的修理工作中能按照规范的活动正确进行。维修操作资料依使用对象详略有别，一般基地级维修对资料要求量最大，包括与装备翻新或大修有关的详细的图纸资料，而基层级和中继级对维修操作资料的要求则较简略。

(4) 装备及其零部件的各种目录与清单。

该类资料是备件订货与采购和费用计算的重要依据，一般可以编写成带说明的零件分解图册或者备件和专用工具清单等形式。该类资料也可随同维修操作资料一同使用，供维修人员确定备件和配件需求。

(5) 包装、装卸、储存和运输资料。

该类资料包括装备及其零部件包装、装卸、储存和运输的技术要求及实施程序，如包装的等级，打包的类型，防腐措施；装卸设备和装卸要求；储存方式及要求；运输模式及实施步骤等。

2) 技术资料的编写要求

技术资料的形式一般为手册、指南、标准、规范、清单、技术条件和工艺规程等。技术资料的形式和内容虽有所不同，但编写的基本要求大致相同。主要要求有以下方面。

(1) 制订好编写计划，这是决定编制工作成败的关键。

(2) 技术资料要简单明了，通俗易懂，要充分考虑使用人员的接受水平和阅读能力。

(3) 资料必须准确无误，提供的数据和说明必须与装备一致。

(4) 技术资料编写中所用的各种数据与资料是逐步完善的，要注意资料更改后的相互衔接，协调统一。

(5) 要严格遵守编写进度的要求，不得延迟交付时间。

(6) 为确保交付的技术资料准确无误，通俗易懂，必须按资料的审核计划对其进行确认和检查。

3) 技术资料的编制过程

技术资料的具体编制过程是收集保障某项装备所需的全部使用和维修工作资料，然后加以整理，使之便于理解和使用，并不断修订和完善的过程。在方案阶段初期，应提出资料的具体编制要求，并依据可能得到的工程数据和资料，在方案阶段后期开始编制初始技术资料。随着装备研制的进展，数据更加具体和明确，技术资料也不断细化，汇编出的文件即可应用于有关保障问题的各种试验和鉴定活动、保障资源研制和生产及部队作战训练使用等方面。应用技术资料的过程也是验证与审核其完整性和准确性的过程。对于文件资料中的错误要记录在案，并通过修订通知加到原来的文件资料中。此外，当主装备、保障方案及各类保障资源变动时，技术资料也应根据要求及时修订。通过不断地应用、不断地检查和修订，才能最终编制出高质量的技术资料。

8.4　保障性试验与评价

保障性试验与评价是为了验证并考核所建立的保障系统在使用期间达到规定战备完好性目标的充分程度，它贯穿于装备研制与生产的全过程并延伸到装备使用阶段。

8.4.1 保障性试验与评价的基本概念

1. 保障性试验与评价的定义

保障性试验与评价是指通过试验将装备与技术要求和产品规范进行比较，以评估装备的保障性水平，检查保障系统是否与装备匹配。试验与评价是装备研制、生产以及使用阶段的一种重要的控制机制，可以为装备的研制和使用提供决策依据。这里的“试验”与“评价”通常连在一起使用，但是实际上它们有着明显的区别。“试验”是指实际的试验，包括硬件的试验和软件的测试，可以在实验室内进行，也可在实际使用环境下进行。而“评价”则是指对试验、测试、检查、评审等相关定性、定量信息的审查和分析以及决策过程。保障性试验与评价中有些评价与试验紧密结合，通过单项试验即可得到决策；有些评价需要综合多方面的试验才能做出，本节将对保障性的试验与评价分别加以阐述。

2. 保障性试验与评价的目的

实施保障性试验与评价的目的是衡量装备在整个研制过程中的保障性，评价计划的保障资源的使用效能，发现保障性方面存在的问题并提出相应的改进措施，具体要达到下列目的。

(1) 为验证装备保障性以及有关保障系统水平，评价装备战备完好性提供实测的数据。

(2) 暴露综合保障工作中存在的问题，以便在研制过程中得到解决，包括装备的硬件、软件、保障计划、保障资源和使用原则等方面的改进。

(3) 估计采取纠正措施而引起的装备战备完好性、任务成功性、费用和保障资源方面的变更情况。

(4) 验证定量保障性水平和有关保障性设计要求满足合同的程度并提出相应的改进措施，这里包括使用与保障资源与装备的匹配程度。

(5) 测定和分析所建立保障系统的有关保障性数据，确定在使用后达到规定保障性目标值发生的偏差，拟定进一步改进措施。

3. 保障性试验与评价的主要类型

保障性试验与评价有多种分类方法，不同的分类从各个角度描述了试验与评价工作的作用与目的。

按照执行的时机划分，可将保障性试验与评价分为研制期间的保障性试验与评价以及部署后的保障性试验与评价，具体内容如图 8-10 所示。

1) 研制期间的保障性试验与评价

研制期间的保障性试验与评价是指装备在寿命周期内的试验与评价，主要分为两大类：一类是研制试验与评价 (Development Test& Evaluation, DT&E)；另一类是使用试验与评价 (Operational Test & Evaluation, OT&E)，这两种试验与评价都是型号试验与评价总计划的组成部分，有明确的要求，综合保障工程要参与其工作。

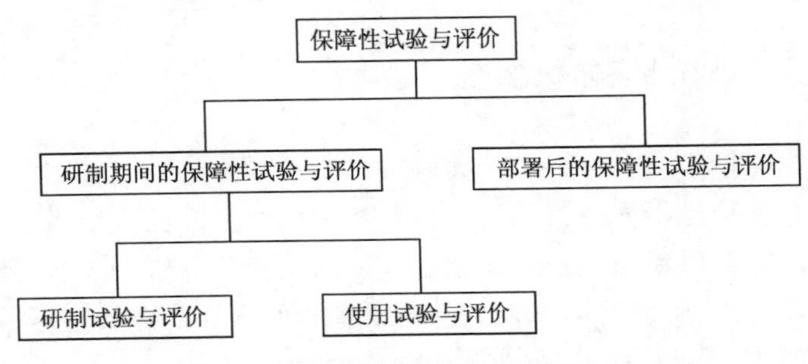

图 8-10　保障性试验与评价的分类

(1) 研制试验与评价。

研制试验与评价是为了验证工程设计、研制过程的完整性和充分性，验证相对于合同要求或技术规范的符合性，并为装备正式投入使用提供评估信息。DT&E 着眼于“技术”评价。研制试验与评价包括承制方进行的试验和订购方关注与主持的试验。其中，承制方进行的试验与评价是承制方通过试验—改进—再试验的途径，使研制的装备及其组成部分逐步接近并符合合同中规定的技术性能要求，如可靠性研制/增长试验。在这类试验中，承包商将起主导作用，试验可以在承包商的试验设施上进行，为提高订购方对这类信息的信任程度，也可安排在订购方的试验设施(如试验基地)上进行。订购方关注和主持的试验与评价主要是指在全面工程研制阶段后期、定型阶段进行的为验证研制的装备及其组成部分满足合同要求的程度。这类试验应在订购方指定的试验场地进行，订购方应审查这类试验的试验方案，并介入试验过程，如定型试验、可靠性鉴定试验等。

(2) 使用试验与评价。

总体来说，使用试验与评价是为了验证装备系统的使用效能和使用适用性。使用效能是装备在实际使用(作战)环境下对装备完成任务情况的度量，如完成一给定任务的概率、战斗中的空中优势等，度量的是装备在实际使用时的一种使用要求的满足程度，一种综合能力，而不是某一种性能参数。使用适用性是指实际使用环境下，装备的可用性、可靠性、维修性、战时利用率、运输性、兼容性、保障系统及保障资源配置等因素的适用程度。

2) 部署后的保障性试验与评价

部署后的保障性评估是在装备正常使用后一定时期对其实际保障能力的评定，综合保障工程负责规划、实施这项评估。

按综合保障评价的工作内容，也可将其分为四个方面的评估工作。

(1) 设计接口评价：这是对承制方制定的综合保障有关设计与纠正措施反馈的接口，从方案阶段到工程研制阶段进行连续评估，用以保证维修保障计划与硬件特性相互兼容。通过保障设备功能试验，评价这些设备与装备使用检查程序的兼容性。

(2) 硬件检查：用以检查装备硬件的可接受程度及其满足保障性要求的能力，如检查所选择的维修工作和维修保障计划、验证故障隔离及故障件拆卸和更换的要求以及保障性特性(如平均故障间隔时间)等的满足程度，并进行必要的设计更改。

(3) 统计数据的核实：这是在装备初始部署期间为验证其保障特性而核实所统计的

综合保障有关数据，以评定统计的有效程度，作为更新保障资源规划和预算工作的基础，并核实合同与定量的保障系统要求之间的符合程度。

(4) 部署后整套保障系统的评估：这主要是评估所规划的保障资源用以保障所部署装备的适用性和充分程度。

按照保障性要求对保障性试验与评价进行分类，则需要首先回顾保障性要求的主要三种类型：一是针对装备的保障性设计特性要求；二是针对保障系统及其保障资源的要求；三是针对装备系统如战备完好性的综合要求。

8.4.2　保障资源的试验与评价

可靠性、维修性(含测试性)是关键的保障性设计特性，可靠性、维修性、保障资源及管理延误时间是影响系统战备完好性的三大因素。为此，本节主要介绍可靠性、维修性的试验与评价问题。对于其他有关保障性设计要求的试验可结合装备的功能、性能试验或专门的演示进行，这里不再叙述。

1. 保障资源试验与评价的内容

保障资源试验与评价一般在详细设计阶段后期进行。各项保障资源的评价应尽可能综合进行，尽量和保障性设计特性的试验与评价，尤其是与维修性验证与演示结合进行，从而最大限度地利用资源，减少重复工作，对不能在该阶段评价的保障资源，可在后续阶段尽早安排进行。

保障资源试验与评价要紧紧围绕保障资源的评价准则实施，在尽量接近真实的试验环境中，尽量测试保障资源各要素的保障性水平。如果兼顾不到，可以专门设计试验，模拟故障或使用状态。试验中，详细、客观地记录保障资源是否达到评价准则的要求。

1) 人力和人员的试验与评价

按照想定，在真实或接近真实的使用环境中使用产品，考核完成作战或训练任务的情况；按各维修级别的维修机构布局，组织产品的维修，核实经历的时间和工时消耗情况。评价内容有：按要求编配的装备使用人员数量、专业职务与职能、技术等级是否胜任作战和训练使用；按要求编配的各级维修机构的人员数量、专业职务与职能、技术等级是否胜任维修工作；按要求选拔或考录的人员文化水平、智能、体能是否适应产品的使用与维修工作。进行人力人员评价的主要指标有：每飞行小时直接维修工时、平均维修人员规模(用于完成各项维修工作的维修人员的平均数(维修工时数/实际维修时间)。

通过评价，确认已安排好人员和他们所具有的技能适合于在使用环境中完成装备保障工作的需要、所进行的培训能保证相关人员使用与维修相应的装备以及所提供的培训装置与设备的功能和数量是适当的。

2) 保障设备的试验与评价

保障设备的试验与评价是试验与评价配备的保障设备的功能、性能是否满足要求，品种和数量是否合理，保障设备与装备是否匹配等。部分新研的测试与诊断设备、维修工程车、训练模拟器、试验设备等大型的保障设备，本身就是一种产品。除要单独进行一般性例行试验，确定其性能、功能和可靠性、维修性是否符合要求外，还要应与保障对象(产品)一起进行保障设备协调性试验，应特别注意各保障设备之间以及各保障设备与主装备之间的相容性，确定其与产品的接口是否匹配和协调，各维修级别按计划配备的保障设备数量与性能是否满足产品使用和维修的需要；保障设备的使用频次、利用率是否达到规定的要求；保障设备维修要求(计划与非计划维修、停机时间及保障资源要求等)是否影响正常的保障工作。

3) 保障设施的试验与评价

保障设施的试验与评价是试验与评价装备的使用、维修、储存设施是否满足所需的面积、空间、基本设备等使用要求和温湿度、洁净度等环境条件的要求。

4) 技术资料的试验与评价

技术资料的试验与评价是评价技术资料是否准确、完整、简明易懂，是否满足使用与维修装备的需要，检查装备及其保障系统的设计更改是否已反映在技术资料中。

要组织既熟悉新研装备的结构与原理，又熟悉使用与维修规程的专家，采用书面检查和对照产品检查的方法对提供的技术资料(如技术手册、使用与维修指南、有关图样等)，进行格式、文体和技术内容上的审查，评价技术资料的适用性和是否符合规定的要求。技术资料的审查结果一般给出量化的质量评价因素，如每 100 页的错误率。

在设计定型时，应组织包括订购方、承制方的专门审查组对研制单位提供的全套技术资料(包括随机的和各维修级别使用的)进行检查验收。通过检查验收，做出技术资料是否齐全，是否符合合同规定的资料项目清单与质量要求的结论。验收时特别要重视所提供的技术资料能否胜任完成各维修级别规定维修工作的信息。

5) 训练与训练保障的试验与评价

训练与训练保障的试验与评价是评价训练是否有效，训练器材的数量与功能能否满足训练要求。

6) PHS&T 的试验与评价

PHS&T 的试验与评价主要针对装备及其保障设备的实体参数(长、宽、高、净重、总重、重心等)、承受的动力学极限参数(振动、冲击加速度、挠曲、表面负荷等)、环境极限参数(温度、湿度、气压、清洁度等)、各种导致危险的因素(误操作、射线、静电、弹药、生物等)、包装等级等，评价以上参数是否符合规定要求，并评价包装储运设备的可用性和利用率。

7) 计算机资源的试验与评价

这一要素既涉及装备的嵌入式计算机系统，也涉及自动测试设备，主要评价硬件的适用性和软件程序(包括机内测试软件程序)的准确性、文档的完备性与维护的简易性。

2. 试验类型与评价的主要内容

1) 保障设备试验与评价

保障设备定性评价的主要内容包括以下方面。

(1) 保障设备的功能、性能、布局及其操作是否满足装备的作战流程和作战使用要求。

(2) 是否制定保障设备配套方案，编制保障设备配套目录(随机工具及专用工具目录、修理和保障设备目录、检测设备目录等)。

(3) 保障设备是否尽量简化品种、尽可能减少其重复性，提高经济性，尽可能减少专用保障工具、设备的种类和数量，提高“三化”程度。

(4) 保障设备是否应尽可能沿用类似系统的设备和商用设备。

(5) 保障设备是否具有良好的机动性，以及具有伴随保障和战场抢修能力。

(6) 保障设备是否能保障系统和人员安全；保障设备是否尽可能降低对人员素质的需求。

(7) 系统的测试和发射设备是否尽可能减少对保障设备的依赖性，是否与其他保障资源相匹配。

(8) 保障设备展开与撤收是否方便；自检是否快捷；培训与演练操作是否方便。

2) 保障设施试验与评价

保障设施定性评价的主要内容包括以下方面。

(1) 保障设施的组成、样式、内部幅员尺寸和使用功能是否满足战术要求与装备使用操作工艺流程和技术要求。

(2) 保障设施的环境温湿度、照明、防爆安全措施、消防、接地等，是否满足装备系统使用技术要求。

(3) 保障设施提供的电、水、气的种类、容量、质量是否满足系统使用技术要求。

(4) 保障设施提供的起重运输设备及专用非标准设备是否满足系统的使用技术要求。

(5) 保障设施的各种管线、接口是否与系统匹配。

(6) 保障设施的废气、废水、废物处理的环保措施是否满足有关环保要求。

(7) 阵地设施是否可能利用现有装备的设施，并能兼顾多型装备使用，是否明确新设施对现有设施的影响。

(8) 设计过程中是否进行费用分析，合理确定建造周期、建造费用、维护费用等问题。

(9) 能否尽量减少系统所需设施的数量并考虑设施的隐蔽要求，使保障设施战时受攻击的可能性降到最低。

3) 技术资料试验与评价

技术资料定性评价的主要内容包括以下方面。

(1) 技术资料的内容是否与保障方案、部队保障体制相匹配，是否完整、正确、通俗易懂满足装备保障对技术资料的要求。

(2) 编制技术资料是否充分考虑部队使用维修人员的接受水平和阅读能力。

(3) 是否提出技术资料的交付要求，包括交付时机、数量和交付媒介的要求是否在交付部队使用前经过试用。

(4) 技术资料的编写翔实程度是否符合有关标准的规定。

(5) 是否考虑软件保障所需技术资料。

(6) 技术资料交付时不允许有更改单，已付技术资料更改是否按 GJB 906 规定的要求执行。

4) 训练与训练保障试验与评价

训练与训练保障定性评价的主要内容包括以下方面。

(1) 装备设计中是否考虑到战时和平时的训练要求，包括使用寿命、使用次数等。

(2) 是否制订初始训练方案及计划(课程设置、教材要求、训练方法、考核方法)。

(3) 是否根据部队使用与保障人员素质编制初始训练教材。

(4) 是否编制训练器材及训练设备清单，研制全套训练器材和设备，实施对部队使用和维修人员的初始培训。

(5) 训练设备的性能、外形、操作、显示、接口是否与实际装备一致，在训练设备上训练的人员能否在实装上很好地操作。

(6) 通过模装、实装操作的考核，训练大纲、计划是否适用，训练设备、器材是否与训练任务相匹配，训练计划指标是否达到要求。

5) PHS&T 试验与评价

PHS&T 定性评价的主要内容包括以下方面。

(1) 装备包装、装卸、储存和运输是否满足平时、战时维修保障要求。

(2) 是否尽量选用现有的包装、装卸、储存和运输资源。

(3) 是否考虑采用标准的装卸设备和程序。

(4) 是否说明主要设备在规定条件下的储存寿命、使用寿命及机动性和运输特性。

3. 评价实施过程举例

保障资源包含了人力人员、备件、技术资料等多方面因素。对于保障资源，有大量的定性要求也需要试验与评价。这里以技术资料为例，说明在寿命周期各阶段，如何对这类定性要求进行试验与评价。

技术资料是在研制阶段随着装备的逐步设计而建立起来的。到了设计定型阶段，初步的技术资料已经形成。所以，其试验与评价适合在生产定型阶段开展，并且尽量在这个阶段完善。装备部署以后，仍然要对技术资料进行进一步的试验与评价，在真实的环境中检验其适用性，并注意收集使用人员的反馈信息。

1) 评价对象

技术资料是针对使用与维修人员配备的书面资料(也可能是电子文档)，其目的是指导使用与维修人员更快捷、准确地工作，解答疑难问题，提供技术援助等。技术资料的好坏，直接影响着装备系统性能的发挥。

2) 试验与评价实施

(1) 评价目的。使用与评价技术资料的本身的质量、水平，评价其是否与装备、人员以及管理模式相匹配。

(2) 评价准则。技术资料的评价准则就是其对应的要求约束，具体如下。

①技术资料的种类、格式和数量是否符合规定要求。

②内容是否准确、完整，是否适合阅读。

③是否能满足使用、维修工作要求，装备及保障系统的更改是否得到了正确反映。

④当有要求时，是否按规定交付了数字化电子资料。

(3) 试验条件。

①人员要求：与技术资料编写无关的部队使用维修人员，经过必要培训，明确试验目的与自身职责。

②装备要求：小批量生产的试验用完整装备。由于技术资料的评价是说明性的，不需要用过多的装备数量，一般 3～5 个装备参试就能说明问题。

③保障资源要求：这里的保障资源应该是按照保障性分析确定的试验时保障资源，不能使用规定之外的其他技术资料。

(4) 试验内容。有两种模式：针对技术资料内容设计试验内容，测试技术资料的辅助、指导功能；针对部队常见各种使用、维修任务剖面设计试验内容，检测技术资料的全面性。具体采用哪种模式要结合生产定型试验的情况灵活选择。

(5) 试验周期。应该充分利用而不超出生产定型试验周期，尽量地实践技术资料的所有内容。

(6) 信息收集方式。为每一套参试的技术资料建立一套记录档案。记录的信息包括：作业模式；有无技术资料支持；使用技术资料时间；累计次数；技术资料数量是否足够；是否易于查询、阅读、理解；是否能帮助解决问题；装备的更改是否得到及时反映；需要时能否提供数字化资料。

(7) 信息收集表格见表 8-13。

表 8-13　信息收集表格

作业模式	有无技术资料支持	是否够用	是否易于查询、阅读、理解	是否解决了问题	使用累计次数	是否及时反映装备更改	是否有数字化资料	备注
装卸蓄电池	有	足够	不好查找，字体过小，描述不详细	没有	20	有	无	不理想
检测电台故障	…	…	…	…	…	…	…	…

(8) 评价方法。将不同的参试技术资料的调查表对照、归纳，给出综合的评价。

(9) 试验与评价报告内容要求。给出技术资料的综合评价，指出具体存在问题的章节，分析产生问题的原因，提出解决问题的建议。

8.4.3　保障活动的试验与评价

1. 保障活动试验与评价的内容

保障活动的试验与评价是指在装备保障性设计过程中用以降低研制风险而进行的试验与评价工作。其重点在于检验保障活动是否能够按照预定程序执行，是承制方用于确认保障活动是否能够按照设计说明执行的技术手段，由承制方负责规划、组织和实施。

通过建立验证保障系统是否满足使用保障活动及维修保障活动要求的方法和程序，提供保障活动执行的实测数据，暴露并发现装备保障工作存在的问题，对保障活动满足设计要求和订购方需求的程度进行评价，为改进措施的制定提供依据。

1) 目标

通过试验对保障活动定性要求进行评价。保障活动定性要求通过保障活动演示执行来判定是否与设计说明一致或满足订购方需求，对保障活动执行程序的正确性、操作方便性、时效性等做出判定。

通过试验对保障活动定量要求进行评价。保障活动定量要求主要是保障时间要求，包括使用保障时间、维修保障时间，通过保障活动演示执行，记录相关的时间数据，并据此对时间指标的满足情况进行分析评价。

2) 作用

(1) 检查装备保障活动执行工作的可行性、方便性和安全性。

(2) 提供装备保障活动的实测数据，评价装备达到规定保障时间的程度。

(3) 暴露装备保障活动执行工作存在的问题，为设计定型提供参考。

(4) 确定在装备使用后达到设计门限值发生的偏差，拟定进一步的改进措施。

2. 保障活动试验与评价分类

1) 按照保障活动类型分类

(1) 使用保障活动试验与评价。使用保障活动试验与评价是指对装备执行任务前后所做的使用保障活动进行试验与评价，根据试验中收集的数据来判定装备使用保障活动是否满足设计说明以及订购方使用需求。

(2) 维修保障活动试验与评价。维修保障活动试验与评价是指对装备的维修保障活动进行试验与评价，根据试验中收集的数据来判定装备维修保障活动是否满足设计说明以及订购方使用需求。维修保障活动试验与评价可进一步划分为修复性维修保障活动试验与评价和预防性维修保障活动试验与评价。

2) 按照试验方法分类

(1) 保障活动统计试验。保障活动统计试验一般针对保障活动定量要求，对试验数据通过统计分析给出评价结论。保障活动统计试验通常选用或指定一定数量的样本，按照规定的试验方案在规定的试验剖面中进行试验，记录试验产生的数据，通过统计判别最终给出评价结论。

(2) 保障活动演示试验。保障活动演示试验一般是针对定性的保障活动要求、不能或不需要通过统计试验进行评价。保障活动演示试验是在装备或装备的样机(包括物理样机与虚拟样机)上进行，以验证重要保障活动的执行流程而实施的非破坏性试验，一般用于验证保障活动规划满足设计要求和订购方需求的程度。

保障活动评价数据除借助试验方法获得外，还可以采用分析方法获得。下面主要介绍保障活动的分析评价方法和演示试验与评价方法。

3. 保障活动分析评价方法

在保障系统功能模型的基础上，根据保障系统功能层次的划分和各层次间的关系，采用自底向上的方法计算保障时间。保障时间的计算步骤如图 8-11 所示。

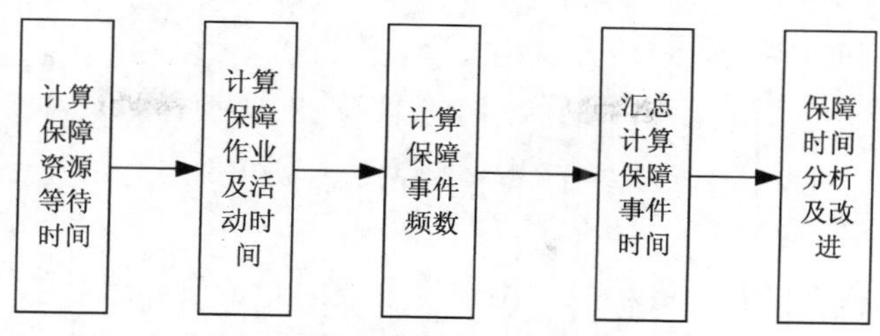

图 8-11 保障时间的计算步骤

这里仅对平均保障时间的分析方法展开介绍，其他各类保障时间分析方法相似，不再赘述。

1) 计算保障资源等待时间

在保障时间计算过程中，需要考虑由于保障资源需求的随机特性和有限的保障资源配置数量导致的保障资源等待时间。保障资源等待时间的计算根据资源的使用特点分为消耗型资源等待时间计算与占用型资源等待时间计算。当资源需求时间间隔和资源被占用时间不服从指数分布时，通常借助仿真方法计算分析相应占用型资源等待时间。保障资源等待可以看作一个保障作业，将其对应的时间并入保障作业时间计算即可。

2) 计算保障作业及活动时间

(1) 保障作业时间计算。

①保障作业网络图。保障作业及其之间的时序关系可以借助网络图来进行描述。网络图是通过关键路径法分析保障作业时间的最直观建模方法，网络图又称箭线图，是由带箭头的线和节点构成的，是组成保障活动的各部分保障作业时序关系的图形化表述形式。保障作业网络图由保障作业、节点、路径三类基本建模元素组成，这里不再详述。

②保障作业网络时间计算。保障作业网络图的时间参数包括每个保障作业执行时间、保障作业的最早、最迟开始及结束时间以及时差等。保障作业时间 $t(i,j)$ 是指完成某一项保障作业所需要的时间，通常以分钟 (min) 为单位。

a. 保障作业的最早开始时间与保障作业的最早结束时间。保障作业 $t(i,j)$ 的最早开始时间用 $t_{\mathrm{ES}}(i,j)$ 表示，是指保障作业必须在其所有紧前保障作业全部完工后才能开始的时间；保障作业 (i,j) 的最早结束时间用 $t_{\mathrm{EF}}(i,j)$ 表示，它表示保障作业按最早开始时间开始所能达到的完工时间。其表达式为

$$\begin{cases} t_{\mathrm{ES}}(1,j)=0 \\ t_{\mathrm{ES}}(i,j)=\max\{t_{\mathrm{ES}}(k,i)+t(k,i)\} \\ t_{\mathrm{ES}}(i,j)=t_{\mathrm{ES}}(i,j)+t(i,j) \end{cases} \tag{8-11}$$

这是一组递推公式，即所有从起始节点出发的保障作业 $(1,j)$，其最早开始时间为 0；任一保障作业 (i,j) 的最早开始时间由其紧前保障作业集合中的最早开始时间决定；保障作业 (i,j) 的最早结束时间显然等于其最早开始时间与工时之和。

b. 工序的最迟开始时间与工序的最迟结束时间。保障作业 (i,j) 的最迟开始时间用 $t_{\mathrm{LS}}(i,j)$ 表示，它表示保障作业 (i,j) 在不拖延所有保障作业进度的前提下，必须开始的最晚时间；保障作业 (i,j) 的最迟结束时间用 $t_{\mathrm{LF}}(i,j)$ 表示，它表示保障作业 (i,j) 按最迟开始

时间开工，所能达到的完工时间。其表达式为

$$\begin{cases} t_{\mathrm{LF}}(i,n)=\text{最后一个保障作业结束时间} \\ t_{\mathrm{LS}}(i,j)=\min\{t_{\mathrm{LS}}(j,k)-t(i,j)\} \\ t_{\mathrm{LF}}(i,j)=t_{\mathrm{LS}}(i,j)+t(i,j) \end{cases} \tag{8-12}$$

这组公式是按保障作业的最迟开始时间由最终节点向起始节点逐个递推的公式。凡是进入最终节点 n 的工序 (i,n)，其最迟结束时间必须等于预定所有保障作业完成时间。保障作业 (i,j) 的最迟结束时间显然等于该保障作业 (i,j) 的最迟开始时间与工时的和。

c. 时差。在不影响所有保障作业进度的条件下，某保障作业 (i,j) 可以延迟其开工时间的最大幅度，称为该保障作业的总时差，用 $R(i,j)$ 表示。其计算公式为

$$R(i,j)=t_{\mathrm{LS}}(i,j)-t_{\mathrm{ES}}(i,j)=t_{\mathrm{LF}}(i,j)-t_{\mathrm{EF}}(i,j) \tag{8-13}$$

保障作业 (i,j) 的总时差等于它的最迟结束时间与最早结束时间的差；或是该保障作业的最迟开始时间与最早开始时间的差。

③关键路径的确定。保障作业总时差的作用主要用于确定关键保障作业和找出关键路径。关键保障作业就是保障作业总时差为 0 的保障作业，也就是其开始时间或结束时间没有任何机动余地的保障作业。而关键路径是指从第一个保障作业开始到最后一个保障作业结束占用时间最长的路径。在关键路径上，各项保障作业的总时差均为 0；反之也成立，即由总时差为 0 的保障作业连接成的从始点到终点的路径，就是关键路径。

(2) 保障活动时间的计算。

保障活动及其之间的关系也可以借助网络图来进行描述。在描述保障活动的网络图中，每项保障活动时间是由相应的保障作业时间网络图计算得到的。关于保障活动网络时间计算方法同保障作业网络时间的计算，这里不再赘述。保障活动网络计算得出的时间即相应的保障事件时间。

3) 计算保障事件频数

(1) 使用保障事件频数计算。装备的一次动用可以看作装备的一个任务活动，战时或平时训练的任务频度可以用装备的任务强度来表征。任务强度是指单位时间内装备动用次数，如飞机装备任务强度单位是次/(架·天)。装备任务强度是装备系统重要的设计要求参数，在综合论证时就会给出。装备每次出动可能执行的任务类型不同，与之相应的使用保障事件也有所差别。如果给定一个任务持续时间跨度 T，在已知装备任务强度的情况下就可以确定这段时间内装备使用保障事件的频数。

(2) 维修保障事件频数计算。

①修复性维修保障事件频数计算。修复性维修保障事件的频数 f_{CMS} 与保障对象的使用要求、故障率、故障模式频数比和非故障拆卸率等因素有关，可按式(8-14)进行计算：

$$f_{\mathrm{CMS}}=N_{\mathrm{E}}A_{\mathrm{OR}}\sum_{k=1}^{N_{\mathrm{QP}}}\left[\theta_k\sum_{l=1}^{N_{\mathrm{FM}k}}\alpha_{1k}(\lambda_k+\mu_{k1})\right] \tag{8-14}$$

式中，N_{E} 为装备群中装备的数量；A_{OR} 为单装备在单位日历时间内的工作时间(h)，如飞机装备群中每架飞机的年度飞行小时要求是 600h；N_{QP} 为被分析的维修保障活动中包含的保障对象数；θ_k 为被分析的第五个保障对象的运行比；$N_{\mathrm{FM}k}$ 为被分析的第 k 个保障对

象的故障模式数；α_{1k} 为被分析的第七个保障对象的第 1 种故障模式频数比；λ_k 为被分析的第 k 个保障对象的故障率；μ_{k1} 为被分析的第 k 个保障对象的第 1 种故障模式由于非故障因素导致的修理次数，如由于虚警导致的误拆除。当不能有效预计由于非故障因素导致的修理次数时，修复性维修保障事件的频度可近似用故障率代替。

②预防性维修保障事件频数计算。预防性维修保障事件的频度 f_{PMS} 可由相应预防性维修工作的周期直接确定。预防性维修事件周期通常有三种表述方式：以日历时间为单位的表述方式；以装备工作时间为单位的表述方式；以装备使用次数为单位的表述方式。预防性维修保障事件的频度 f_{PMS} 可通过式(8-15)计算：

$$f_{\mathrm{PMS}} = N_{\mathrm{E}} \cdot \max\{[A_{\mathrm{OR}j} / \min(T_{\mathrm{PMD}j})], j = 1,2,3\} \tag{8-15}$$

式中，N_{E} 为装备群中装备的数量；$A_{\mathrm{OR}j}$ 为第 j 种维修间隔期单位使用要求；$T_{\mathrm{PMD}j}$ 为以第 j 种维修周期做单位的预防性维修工作间隔期。

4) 汇总计算保障事件时间

保障系统的平均保障时间可由最下层保障事件时间按照其频数进行加权平均计算得到。

5) 保障时间分析及改进

保障时间分析随着保障方案的细化要反复迭代，通过保障时间分析，根据分析结果，与设计要求进行对比，如果保障时间小于设计要求，可给出满足设计要求的评价结果。

此外，还可根据分析结果找出保障系统设计要素中的薄弱环节，然后根据薄弱环节制定改进措施，提高保障系统的及时性。设计改进可以从以下两个层面展开。

(1) 保障活动或保障作业分析及改进。对保障活动或保障作业时间进行分析，找出影响保障作业或保障活动的关键路径，对关键路径上的保障作业或保障活动进行改进，以缩短相应保障作业或保障活动的整体完成时间。

(2) 保障事件时间分析及改进。对组成平均保障时间的最底层保障事件时间进行分析，找到保障事件时间与保障事件频数乘积较大的保障事件，着重对其进行分析，来降低相应的保障事件时间和频数的综合效果，达到改进保障性设计水平的目的。

4. 保障活动演示试验与评价方法

1) 准备工作

(1) 制订试验计划。在执行试验前，由承制方根据试验大纲制订保障活动演示试验计划。该计划应于工程研制开始时基本确定，并随着研制的进展逐步调整。该计划应包括以下各项内容。

①试验的目的与要求。该部分包括依据、目的以及定性和定量要求。如果与其他工程试验结合进行，还应说明结合的方法与工程试验项目。试验计划中的其他部分应围绕着试验目的展开，逐一说明相关的要求。

②试验步骤说明。

a. 需进行验证的保障活动演示项目及其试验次数。

b. 各保障活动演示项目验证的顺序、预计需要经历的时间。

③试验组织机构人员安排及职责说明。

④人员要求。明确试验人员的专业划分和熟练程度，熟练程度通常以平均水平为准，平均水平可适当按照具备两年工作经验的操作人员应具备的水平来说明。此外，还要明确试验人员的数量要求。

⑤保障资源要求。明确试验用的保障资源(保障工具设备、备附件、消耗品、技术文件和试验设备、安全设备等)的数量和质量要求。

⑥试验环境要求。对试验环境要求要进行说明，通常试验环境条件应选取与装备部署外场同等或相近的环境条件。

⑦有关试验的一些其他基本规定。明确对受试品的来源、数量、质量要求，以及试验场地要求、试验进度安排等，相关试验规定应征得订购方同意，未经订购方同意的任何试验计划不应实施。

(2)绘制保障活动演示时线图。根据订购方规定的保障活动时间要求，承制方应准备装备保障活动时线图，以作为详细试验操作步骤的依据。保障活动时线图对应于装备的典型任务，不同典型任务的保障活动时线图中包括的工作项目可能不同，如图 8-12 所示，图中规定了进行试验的人员配备和相关作业顺序以及执行时间。绘制保障活动演示时线图，是为了向试验人员描述所实施保障活动作业的工作顺序，在收集试验数据时，可比照时线图形式进行分析。时线图应按装备保障活动作业的紧前紧后工作逻辑关系绘制。

图 8-12 中各要素说明如下：序号，即保障活动作业的顺序标识；工作项目，即保障活动作业项目名称；时间，即预计完成保障活动作业项目所需的时间；时线标度，即标记保障活动作业开始及结束时间的标准；人力人员说明，指执行保障活动演示的保障人员工种及数量说明；时线线段，表示保障活动作业开始及结束时间的线段，时线线段上面的数字和字母表示人员标识，数字表示专业，英文字母是人员标识；时线线段右侧的括号中的内容表示预计的相应作业的开始时间及结束时间。

序号	工作项目	时线标度/min														
		时间	0	1	2	3	4	5	6	7	8	9	10	11	12	13
1	作业×××	3	1A、1B (0～3)													
2	作业×××	2				1A、1B (3～5)										
3	作业×××	1				2A (3～4)										
4	作业×××	3						1A (5～6)								

图 8-12　装备保障活动时线图

(3)其他准备工作。其他准备工作包括以下方面：

①试验操作人员到达试验现场时首先要检查装备的状况是否符合试验规定的技术状态；

②保证装备安全使用与维修的设备、设施、技术资料、器材、弹药以及外挂物已到位；

③操作人员检查试验所需的工具是否齐全，状况是否良好，检查试验所需维修设备技术状况是否良好，与装备的连接是否到位并可靠；

④列出并获取试验中所需的技术文件等内容，承制方提供相关作业详细的操作说明，包括每个作业步骤需要用到的相关保障设备的使用说明；

⑤明确试验中各项时间要素的定义，这些要素包括预计的接近时间、预计的操作时间和预计的撤出时间；

⑥保障资源的配备、各项保障资源的种类及数量要与装备使用时相同；

⑦承制方应负责对试验操作人员进行培训，试验人员的技术等级及受培训程度要与装备使用时相同。

2）试验实施步骤

（1）确定验证要求。验证要求包括定量要求和定性要求。定量要求主要是执行时间要求；定性要求通常从以下几个方面考虑制定：

①减少关键保障活动数量；

②缩短保障工作时间；

③保障活动可同时进行；

④装备保障活动应考虑各项工作点的可达性、可见性和具有合适的操作空间。

（2）确定试验样本量。装备保障活动时间指标试验的样本量，是指为了达到验证目的所需保障活动演示的样本量。装备保障活动时间试验样本量的确定，一般应根据保障活动演示所对应的典型任务频度、需达到的验证目的等予以确定。最后确定的实际样本量，需经订购方同意后决定。

（3）试验样本的分配。试验样本应按照保障活动的发生频率进行分配，如使用保障活动的试验样本应以任务频数比作为分配依据，某保障活动对应的典型任务种类只有一种，此时不需要进行试验样本的分配；当典型任务种类多于一种时，需要按相应的分配要求及方法进行试验样本的分配。试验样本分配的原则是：按照典型任务的频率将试验样本分配到各保障活动，并尽可能保证每个典型任务至少有一个试验样本。

修复性维修保障活动的试验样本应按照故障率进行分配，预防性维修保障活动的试验样本应按照维修间隔期的大小进行分配。

下面以某型飞机再次出动准备活动为例说明分配方法的应用，其应用步骤见表 8-14。

表 8-14　试验样本分配方法（示例）

典型任务名称（1）	任务频数 f_i（2）	典型任务频数比 C_{pi}（3）	分配的样本量（4）
空–空任务	10	0.46	5
空–地任务	8	0.36	4
空–舰任务	4	0.18	2
共计	22	1	11

需要注意的是，任务频数是用百飞行小时率，即每 100h 的任务次数表示的。

第（1）栏：典型任务名称。本例中某型飞机的典型任务包括空–空任务、空–地任务和空–舰任务。

第(2)栏：任务频数 f_i。f_i 由装备的使用要求确定。

第(3)栏：典型任务的频数比 C_{pi} 由 f_i 计算。

第(4)栏：与各典型任务相应的保障活动时间试验分配的样本量按预先确定的样本量进行计算。

(4)执行试验。装备保障活动定量要求的验证，应通过试验操作完成实际保障活动作业，统计计算装备保障活动时间相关参数，进行判决。

①执行保障活动作业。由试验实施小组的相关操作人员按照承制方设计的保障活动作业程序执行相关操作。

②记录相关试验结果。记录这些操作的执行时间和执行环境。数据记录表格见表 8-15。

表 8-15　保障活动作业记录表

填表人员：×××　　　　日期：×××

编号	工作项目	工具	人员	开始时间	结束时间	合计	工时	备注
验证负责人意见								
订购方意见								

(5)通过演示试验评价定性要求。

①制定定性核对表。利用定性核对表来评价装备满足定性要求的程度。核对表由承制方根据有关规范、合同要求和设计准则等制定，并经订购方同意。核对表至少应考虑以下各方面的内容。

a. 是否考虑了减少保障活动演示项目；

b. 是否考虑了减少保障活动演示项目的执行时间；

c. 是否考虑了保障活动演示项目并行的执行。

定性要求核对表结构见表 8-16。

表 8-16　装备保障活动定性要求核对表

序号	项目说明	检查内容	评分等级				得分
			优	良	中	差	

②在受试装备上演示核对表中核查的保障活动操作项目，重点判断其是否符合相关设计要求。在进行演示时，通常应注意以下方面：

a. 演示环境要尽可能地接近预期的现场使用环境；

b. 承制方要负责制订演示试验的程序；

c. 对于需启封或操作有危险性的项目可通过分析代替实际的演示工作；

d. 承制方要对试验承担方进行培训。

3) 信息收集、分析与处理

(1) 试验信息的收集。

①应详细记录需要的装备保障活动信息，收集试验中与保障相关的原始信息。装备保障活动试验与评价中使用的信息收集系统应尽可能与可靠性、维修性、测试性信息收集系统相结合。

②在试验与评价中，应使用保障活动演示数据库，试验组按规定的信息项记录所需信息，同时应使承制方能通过数据库获得所有保障信息。

(2) 统计计算、判决与估计。

①小样本情况。当样本量小于等于 5 时，称为小样本，此时采用点估计的方法来计算保障活动时间相关参数。

②评估参数分布已知。若参数的分布已知，可按抽样检测的方法选择试验样本，在确定订购方和承制方能够接受的风险水平基础上，确定出一定置信度或置信水平的试验样本量及判定准则，从而通过统计分析计算确定结论。

③评估参数分布未知。若参数的分布未知，可采用非参数法选择试验方案，确定出一定置信度或置信水平的试验样本量及判定准则。

4) 试验与评价结果

(1) 装备保障活动要求的评定与评价。

①定量评定结果。试验结果应取各试验样本的平均值，对试验结果进行假设检验，判断其是否可被接受。

②装备保障活动定性要求评价结果。根据演示结果，评价专家根据其符合程度，在核定表中打分，最终给出定性的演示试验与评价结果。

根据装备保障活动符合性要求进行打分，评分规则是百分制，评分原则如下：

a. 优——设计很好，完全满足要求，有些甚至高出合同要求水平，可以打 90～100；

b. 良——设计良好，满足要求，有少部分缺陷，但容易改正，可以打 70～89；

c. 中——设计一般，基本满足要求，有一些缺陷，改正需要一定时间，有较大工作量，可以打 60～69；

d. 差——设计很差，有较多较大缺陷，需要返工，可以打 0～59。

最后得出综合得分，综合得分为所有项目得分的平均值。

(2) 试验与评价报告及评审。

装备保障活动要求试验结束后，要编写试验与评价报告，该报告应包括以下内容。

①试验与评价基本情况。

a. 对象、目的、项目、时间、地点、环境、组织机构；

b. 经费数量、来源和使用；

c. 采取的方法及依据标准；

d. 程序、计算方法。

②试验与评价结果。

a. 试验与评价数据汇总分析；

b. 与合同规定的保障活动时间门限值的偏差、满足保障活动定性要求的程度；

c. 是否达到定性定量要求的结论；存在的问题(包括硬件、软件、保障活动、保障活动资源或使用原则等方面)。

③改进建议及纠正措施。包括对装备保障活动方面设计缺陷提出改进建议、评价由于采取纠正措施而引起的装备保障活动方面的变化。

④附录。介绍性及解释性的材料可编成单独的文件作为报告的附录。

5. 典型保障活动试验与评价示例

本示例以某型导弹的再次发射准备时间试验与评价为对象进行介绍。

1) 说明

导弹再次发射是指导弹地面发射装备在发射完上次所装填导弹后再次装填导弹发射的准备活动，本示例说明了导弹再次发射准备时间定量试验与评价的一般过程，以此来确定导弹再次发射准备时间是否符合规定的要求。本例选取某型导弹再次发射准备时间部分数据进行评价。

2) 试验与评价方案

(1) 评价参数为导弹再次发射准备时间，门限值为 14min。

(2) 导弹再次发射准备工作程序如图 8-13 所示。依照图中规定程序执行试验。

(3) 规定的各个作业步骤的开始及结束时间仅作为试验人员执行相关操作的时序逻辑依据，并不以时间来限定试验人员执行每个作业步骤的时间。

(4) 试验条件。

①被试导弹在进入发射阵地后进行试验。

②参试人员已按照承制方设计要求进行了相关试验操作的训练，掌握了相关操作技术。

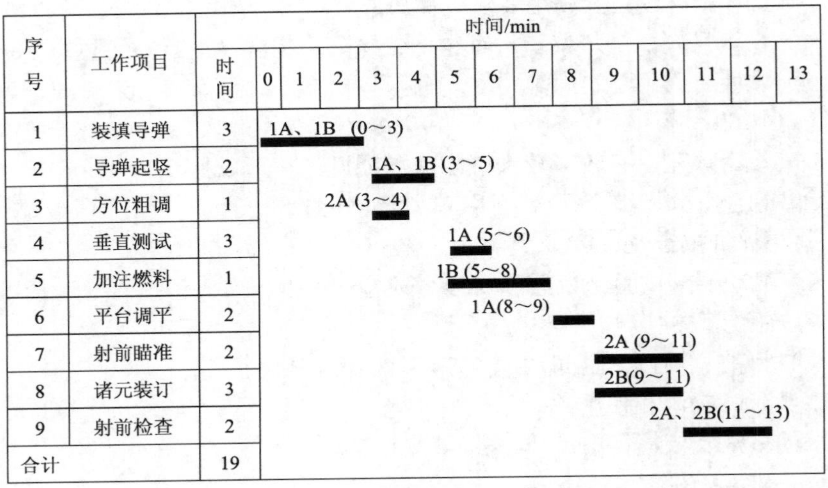

序号	工作项目	时间/min														
		时间	0	1	2	3	4	5	6	7	8	9	10	11	12	13
1	装填导弹	3	1A、1B (0～3)													
2	导弹起竖	2				1A、1B (3～5)										
3	方位粗调	1				2A (3～4)										
4	垂直测试	3						1A (5～6)								
5	加注燃料	1						1B (5～8)								
6	平台调平	2									1A(8～9)					
7	射前瞄准	2										2A (9～11)				
8	诸元装订	3										2B(9～11)				
9	射前检查	2												2A、2B(11～13)		
合计		19														

图 8-13　导弹再次发射准备时线图

③相关保障资源已就位。

④导弹已在技术阵地检测为合格。

⑤被试设备以外的设备允许预先处于工作状态。

(5) 试验样本量。试验样本量为 11。

3) 数据收集与分析

某型导弹第一个样本再次发射准备评价数据见表 8-17。第二个样本再次发射准备评价数据采用与该表同样格式的表格记录，这里不再赘述，仅取用其结果值进行数据统计分析。

表 8-17　某型导弹再次发射准备时间定量试验与评价数据(部分)

填表人员：×××　　日期：×××

编号	工作项目	工具	人员	开始时间	结束时间	合计	工时	备注
1	装填导弹		1A、1B	0	2.5	2.5	5	
2	导弹起竖		1A、1B	2.5	4.6	2.1	4.2	
3	方位粗调		2A	2.5	3.5	1	1	
4	垂直测试		1A	4.6	5.9	1.3	1.3	
5	加注燃料	推进剂加注车	1B	4.6	9.0	4.4	2.4	
6	平台调平		1A	7	8.1	0.9	0.9	
7	射前瞄准		2A	8.1	10	1.9	0.9	
8	诸元装订		2B	8.1	9.5	1.4	2.4	
9	射前检查		2A、2B	10	12.5	2.5	3	
	验证负责人意见	数据符合要求						
	订购方意见	数据符合要求						

4) 评价结论

根据样本的试验结果值，进行点估计值的计算。代入表 8-17 中“合计”列各项时间值，评价结果值为 12.35min，小于门限值 14min。该型装备再次发射准备时间验证结果为“通过验证”。

$$
\begin{aligned}
T_{\mathrm{TAT}} &= \frac{1}{n}\sum_{i=1}^{n} T_{\mathrm{TAT}i} \\
&= \frac{1}{11}(12.5+14+12+13+11.5+12+13.5+11+12+12+12.3) \\
&= 12.35(\mathrm{min})
\end{aligned}
$$

应注意以下事项。

(1) 并不是所有的保障活动都要进行保障活动试验与评价，保障活动试验与评价应针对关键保障活动，如发生频率高的保障活动可视为关键保障活动。

(2) 在操作过程中，验证小组的记录人员要按照制定的保障活动时间统计准则进行各项作业时间的测定，并记录测定结果。

(3) 在每次保障活动作业操作完成后，如果受试对象要进行下次试验，一定要经过严格的复查，确信装备已恢复到验证前的技术状况才可投入下次试验。

(4) 在试验的实施中，需要制定必要的管理制度，严格遵守，以保证装备保障活动试验验证工作的有序、有效运行。

(5) 由于装备设计不当，或者由于技术手册中操作程序不恰当，造成装备保障活动过程中花费的额外准备时间应计算在内，但当采取措施纠正设计缺陷或不恰当的操作程序后，应在此执行试验进行验证。

(6) 试验中，若保障活动演示中作业存在并行操作，则要按照诸并行作业中的最长执行时间统计。

(7) 如果采用与其他工程试验相结合的方式开展试验，则需要特别注意试验操作时的安全问题。如果存在安全隐患，一般应取消该项试验操作。

(8) 装备保障活动试验应尽可能与可靠性、维修性、测试性、安全性试验以及保障资源试验(如工具的适用性检查或保障设备与被试装备连接的协调性检查等)结合开展。

(9) 试验的计划实施与结论均需要得到订购方的认可。

(10) 对装备保障活动试验与评价信息的收集应建立相应的数据库。

保障活动要求试验要在我国装备研制工作允许的条件下实施，即在定型阶段时间有限、经费有限的条件下，考虑与装备保障活动演示相关的保障资源约束，采用适当的验证技术和方法来考核保障性水平达到规定要求的程度。

8.4.4　保障性综合要求的试验与评价

1. 保障性综合要求评价的内容

1) 目的

通过建立验证装备系统是否满足保障性综合要求的方法和程序，提供装备系统运行的实测数据，暴露并发现装备保障性设计和保障系统运行方面存在的问题，对保障性综合指标满足设计要求和订购方需求的程度进行评价，为制定改进措施提供依据。

保障性综合研制试验与评价的重点在于检验保障性综合设计水平是否满足设计要求，是承制方用于确认保障性综合指标的技术手段，由承制方负责规划、组织和实施。

2) 目标

(1) 对装备系统战备完好性进行试验和评价。

(2) 对装备系统任务持续性进行试验和评价。

(3) 对保障系统的保障规模进行评价，试验中涉及的保障资源种类包括保障设备及工具、保障人员、保障设施、备件。

3) 作用

(1) 提供可用装备数量随任务时间变化的实测数据，评价装备达到规定战备完好性的程度，为设计定型提供参考。

(2) 提供装备系统任务持续能力的实测数据，评价装备达到规定任务持续性的程度，为设计定型提供参考。

(3)确定在装备系统使用后达到设计门限值发生的偏差，拟定进一步的改进措施。

2. 保障性综合要求试验与评价分类

保障性综合试验通常采用统计试验方法，根据试验对象的特质将其分为实体试验和仿真试验。

1)实体试验

实体试验是通过选定一定数量的装备及其保障系统作为试验样本，按照使用任务要求部署于实际或接近实际的使用与维修环境中，全面地测量评价其综合特性的试验。

2)仿真试验

仿真试验是通过建立装备及其保障系统的计算机模型，通过计算机仿真模拟装备系统的运行，收集装备系统模拟运行过程中产生的、用于分析保障性综合指标的仿真输出结果，并对其进行统计分析来完成试验。

实体试验通常在装备正式样机研制出来之后才能实施。因此，该试验可以是工程研制阶段后期的使用试验或定型试验的主要组成部分。由于该试验要完成的评价项目多，需要持续的时间长，而且耗资巨大，因此，通常是采用试验场(基地)与部队试验相结合的方法，特别对于大型、复杂的装备系统更是如此。但是在试验场(基地)进行的定型试验所持续的时间有限，而且为评估装备的战备完好性、保障系统的保障规模等项指标要求时，需要采集大量的保障性数据才能保证统计的有效性。因此，该试验一般需要进行部队试验以及利用初始部署后在部队使用单位现场收集装备的使用、维修与供应数据，才能达到评估保障性的目的。

仿真试验通常在装备研制阶段应用，耗资较小，目前保障性综合研制试验通常借助计算机仿真方法开展。

保障性综合要求评价数据除借助试验方法获得外，还可以采用分析方法获得，本节主要介绍保障性综合要求的分析评价方法和仿真试验与评价方法。

3. 基于分析的综合要求评价方法

保障性综合要求可以采用解析分析方法或借助试验产生的数据进行统计分析完成评价。解析分析方法是在明确已知条件和假设的前提下，通过建立解析模型，计算保障性综合参数，通过与要求值进行比较进行评价，这种评价方法适合于研制阶段早期，在缺乏保障系统详细构成信息的前提下通常较为有效，但评价结论往往与实际有一定偏差；试验方法是根据试验过程中收集到的数据，对其进行统计分析，最终得出评价结论，此方法适用于装备构型及保障系统构成数据较为详细时使用，如在工程研制阶段后期和使用阶段。在研制阶段早期可考虑用基准系统数据代替新研装备系统数据。在保障资源数量预测的基础上，根据该保障资源的重量参数和体积参数，可对保障系统规模进行预测，主要包括保障资源总体积计算、保障资源总重量计算、运输工具动用次数计算等。接下来通过一个保障系统规模分析算例进行介绍。

4. 基于仿真的综合要求评价方法

1) 仿真框架

保障性综合仿真模型是从分析装备系统特性参数的角度来描述装备系统之间及其内部要素的。在本书中综合考虑保障对象与保障系统的特征数据元素，以及装备系统运行过程两个方面，建立保障性综合仿真模型：用数据元素来描述保障对象及其保障系统的静态特征，用运行过程来描述驱动保障系统的典型任务执行过程及其自身运行过程。通过对保障方案中规定的保障策略进行模拟试验，进而达到度量相关特性参数的目的。

保障性综合仿真的输入主要分为任务输入、保障对象输入和保障系统输入三大类，保障性综合仿真过程主要分为任务执行过程仿真、故障过程仿真和保障过程仿真，保障性综合仿真的输出主要是对装备系统相关参数进行统计分析计算。任务计划分配和任务执行属于保障对象任务执行过程仿真，使用保障过程、修复性维修过程、预防性维修过程、资源准备过程和供应过程属于保障系统的保障过程，这些过程中的延迟时间决定了保障对象在典型任务执行序列中各个离散时间点的可用状态，而延迟时间的影响因素几乎都是随机因素，只有抽象出与这些过程相关的数据，建立相应的过程模型描述相应的随机事件流程，在流程的执行过程中记录相关事件的执行时间，才能对保障方案相关特性参数进行计算。

2) 任务建模

装备综合保障仿真中的任务建模是对基本作战单元的使用任务进行描述，在任务持续时间 T 内有 M_1，M_2，…，M_n 共 n 个基本任务，每个基本任务都由基本作战单元中一定数量的装备 N_{Mi} 参与执行。假设 t_{1s} 表示任务 M_1 的开始时刻，t_{1r} 表示参加 M_1 的装备到达任务执行地点的时刻，t_{1b} 表示参加 M_1 的装备任务完成的时刻。t_{1e} 表示参加 M_1 的装备到达任务结束后集结地点的时刻，把 t_{1s} 到 t_{1r} 这段时间 T_{R1} 称为任务 M_1 的到达时间，t_{1r} 到 t_{1b} 这段时间 T_{M1} 称为任务 M_1 的执行时间，t_{1b} 到 t_{1e} 这段时间 T_{B1} 称为任务 M_1 的返回时间。任务 M_2，…，M_n 的相关参数与任务 M_1 同理，不再赘述。如果在任务执行过程中，装备发生故障，就会导致任务中断。

3) 装备群建模

装备综合保障仿真中的装备群建模是对基本作战单元中的装备群进行描述，分为两个层次：第一个层次是要描述装备群的构成，要在对装备群的描述中明确装备的数量；第二个层次要描述装备分解结构及 RMS 特性。装备群是由同型装备组成的，装备由现场可更换单元(LRU)组成，LRU 由车间可更换单元(SRU)组成。通常基本作战单元不能完成预定的任务是因为故障导致可用装备数降低，装备的故障是由 LRU 导致，LRU 故障是由 SRU 导致。

4) 保障系统建模

保障系统的功能是要维持装备的正常使用，主要包括使用保障、维修保障、供应保障等。

装备综合保障仿真中的保障系统建模主要包括以下方面。

(1) 保障组织建模：保障组织包括基层级、中继级和基地级的保障站点及机构。

(2) 保障资源建模：保障资源主要包括保障设施、保障设备、保障人力、供应品、训练设备、技术资料等。保障资源按照部队建制被部署在保障组织中。

(3) 保障活动建模：保障活动主要包括使用保障活动、维修保障活动、供应保障活动等，使用保障活动是指为保证装备正常动用而进行的活动，维修保障活动是指恢复装备正常使用功能而进行的维护活动，供应保障活动是指为保证有充足的保障资源而进行的活动。这些活动是在相应的保障组织中开展，在开展这些活动时需要使用、消耗一定的保障资源，这些活动的完成标志着保障系统功能的正常履行。

5) 仿真输出参数分析

(1) 保障性综合仿真输出参数分类。综合保障仿真输出参数是用于度量装备系统的战备完好性、任务持续性以及保障系统的保障能力。相关参数主要包含战备完好性参数、任务持续性参数和保障系统特性参数等三种类型。

①战备完好性参数。各典型装备常用战备完好性参数见表 8-18。

表 8-18　典型装备常用战备完好性参数

战备完好性参数	含义	适用装备类型
出动架次率	在规定的使用及维修方案下，每机每天能够执行任务的总次数	飞机
能执行任务率	至少能够执行一项规定任务的时间与其总拥有时间之比	飞机/车辆
战备完好率	要求装备投入作战时，该装备能够执行任务的概率	各种装备
储存可靠度	在规定的储存条件和储存寿命内，要求执行任务的可用导弹数与库存导弹数之比	导弹
在航率	处于在航状态的舰艇数与实有舰艇数之比	军舰

②任务持续性参数。基本作战单元任务持续性通常用任务持续度、平均任务持续时间和平均任务持续性恢复时间度量。在选取任务持续性参数时，根据装备特点一般考虑的原则见表 8-19。

表 8-19　典型装备常用任务持续性参数

任务持续性参数	选取原则	适用装备类型
基于任务强度的任务持续度	任务效果基于任务强度考量的基本作战单元类型	飞机
基于任务覆盖时间的任务持续度	任务效果基于任务强度和任务覆盖时间考量的基本作战单元类型	雷达、防空导弹
基于任务强度覆盖时间的任务持续度	任务效果基于任务强度和任务覆盖时间考量的基本作战单元类型	飞机、自行火炮、舰船
平均任务持续时间	评估保障系统满足任务持续要求时，或综合权衡基本作战单元的可靠性、维修性、保障性参数时	各种类型
平均任务持续性恢复时间	评估基本作战单元任务空洞时间	预警机、侦察机、防空导弹

③保障系统特性参数。保障系统特性参数主要包括平均保障时间、资源利用率和资源满足率及保障系统规模等参数。

(2) 输出参数计算与分析方法。由于装备及保障系统运行过程中的固有随机性，每一次试验的数据仅仅是系统的一个样本。如果仅在这一个样本上进行分析，所得到的系统特性可能与系统的实际特性有很大的差别。为使试验结果具有工程意义，必须采用适当的方法来设计试验，有效地控制试验的次数才能使估计值接近理论值，减小方差，并对仿真结果进行适当的分析，这样才能得到合理的结论。

在仿真试验过程中大多数保障系统的属性都是随机变量，经过试验运行后的输出结果也将是随机变量，如果试验运行中按照离散区间观察和记录试验运行结果，则输出的观察值将为 $\{Y_1, Y_2, \cdots, Y_n\}$ 的形式，它们构成离散时间的随机过程，因此对于试验结果的测度过程就是对某一离散随机过程的分析，装备保障性综合参数所对应的随机变量的数学期望为 $E(y)$，做 n 次试验输出的运行数据都是所研究随机过程的一个样本。装备保障性参数计算就是根据随机样本的取值来估计系统真实参数的统计计量，一般可用点估计和区间估计来表示。

保障性综合仿真输出参数的计算是通过获取每次仿真试验中记录的仿真事件原始数据，在这些数据的基础上，依据前述保障性综合仿真输出参数的定义，对相关输入项进行处理完成参数的计算，并根据仿真试验的次数，进行统计分析判别。满足相应判别准则时，将计算结果作为装备保障性综合评估的参考依据。基本原理如下。

①在每次仿真试验中记录相关事件的开始时间和结束时间，将这些数据作为原始试验数据。

②根据要计算参数的定义，将这些时间作为计算输入项，计算相关参数。

③根据仿真试验次数的设定，对这些参数进行处理，确定相应的点估计值和区间估计值。

④依据相应的统计判别准则，确定输出参数是否满足一定置信水平下相应置信区间精度要求，若满足可将此参数值作为评估依据；若不满足，继续增加仿真试验的次数，直至获得满足要求的参数值。

装备保障性综合仿真通常采取终态仿真方式，每次试验运行得到的结果是系统特征的一个样本，在试验方案中事先确定试验运行的次数 $N(N\geqslant 2)$，如每次试验的相关参数计算值为 $\{Y_1,Y_2,\cdots,Y_N\}$，此时这些变量由于是在相同的试验条件下获得，可以认为其是独立同分布随机变量，就是每次试验都采用相同的输入数据，在相同的初始条件下，在不同的日历时间进行试验。

做 N 次仿真试验可以建立一定置信水平下相应参数的置信区间，但要求 N 足够大，根据大数定律，使 Y 近于正态分布。然而，实际运行中往往不能满足这些条件，因此需要研究置信区间的鲁棒性，即外界条件变化时，样本量变大或变小时，置信区间的稳定性。为进行鲁棒性分析，需要做一组每次重复 N 次的试验，如果这组试验的个数为 R，那么将得到 R 个置信区间，定义覆盖率为 N 个试验所得到的置信区间中能够覆盖 $E(Y)$ 的百分比，记为 p，显然 R 次试验得到的覆盖率只是对真实覆盖率的一个点估计，所以可以建立针对真实覆盖率 $100(1-\alpha)\%$ 的一个置信区间。

习　题

1. 预防性维修工作类型都包括哪些？简述这些工作适合预防什么特点的故障。
2. 如何考虑制定非重要设备或结构产品的预防性维修工作？
3. 什么是维修级别？维修级别通常如何划分？每个维修级别的特点是什么？
4. 请以你熟悉的装备的使用或维修保障工作为分析对象，绘制相应的时线分析图。
5. 请分析相邻层次保障工作的频率是否相同，并简述其原因。

参 考 文 献

布兰谢德尔, 2014. 系统工程与分析. 5 版. 李瑞莹, 潘星, 译. 北京: 国防工业出版社.

陈圣斌, 曾曼成, 郝宗敏, 等, 2020. 装备保障特性设计技术与应用. 北京: 航空工业出版社.

陈学楚, 张诤敏, 陈云翔, 等, 2005. 装备系统工程. 2 版. 北京: 国防工业出版社.

甘茂治, 康建设, 高崎, 1999. 军用装备维修工程学. 北京: 国防工业出版社.

郭霖瀚, 章文晋, 等, 2020. 装备保障性分析技术及其应用. 北京: 北京航空航天大学出版社.

郭齐胜, 郅志刚, 杨瑞平, 等, 2005. 装备效能评估概论. 北京: 国防工业出版社.

胡晓惠, 蓝国兴, 申之明, 等, 2008. 武器装备效能分析方法. 北京: 国防工业出版社.

花禄森, 等, 2010. 系统工程与航天系统工程管理. 北京: 中国宇航出版社.

姜兴渭, 宋政吉, 王晓晨, 2005. 可靠性工程技术. 哈尔滨: 哈尔滨工业大学出版社.

康锐, 2012. 可靠性维修性保障性工程基础. 北京: 国防工业出版社.

李鸣, 毛景立, 等, 2003. 装备采购理论与实践. 北京: 国防工业出版社.

李维, 吕彬, 2015. 美军武器装备采办里程碑节点审查. 北京: 国防工业出版社.

刘忠, 林华, 周德超, 2014. 军事系统工程. 北京: 国防工业出版社.

吕川, 2012. 维修性设计分析与验证. 北京: 国防工业出版社.

罗祎, 苏执阳, 阮旻智, 等, 2015. 军用装备维修保障资源预测与配置技术. 北京: 兵器工业出版社.

任占勇, 2018. 航空装备任务可靠性设计与验证技术. 北京: 航空工业出版社.

宋保维, 2008. 系统可靠性设计与分析. 西安: 西北工业大学出版社.

宋太亮, 2002. 装备保障性工程. 北京: 国防工业出版社.

苏宪程, 唐小丰, 2017. 装备论证基础方法导论. 北京: 国防工业出版社.

苏艳, 2019. 航空保障技术与工程导论. 北京: 北京航空航天大学出版社.

孙有朝, 张永进, 李龙彪, 2016. 可靠性原理与方法. 北京: 科学出版社.

田仲, 石君友, 2003. 系统测试性设计分析与验证. 北京: 北京航空航天大学出版社.

王玮, 2003. 武器装备系统工程. 大连: 海军大连舰艇学院.

王玉泉, 2010. 装备费用效能分析. 北京: 国防工业出版社.

韦灼彬, 熊先巍, 2020. 装备保障效能评估与建模. 北京: 国防工业出版社.

吴建军, 周红, 朱玉岭, 等, 2017. 工程装备测试性分析与应用. 北京: 国防工业出版社.

徐培德, 李志猛, 2016. 武器系统效能分析. 长沙: 国防科技大学出版社.

徐宗昌, 等, 2018. 装备 IETM 工程与管理. 北京: 国防工业出版社.

于永利, 张柳, 2015. 装备保障工程基础理论与方法. 北京: 国防工业出版社.

曾声奎, 2013. 可靠性设计与分析. 北京: 国防工业出版社.

张健壮, 史克禄, 2015. 武器装备研制项目系统工程管理. 北京: 中国宇航出版社.

张相炎, 2016. 兵器系统可靠性与维修性. 北京: 国防工业出版社.

张耀辉, 张仕新, 刘颖, 2003. 装备维修工程. 北京: 装甲兵工程学院.

章文晋, 郭霖瀚, 2012. 装备保障性分析技术. 北京: 北京航空航天大学出版社.

郑东良, 王坚浩, 2021. 装备维修管理. 北京: 北京航空航天大学出版社.
中国电子科技集团公司发展战略研究中心, 2020. 网络信息体系构建方法和探索实践. 北京: 电子工业出版社.
周德群, 方志耕, 潘东旭, 等, 2005. 系统工程概论. 北京: 科学出版社.